Piękny NIEZNAJOMY

CHRISTINA LAUREN

Piękny
NIEZNAJOMY

Przełożyła
Katarzyna Krawczyk

ZYSK I S-KA
WYDAWNICTWO

Tytuł oryginału
Beautiful Stranger

Redakcja
Barbara Kaszubowska

Zdjęcie na okładce
-Robbie-/pl.depositphotos.com

Wydanie I

ISBN 978-83-7785-695-6

Zysk i S-ka Wydawnictwo
ul. Wielka 10, 61-774 Poznań
tel. 61 853 27 51, 61 853 27 67
Dział handlowy, tel./fax 61 855 06 90
sklep@zysk.com.pl
www.zysk.com.pl

PROLOG

Moje poprzednie życie bynajmniej nie umarło po cichu. Odeszło z hukiem.

Ale szczerze mówiąc, to ja wyciągnęłam zawleczkę. W ciągu tygodnia wynajęłam dom, sprzedałam samochód i zostawiłam mojego chłopaka dziwkarza. A chociaż nadopiekuńczym rodzicom obiecałam, że będę ostrożna, dopiero z lotniska zadzwoniłam do przyjaciółki, by jej powiedzieć, że do niej jadę.

Wtedy zaczęło to do mnie docierać w jednej chwili olśnienia.

Byłam gotowa zacząć od początku.

— Chloe? To ja — odezwałam się drżącym głosem, rozglądając się po lotnisku. — Lecę do Nowego Jorku. Mam nadzieję, że wciąż mam tę pracę.

Przyjaciółka wrzasnęła, upuściła telefon i uspokoiła kogoś w tle, że wszystko w porządku.

— Sara przyjeżdża — usłyszałam jej słowa, a moje serce podskoczyło na samą myśl o tym, że na początku nowej przygody znajdę się tam z nimi. — Zmieniła zdanie, Bennett!

Usłyszałam okrzyk radości, klaśnięcie i mężczyzna powiedział coś, czego nie zrozumiałam.

— Co powiedział? — zapytałam.

— Zapytał, czy Andy przyjeżdża z tobą.

— Nie — przerwałam, by zwalczyć niemiłe uczucie ściskające za gardło. Spędziłam z Andym sześć lat i niezależnie od mojej radości z tego, że się go pozbyłam, taka duża zmiana w życiu wciąż wydawała się nieco nierealna. — Rzuciłam go.

Usłyszałam, jak Chloe głośno wciąga powietrze.

— Wszystko dobrze?

— Nawet lepiej. — I rzeczywiście tak było. Chyba do tej chwili nawet nie zdawałam sobie sprawy z tego, jak dobrze się czuję.

— To chyba najlepsza decyzja w twoim życiu — powiedziała przyjaciółka i przerwała na chwilę, słuchając Bennetta. — Bennett mówi, że przemkniesz przez kraj jak kometa.

Zagryzłam wargi, by ukryć uśmiech.

— Jestem właściwie znacznie bliżej. Na lotnisku.

Chloe wydała nieartykułowany okrzyk i obiecała, że odbierze mnie z La Guardii.

Uśmiechnęłam się, rozłączyłam i podałam mój bilet kobiecie za ladą, stwierdzając, że w porównaniu ze mną kometa jednak jest znacznie bardziej zdecydowana i nakierowana na cel. Ja przypominałam raczej starą wypaloną gwiazdę, którą siła jej własnej grawitacji wsysała do wewnątrz i miażdżyła. Skończył mi się zapał do mojego zbyt idealnego życia, mojej zbyt przewidywalnej pracy, mojego związku bez miłości — wypaliłam się w wieku zaledwie dwudziestu siedmiu lat. Jak w przypadku supernowej, moje życie w Chicago zapadło się pod własnym ciężarem, więc postanowiłam wyjechać. Po wielkich gwiazdach pozostają czarne dziury, po małych — białe karły. Ja zostawiałam za sobą ledwie cień, a całe życie zabierałam ze sobą.

Byłam gotowa rozpocząć od początku jako kometa: zatankować, odpalić i przemknąć po niebie świetlistym łukiem.

ROZDZIAŁ

pierwszy

— Masz włożyć srebrną sukienkę, albo cię zaszty-letuję! — zawołała Julia ze strefy kuchennej, jak zaczęłam nazywać to miejsce. Z pewnością rozmiary nie pozwalały nazwać tego kuchnią z prawdziwego zdarzenia.

Z rozbrzmiewającego echem, pełnego zakamarków wiktoriańskiego domu na przedmieściach Chicago prze-niosłam się do przepięknego apartamentu w East Village, choć małego, bo zaledwie wielkości mojego salonu w po-przednim mieszkaniu. Kiedy się rozpakowałam, poukła-dałam wszystko na miejscu i zaprosiłam dwie najbliższe przyjaciółki, wydał mi się jeszcze mniejszy. Salon/jadalnię/strefę kuchenną otaczały olbrzymie wykuszowe okna, lecz efekt był mniej pałacowy, a bardziej akwariowy. Julia przy-jechała tylko na weekend, na wieczorną imprezę, lecz już przynajmniej z dziesięć razy zapytała, dlaczego wybrałam takie maleńkie mieszkanie.

Prawdę mówiąc, zdecydowałam się na nie dlatego, że tak całkowicie różniło się od wszystkiego, co znałam wcześniej. I dlatego, że jeśli człowiek przeprowadza się do Nowego Jorku bez wcześniejszych przygotowań, zostają do wyboru tylko takie właśnie małe klitki.

W sypialni obciągnęłam dół skąpej minisukienki z cekinami i spojrzałam na oślepiająco białą nogę, którą wystawiłam dzisiaj na widok publiczny. Nie podobało mi się to, że moją pierwszą myślą było, czy według Andy'ego sukienka nie jest zbyt wyzywająca, a drugą — że bardzo mi się ta sukienka podoba. Muszę natychmiast przestać wciąż się skupiać na moim byłym facecie.

— Podaj mi jeden powód, dla którego nie powinnam jej włożyć.

— Nic nie przychodzi mi do głowy. — Do sypialni weszła Chloe w granatowej szmatce, która falowała wokół jej sylwetki, tworząc coś w rodzaju aury. Jak zwykle moja przyjaciółka wyglądała niesamowicie. — Zamierzamy pić i tańczyć, więc pokazanie kawałka ciała jest wymagane.

— Nie wiem, ile ciała chcę pokazać — przyznałam. — Jestem przywiązana do mojej świeżo otrzymanej karty singielki.

— Niektóre kobiety będą pokazywały goły tyłek, więc jeśli tym się martwisz, to na pewno nie będziesz się wyróżniać. Poza tym — Chloe wskazała ulicę — jest za późno na przebieranie, samochód zajechał.

— To ty powinnaś pokazać goły tyłek, w końcu od trzech tygodni opalasz się topless i pijesz cały dzień we francuskiej willi — powiedziałam.

Chloe uśmiechnęła się tajemniczo i pociągnęła mnie za ramię.

— Chodźmy, piękna. Ostatnie parę tygodni spędziłam z BB, mam ochotę na babski wieczór.

Wcisnęłyśmy się do samochodu i Julia otworzyła szampana. Po jednym łyku musującego, szczypiącego płynu cały świat zniknął, zostałyśmy tylko my — trzy przyjaciółki w limuzynie mknącej na powitanie nowego życia.

Tego wieczoru świętowałyśmy nie tylko mój przyjazd — Chloe Mills szykowała się do ślubu, Julia przyjechała z wizytą, a świeżo upieczona singielka Sara miała zamiar zająć się swoim życiem.

~

W klubie było ciemno, ogłuszająco głośno i tłoczno od ludzi wijących się na parkiecie, w korytarzach i przy barze. Na małej scenie szalał DJ, a plakaty oblepiające całą fasadę obiecywały, że to najlepszy i najbardziej gorący DJ w Chelsea.

Julia i Chloe były w swoim żywiole. Ja czułam się tak, jakbym całe dzieciństwo i dorosłość spędziła na spokojnych, normalnych imprezach, a tutaj nagle wyskoczyła ze

stron nieco monotonnej opowieści z Chicago w roli głównej i wskoczyła między kartki opowieści nowojorskiej.

Było idealnie.

Przepchnęłam się do baru — z zarumienionymi policzkami, wilgotnymi włosami i nogami, które chyba po
raz pierwszy od wielu lat miałam wykorzystać we wła-
ściwy sposób.

— Przepraszam! — zawołałam, starając się zwrócić
uwagę barmana. Chociaż nie miałam pojęcia, co to właściwie znaczy, zamówiłam już śliskie sutki, betoniarkę
i fioletowe cycki. W tej chwili w barze panował największy tłok, a muzyka grzmiała tak głośno, że czułam ją w ko-
ściach, więc barman nawet nie podniósł na mnie wzroku.
Fakt, był zmęczony, a przygotowywanie tylu małych drinków musiało go zniechęcać. Ale moja ubzdryngolona,
świeżo zaręczona przyjaciółka wypalała właśnie dziurę na
parkiecie i żądała kolejnych drinków.

— Hej! — zawołałam głośno, łupiąc dłonią w bar.

— Bardzo się stara cię ignorować, prawda?

Zamrugałam, uniosłam wzrok — i spojrzałam jeszcze
wyżej — na mężczyznę ściśniętego między ludźmi obok
mnie. Miał rozmiar sekwoi; kiwnął głową w kierunku
barmana, wskazując, o kogo mu chodzi.

— Na barmana nigdy się nie wrzeszczy, kwiatuszku,
zwłaszcza nie wykrzykuje się do niego zamówienia. Pete
nie znosi robienia dziewczyńskich drinków.

Oczywiście. Oczywiście przy moim pechu musiałam
wpaść na przystojniaka parę dni po tym, jak przysięgłam
sobie więcej nie zadawać się z mężczyznami. W dodatku

facet mówił z brytyjskim akcentem. Wszechświat ma spaczone poczucie humoru.

— A może chciałam zamówić guinnessa? Nigdy nie wiadomo.

— Mało prawdopodobne. Widzę, że cały wieczór zamawiasz małe różowe drinki.

Obserwował mnie przez cały wieczór? Nie byłam pewna, czy mam się ucieszyć, czy przestraszyć.

Przesunęłam się nieco, on też się odwrócił. Miał wyraziste rysy, ostro zarysowaną szczękę i kształtne zagłębienia pod kośćmi policzkowymi, oczy świecące własnym blaskiem i gęste ciemne brwi, głęboki dołek na lewym policzku, kiedy uśmiech dotarł do jego ust. Facet miał ponad metr osiemdziesiąt wzrostu, a poznanie jego torsu zajęłoby moim dłoniom wiele księżyców.

„Witamy w Nowym Jorku".

Barman wrócił i spojrzał wyczekująco na mężczyznę obok mnie. Mój piękny nieznajomy ledwie podniósł głos, lecz jego głęboki ton bez problemu dotarł za bar.

— Macallana na trzy palce, Pete, i coś dla pani. Trochę tu już czeka, prawda? — Odwrócił się do mnie z uśmiechem, który obudził śpiące ciepło głęboko w moim brzuchu. — Ile palców dla ciebie?

Jego słowa wywołały eksplozję w moim mózgu i napływ adrenaliny do krwi.

— Co powiedziałeś?

Niewinność. To tego próbował, kiedy zrobił słodką minę. Jakoś mu to wyszło, chociaż ze zmrużenia oczu odgadłam, że nie posiadał ani jednej niewinnej komórki.

— Naprawdę zaproponowałeś mi trzy palce? — zapytałam.

Roześmiał się i położył na barze największą dłoń, jaką w życiu widziałam, rozszerzając palce. Mógłby ukryć w ręce piłkę do koszykówki.

— Kwiatuszku, lepiej zacznij od dwóch.

Przyjrzałam mu się bliżej. Przyjazne oczy; stanął nie za blisko, lecz na tyle blisko, że wiedziałam, że odszedł do baru specjalnie dla mnie.

— Potrafisz robić aluzje.

Barman zastukał palcami w bar i zapytał o moje zamówienie. Odchrząknęłam i się sprężyłam.

— Poproszę trzy razy seks na plaży. — Zignorowałam jego wściekłe parsknięcie i odwróciłam się z powrotem do mojego nieznajomego.

— Nie wyglądasz na miejscową — zauważył, nieco poważniejąc. Uśmiech jednak został mu w oczach.

— Ty też nie.

— Bingo. Urodziłem się w Leeds, pracowałem w Londynie, a sześć lat temu przeprowadziłem się tutaj.

— Pięć dni — przyznałam, wskazując na siebie. — Z Chicago. Moja firma otworzyła tu oddział i sprowadziła mnie do kierowania finansami.

„Prrr, Sara. Za dużo informacji. Możesz go zachęcić do wścibstwa".

Nawet nie spojrzałam na niego. Andy był dobry w te klocki, niestety ja nie umiałam flirtować. Moje umiejętności w tej dziedzinie tak zardzewiały, że praktycznie musiałam zostać znów rozdziewiczona. Obejrzałam się za siebie

w nadziei, że zobaczę Julię i Chloe, lecz nie dojrzałam ich
w tłumie.

— Finanse? Też siedzę w liczbach. — Mężczyzna od-
czekał, aż znów na niego spojrzę, i uśmiechnął się jeszcze
szerzej. — Miło widzieć, jak przebijają się w tej branży
kobiety. Zbyt wielu skwaszonych facetów w spodniach
wysiaduje na spotkaniach tylko po to, żeby móc napawać się swoimi przemówieniami, zresztą wciąż tymi
samymi.

Uśmiechnęłam się.

— Też bywam skwaszona. I czasami również noszę
spodnie.

— Na pewno nosisz też figi.

Zmrużyłam oczy.

— W brytyjskim to znaczy coś innego, prawda? Czy
to znów jakiś podtekst?

Roześmiał się, przyprawiając mnie o dreszcz.

— Figi to po amerykańsku bielizna.

Sposób, w jaki wypowiedział to ostatnie słowo, sko-
jarzył mi się z dźwiękiem, jaki mógłby wydawać w czasie
seksu. Coś we mnie topniało. Zagapiłam się na niego,
a mój nieznajomy przekrzywił głowę i zmierzył mnie spojrzeniem.

— Urocza jesteś. Nie wyglądasz na osobę, która często
odwiedza tego rodzaju lokale.

Miał rację, ale czy to było aż tak widoczne?

— Nie jestem pewna, jak to potraktować.

— Jako komplement. Jesteś najbardziej świeżą osobą
w tym miejscu — chrząknął i spojrzał w kierunku Pete'a

wracającego z moimi drinkami. — Dlaczego niesiesz wszystkie te lepkie szklanki na parkiet?

— Przyjaciółka się zaręczyła, mamy babski wieczór.

— Zatem raczej ze mną nie wyjdziesz.

Zamrugałam, po czym zamrugałam jeszcze raz, mocniej. Jego szczerość pozbawiła mnie tchu. Na długą chwilę.

— Ja... co? Nie.

— Szkoda.

— Mówisz poważnie? Przecież dopiero się poznaliśmy.

— A już mam ochotę cię pochłonąć. — Słowa zostały wypowiedziane powoli, niemal szeptem, lecz wywołały w mojej głowie echo godne dzwonów. Najwyraźniej to dla niego nie pierwszyzna — propozycja seksu bez zobowiązań. I chociaż ja nie miałam w tym doświadczenia, kiedy tak na mnie patrzył, wiedziałam, że poszłabym za nim wszędzie.

Wszystkie wypite drinki nagle zaczęły działać; zakołysałam się lekko. Nieznajomy podłożył mi dłoń pod łokieć i podtrzymał mnie z uśmiechem.

— Spokojnie, kwiatuszku.

Mruganiem przywróciłam sobie przytomność umysłu; poczułam, jak w głowie mi się nieco rozjaśnia.

— Kiedy się tak uśmiechasz, mam ochotę wspiąć się na ciebie. I Bóg mi świadkiem, od dawna nie miałam okazji do bliskości z mężczyzną — zmierzyłam go wzrokiem; wszelkie pozory kultury zniknęły. — Coś mi też mówi, że stać cię na więcej niż tylko to... Wystarczy na ciebie spojrzeć.

No i spojrzałam. I jeszcze raz. Wzięłam oddech, by się uspokoić, i wytrzymałam jego rozbawiony grymas.

— Tylko że nigdy nie wyszłam z przypadkowo poznanym facetem, a jestem tu z przyjaciółkami, świętujemy nieodległy ślub jednej z nich, więc… — zabrałam drinki — mamy zamiar to spożytkować.

Kiwnął powoli głową, a jego uśmiech stał się szerszy, jakby przyjmował wyzwanie.

— W porządku.

— To do zobaczenia później.

— Trzeba mieć nadzieję.

— Smacznych trzech palców, nieznajomy.

Roześmiał się.

— Dobrego seksu na plaży.

~

Zastałam moje przyjaciółki przy stoliku, zmęczone i spocone. Postawiłam przed nimi drinki. Julia przesunęła jeden w kierunku Chloe, a drugi przyciągnęła do siebie.

— Oby zawsze cię cieszył seks na plaży. — Ujęła ustami krawędź kieliszka i przytrzymała go bez użycia rąk, po czym odchyliła głowę, jednym haustem połykając całego drinka.

— Jasna cholera — wymamrotałam, patrząc na nią z fascynacją, a Chloe obok wybuchnęła śmiechem. — To

tak mam to robić? — zniżyłam głos i się rozejrzałam.
— Jakbym obciągała facetowi?

— Cud, że nadal mam odruch wymiotny. — Julia dość bezceremonialnie wytarła przedramieniem usta i podbródek i wyjaśniła: — Na studiach często pijaliśmy piwo przez rurkę z lejkiem. — Lekko trąciła Chloe, wołając: — Do dna!

Chloe schyliła się nad stolikiem i również uniosła kieliszek ustami. Gdy nadeszła moja kolej, przyjaciółki odwróciły się do mnie.

— Spotkałam super faceta — odezwałam się bez namysłu. — Naprawdę super. Ma chyba ze trzy metry wzrostu.

Julia zagapiła się na mnie z otwartymi ustami.

— To dlaczego stoisz tutaj i zadowalasz się drinkiem?

Roześmiałam się i pokręciłam głową. Nie miałam pojęcia, co odpowiedzieć. Mogłabym z nim wyjść, a ktoś znacznie odważniejszy ode mnie zapewne skończyłby noc seksem, nawet jeśli nie na plaży.

— To nasz wieczór. Przyjechałaś tylko na dwa dni. Wszystko w porządku.

— Nie pieprz, tylko leć za nim.

Chloe przyszła mi z pomocą:

— Cieszę się, że ktoś ci się spodobał. Od dawna nie widziałam u ciebie takiego uśmiechu, kiedy mówisz o facecie. — Pomyślała chwilę i dodała już poważnie: — Jak się zastanowię, to dochodzę do wniosku, że w ogóle nie widziałam cię z uśmiechem, kiedy mówisz o facetach.

Na tę tak brutalnie podaną prawdę ujęłam ustami kieliszek, ignorując protesty Julii dotyczące mojej kiepskiej postawy, i przechyliłam go. Drink był słodki i pyszny, doskonale rozjaśnił mi w głowie. Natychmiast zapomniałam o palancie z Chicago i o pięknym nieznajomym z baru. Pociągnęłam przyjaciółki na parkiet.

Po paru sekundach czułam się jak pozbawiona kości, mózgu i cudownie wolna, jakbym zerwała się z łańcucha. Chloe i Julia skakały obok, wrzeszcząc słowa piosenek, gubiąc się w masie spoconych ciał wokół. Chciałam zatrzymać młodość jeszcze przez chwilę. W moim rutynowym, uporządkowanym życiu w Chicago nie nacieszyłam się nią w pełni. Dopiero tutaj, wśród piosenek łączonych przez DJ-a w jeden ciąg, uświadomiłam sobie, jak powinnam była żyć po dwudziestce: w światłach dyskoteki, roztańczona, w kusej sukience, z przyjaciółkami, które szaleją, wygłupiają się i cieszą młodością.

Nie musiałam zamieszkać z facetem w wieku dwudziestu dwóch lat.

Mogłam nie przejmować się konwenansami i koniecznością spełnienia cudzych oczekiwań.

Mogłam być właśnie tą dziewczyną — w seksi sukience i tańczącą do upadłego.

Na szczęście jeszcze nie jest za późno. Zobaczyłam pełen uniesienia uśmiech Chloe i odwzajemniłam go.

— Tak się cieszę, że tu jesteś! — wrzasnęła do mnie, przekrzykując głośną muzykę.

Już zbierałam się do podobnie wrzaskliwie pijackiego zapewnienia o przyjaźni, lecz tuż za Chloe w cieniu na skraju parkietu dojrzałam mojego nieznajomego. Nasze spojrzenia się spotkały; żadne z nas nie odwróciło wzroku.

On w towarzystwie kolegi pił swoją szkocką, lecz po braku zaskoczenia na jego twarzy wywnioskowałam, że śledził każdy mój ruch.

Skutek tego olśnienia był silniejszy od alkoholu. Rozgrzał każdy milimetr mojej skóry, wypalił dziurę w mojej piersi i zszedł niżej, do żeber, przeniknął w głąb brzucha. Nieznajomy uniósł szklankę, łyknął i się uśmiechnął. Poczułam, jak przewracam oczami i zamykam je.

Chciałam tańczyć dla niego.

Nigdy dotąd nie czułam się tak seksowna, tak doskonale nie panowałam nad tym, czego pragnę. Udało mi się zrobić magisterkę, znaleźć dobrze płatną pracę, a nawet tanio odnowić dom. Nigdy jednak nie czułam się dorosłą kobietą w ten sposób, kiedy tańczyłam jak szalona dla pięknego nieznajomego obserwującego mnie z cienia.

Teraz... właśnie tak chciałam zacząć od początku.

Co to znaczy zostać pochłoniętą? Czy znaczenie jego słów było właśnie takie, jak mi się wydawało? Jego głowa między moimi udami, ramiona oplatające moje biodra, otwierające mnie? Czy chodziło mu to, że znajdzie się na mnie, we mnie, będzie ssał moje usta, szyję i piersi?

Uśmiech wypłynął mi na twarz, ramiona się wyprostowały. Czułam, jak sukienka unosi mi się na udach, ale nie przejmowałam się tym. Ciekawe, czy zauważył. Miałam nadzieję, że zauważył.

Gdybym ujrzała, że sobie poszedł, chwila straciłaby urok, więc nie spojrzałam ponownie w jego kierunku. Nie znałam zasad flirtowania przy barze, może facet potrafi skupić uwagę przez pięć sekund, może przez całą noc. Nieważne. Mogłam udawać przed sobą, że nadal stoi w ciemnościach, dopóki sama podskakiwałam w świetle stroboskopów na parkiecie. Nauczyłam się nie oczekiwać zbyt wiele uwagi od Andy'ego, lecz chciałam, by ten nieznajomy pożerał mnie wzrokiem, wypalając w żebrach dziurę aż do bijącego pod nimi serca.

Zatraciłam się w muzyce i wspomnieniu jego dłoni na moim łokciu, jego ciemnych oczu i słowie „pochłaniać". Pochłaniać.

Jedna piosenka płynnie przeszła w drugą, potem w kolejną, aż w końcu, zanim zdołałam wyskoczyć w powietrze, poczułam obejmujące mnie ramiona Chloe i jej śmiech prosto w moje ucho, kiedy przyjaciółka zaczęła skakać ze mną.

— Ściągnęłaś nam widownię! — wrzasnęła tak głośno, że skrzywiłam się i odsunęłam lekko.

Wskazała głową w bok; dopiero wtedy zauważyłam, że otacza nas grupa mężczyzn w dopasowanych ciemnych ubraniach, sugestywnie kręcących rękami w powietrzu. Spojrzałam znów na Chloe, w lśniące, tak dobrze znane mi oczy dziewczyny niebiorącej jeńców, która samodzielnie wspięła się na szczyt jednej z największych światowych firm medialnych i która wiedziała doskonale, co ten wieczór znaczy dla mnie. Nagle poczułam powiew chłodnego powietrza z wentylatorów w suficie. Mruganiem przywróciłam sobie jasność umysłu, choć wciąż kręciło mi się w głowie na myśl, że naprawdę znalazłam się w Nowym Jorku, naprawdę zaczynam nowe życie i naprawdę mi się to podoba.

Lecz cień za plecami Chloe był pusty i ciemny; nie obserwował mnie już żaden nieznajomy.

Mina mi nieco zrzedła.

— Muszę do łazienki! — wrzasnęłam do przyjaciółki.

Wężowym ruchem przesunęłam się między stojącymi w kole mężczyznami, zeszłam z parkietu i kierując się strzałkami, ruszyłam na piętro, które stanowił właściwie duży balkon z widokiem na cały klub. Wąskim korytarzem doszłam do łazienki, gdzie jasne światło wywołało bolesne ukłucie w głowie. Pomieszczenie było zupełnie puste, a muzyka dochodząca z dołu brzmiała jak spod wody.

Wychodząc, poprawiłam włosy i pogratulowałam sobie w myślach wyboru sukienki z niegniotącego się materiału; pomalowałam też usta.

Przeszłam przez drzwi i wpadłam prosto na postawnego mężczyznę.

Przy barze staliśmy blisko, ale jednak nie aż tak blisko. Nie wbijałam się niemal nosem w jego szyję, nie czułam jego zapachu wokół siebie. Pachniał inaczej niż mężczyźni na parkiecie, zlani wodą kolońską. Pachniał czystością, jak mężczyzna w wypranym ubraniu i po łyku szkockiej w ustach.

— Cześć, kwiatuszku.

— Cześć, nieznajomy.

— Przyglądałem się, jak tańczysz. Nieźle szalejesz, chociaż taka mała.

— Widziałam. — Z trudem łapałam oddech. Nogi pode mną drżały, jakby niepewne, czy ugiąć się ostatecznie, czy wrócić do rytmicznych podskoków w tańcu. Zagryzłam wargę, tłumiąc uśmiech. — Czaiłeś się w cieniu. Dlaczego nie podszedłeś i nie poprosiłeś mnie do tańca?

— Bo wydawało mi się, że wolisz być oglądana.

Przełknęłam ślinę, rozdziawiłam usta i zagapiłam się na niego, niezdolna oderwać wzroku. Nie widziałam koloru jego oczu. Przy barze uznałam, że są brązowe, jednak w tym pomieszczeniu, daleko od stroboskopów, widziałam w nich jaśniejsze błyski, żółtawe czy zielonkawe, magnetyzujące. Nie tylko wiedziałam, że mnie obserwuje — i podobało mi się to — ale też tańczyłam całkowicie w rytm fantazji, w której to on mnie pochłaniał.

— Wyobrażałaś sobie, że się napalam?

Zamrugałam. Nie nadążałam za jego bezpośredniością. Czy od zawsze istnieli tacy mężczyźni, którzy potrafią powiedzieć to, co myślą — i co ja myślę — ale przy tym nie przerażają, nie sprawiają wrażenia prymitywów czy nagabywaczy? Jak mu się to udaje?

— No, no — wydobyłam z siebie. — Czyżby…

Ujął moją dłoń i przycisnął mocno, aż poczułam jego wzwód, wbijający mi się w rękę. Automatycznie zacisnęłam na nim palce.

— To od przyglądania się, jak tańczę?

— Zawsze tak tańczysz?

Gdybym nie była tak zaskoczona, pewnie bym się roześmiała.

— Nigdy.

Przyjrzał mi się uważnie, nadal z uśmiechem w oczach, lecz z zaciśniętymi ustami i wyrazem zamyślenia na twarzy.

— Jedź ze mną do domu.

Tym razem faktycznie się roześmiałam.

— Nie.

— Chodź ze mną do samochodu.

— Wykluczone. W żadnym wypadku nie wyjdę z tobą z klubu.

Pochylił się i pocałował mnie krótko, lecz delikatnie w ramię, po czym powiedział:

— Ale ja chciałbym cię dotknąć.

Ja też tego chciałam i nie potrafiłam się tego pragnienia wyprzeć. Panowała ciemność, przerywana nierytmicznymi błyskami świateł, wypełniona muzyką tak głośną, że zmieniała mi puls w żyłach. Co mi szkodzi: jedna szalona noc… W końcu Andy zaliczył ich mnóstwo.

Poprowadziłam nieznajomego wąskim korytarzem do małej pustej niszy nad stanowiskiem DJ-a. Znaleźliśmy się w ślepym zaułku, za rogiem, lecz bynajmniej nie ukryci. Oprócz ściany klubu mieliśmy wokół siebie otwartą przestrzeń, a przed upadkiem na parkiet taneczny chroniła nas tylko sięgająca do pasa balustrada ze szkła.

— No dobrze. Podotykaj mnie tutaj.

Uniósł brwi, długim palcem przesunął po moim obojczyku od jednego ramienia do drugiego.

— A co dokładnie proponujesz?

Spojrzałam w te dziwne oczy, świecące własnym blaskiem, które wydawały się tak bardzo rozbawione tym, co widziały wokół. Wyglądał normalnie, wyjątkowo nawet normalnie jak na kogoś, kto szedł za mną przez cały klub i oznajmił mi bez ogródek, że chce mnie podotykać.

Przypomniałam sobie Andy'ego i to, jak rzadko — o ile nie trzeba było zachowywać pozorów — pragnął mojego dotyku, rozmowy ze mną, czegokolwiek ze mną. Czy to właśnie tak się u niego odbywało? Kobieta odciągała go na bok, oferowała siebie, a on brał, co się nadarzyło, po czym wracał do domu, do mnie? Tymczasem moje życie tak się skurczyło, że zapomniałam, jak kiedyś wypełniałam sobie długie samotne noce.

Czy chciwością jest pragnąć tego wszystkiego? Błyskotliwej kariery i kilku chwil szaleństwa od czasu do czasu?

— Chyba nie jesteś psychopatą?

Roześmiał się, pochylił i pocałował mnie w policzek.

— Przy tobie odrobinę mi odbija, ale nie, nie jestem.

— Ja tylko… — zaczęłam i spojrzałam w dół. Położyłam dłoń na jego piersi. Szary sweter był niewiarygodnie miękki — prawdopodobnie kaszmir. Ciemne dżinsy leżały na nim idealnie. Czarne buty nie nosiły śladów żadnych zadrapań. Mężczyzna był niewiarygodnie schludny.

— Dopiero się tu wprowadziłam. — To chyba wystarczające wyjaśnienie drżenia mojej dłoni na jego swetrze.

— I w tej chwili nie czujesz się zbyt bezpiecznie, prawda?

Pokręciłam głową.

— Wcale.

Wtedy jednak uniosłam rękę, objęłam go za szyję i przyciągnęłam do siebie. Przysunął się chętnie, pochylił i uśmiechnął, po czym nasze usta się spotkały. Pocałunek był idealny: nie za mocny, nie za delikatny, a moje usta owionął zapach szkockiej z jego warg. Mężczyzna jęknął cicho, kiedy rozchyliłam wargi i wpuściłam jego język; wibracje mnie rozpaliły. Chciałam czuć każdy wydawany przez niego dźwięk.

— Smakujesz jak cukier. Jak masz na imię?

Na to pytanie poczułam pierwszy prawdziwy atak paniki.

— Nie będziemy się sobie przedstawiać.

Odsunął się i spojrzał na mnie, unosząc brwi.

— To jak mam się do ciebie zwracać?

— Tak jak do tej pory.

— Kwiatuszku?

Pokiwałam głową.

— A jak mnie nazwiesz, jak będziesz blisko końca? — Znów pocałował mnie delikatnie.

Na samą myśl serce podskoczyło mi w piersi.

— To chyba nie ma znaczenia, jak się będę do ciebie zwracać, prawda?

Wzruszył ramionami.

— Pewnie nie ma.

Wzięłam go za rękę i uniosłam do mojego biodra.

— Od roku jestem jedyną osobą, która doprowadzała mnie do orgazmu. — Przesuwając jego palce do krawędzi sukienki, dodałam szeptem: — Czy możesz to zmienić?

Pochylił się, by znów mnie pocałować. Poczułam, jak się uśmiecha.

— Mówisz poważnie.

Pomysł oddania się temu mężczyźnie w ciemnym korytarzyku nieco mnie przestraszył, ale nie na tyle, żebym zrezygnowała.

— Mówię poważnie.

— Wpędzisz mnie w kłopoty.

— Obiecuję, że nie.

Odsunął się na chwilę, by spojrzeć mi uważnie w oczy. Przesuwał spojrzeniem po mojej twarzy, w końcu znów skrzywił się w tym rozbawionym uśmiechu.

— Pomyśleć, że nie masz pojęcia, jak wyglądasz...

Odwrócił mnie, przycisnął przodem do szklanej balustrady tak, że z balkonu spoglądałam na masę skłębionych ciał. Pulsujące światła stroboskopów zawieszonych na żelaznych prętach pod sufitem klubu tuż przede mną oświetlały dół, podczas gdy nasz zakątek na górze pozostawał w cieniu. Ze szpar w parkiecie zaczął wydobywać się specjalny dym, zakrywając tańczących do wysokości ramion; ich poruszenia wywoływały falowanie mgły.

Nieznajomy dotknął palcami krawędzi mojej sukienki z tyłu, uniósł ją i położył dłoń na moich figach, przesunął po pośladkach i między nogami, gdzie z pragnienia jego dotyku zaczynało aż boleć. Nie czułam najmniejszego skrępowania, przeciwnie: wygięłam się w jego dłoni, dając się ponieść.

— Kochanie, jesteś mokra. Co ci się tak podoba? To, że robimy to akurat tutaj? Czy to, że obserwowałem, jak tańcząc, wyobrażasz sobie, że cię posuwam?

Nie odezwałam się z obawy przed tym, co mogłabym powiedzieć, lecz zachłysnęłam się, kiedy wsunął we mnie długi palec. W zakamarkach mózgu błąkały się myśli o tym, co powinnam zrobić, kiedy przypomniała mi się Sara-nudziara z Chicago. Przewidywalna Sara, która zawsze spełniała oczekiwania innych. Nie chciałam już być taka. Chciałam być dzika, nieopanowana i młoda. Po raz pierwszy w życiu chciałam żyć dla siebie.

— Jesteś drobna, ale kiedy tak wilgotniejesz, jestem pewny, że bez problemu zmieściłabyś te trzy palce — roześmiał się i pocałował mnie w kark, masując moją łechtaczkę powoli i drażniąco.

— Proszę — wyszeptałam. Nie miałam pojęcia, czy mnie słyszał. Zatopił twarz w moich włosach, czułam, jak jego fiut wciska mi się w biodro, lecz poza tym nie docierało do mnie nic. Czułam tylko ten długi palec wślizgujący się we mnie.

— Masz zadziwiającą skórę, zwłaszcza tutaj — pocałował mnie w ramię. — Wiesz, że masz idealny kark?

Odwróciłam się i uśmiechnęłam do niego. Oczy miał szeroko otwarte i przejrzyste, a kiedy nasze spojrzenia się spotkały, odwzajemnił uśmiech. Nigdy jeszcze nie zaglądałam facetowi tak głęboko w oczy, kiedy mnie dotykał w ten sposób, a coś w tym mężczyźnie, w tej nocy i w tym mieście wywołało we mnie niezachwianą pewność, że to najlepsza decyzja w moim życiu.

„Kochany Nowy Jorku, jesteś super. Uściski, Sara. PS: To wcale nie jest gadka po pijaku".

— Rzadko mam okazję przyglądać się mojemu karkowi.

— Wielka szkoda. — Gdy zabrał dłoń, w miejscu dotyku jego ciepłych palców poczułam chłodny powiew. Mężczyzna wsunął rękę do kieszeni i wyjął małą paczuszkę.

Prezerwatywa. Akurat przez przypadek miał przy sobie prezerwatywę. Mnie nigdy nie przyszło do głowy brać jej ze sobą do klubu.

Odwrócił mnie twarzą do siebie, przycisnął moje plecy do ściany. Schylił się, pocałował mnie najpierw delikatnie, a potem mocniej, gwałtowniej. Kiedy już niemal straciłam dech, odsunął się i zaczął ssać moją skórę na szczęce, ucho, szyję w miejscu, gdzie dziko pulsowała krew. Moja sukienka opadła, lecz jego palce bawiły się materiałem i wciąż ją unosiły.

— Ktoś tu może wejść — przypomniał, dając ostatnią szansę wycofania się, ale jednocześnie zsuwając mi figi na tyle nisko, że mogłam z nich wyjść.

Nie obchodziło mnie to. W ogóle. A może nawet podświadomie pragnęłam, by ktoś tu przyszedł, zobaczył, jak dotyka mnie mężczyzna idealny. Nie myślałam o niczym, tylko o jego dłoniach, o mojej sukience uniesionej na biodra i o tym, jak jego penis mocno i natarczywie wbijał mi się w żołądek.

— Nieważne.

— Jesteś pijana. Może zbyt pijana? Chcę, żebyś pamiętała, jeśli mam cię posunąć.

— No to zrób tak, żebym zapamiętała.

Uniósł moją nogę, rozsunął mi kolana, wystawiając moją skórę na chłodny powiew z klimatyzacji nad naszymi głowami. Cieszyłam się z moich niebotycznie wysokich obcasów, gdy założył sobie moją nogę na biodro. Sięgnęłam między nas, rozpięłam jego dżinsy i zsunęłam bokserki na tyle, by go uwolnić, po czym wzięłam w dłoń stwardniałego członka i potarłam nim o moją wilgotną skórę.

— Cholera, kwiatuszku, zaraz, niech to założę.

Rozpięte spodnie zwisały mu z bioder. Z tyłu mogło się wydawać, że tańczymy, może się całujemy. Jednak on pulsował w mojej dłoni, a realność całej sytuacji przyprawiała mnie o szaleństwo. Miał mnie wziąć, tu i teraz, z widokiem na tłum w dole. W tym tłumie niektórzy znali mnie jako dobrą Sarę, odpowiedzialną Sarę, Sarę Andy'ego.

„Nowy dom, nowa praca, nowe życie. Nowa Sara".

Mój nieznajomy był ciężki i długi w dłoni. Pragnęłam go, lecz także obawiałam się, że mnie przebije. Nie byłam pewna, czy kiedykolwiek jakikolwiek mężczyzna był tak twardy.

— Duży jesteś — wymamrotałam.

Uśmiechnął się jak wilk, który faktycznie ma zamiar mnie pożreć, i szybko rozdarł zębami opakowanie prezerwatywy.

— To najpiękniejszy komplement dla mężczyzny. Możesz mi nawet powiedzieć, że się boisz, czy się w tobie zmieszczę.

Przesunęłam jego końcówką po moim wejściu, co przejęło mnie dreszczem. Był tak gorący i twardy pod miękką skórą.

— Cholera. Jeśli nie przestaniesz, dojdę natychmiast w twojej dłoni. — Lekko trzęsącymi się rękami wysunął penisa z mojego uścisku i nałożył prezerwatywę.

— Często ci się to zdarza? — zapytałam.

Stał tuż przede mną, skierowany w moją stronę, i uśmiechał się do mnie.

— Co? Seks z piękną kobietą, która nie chce się przedstawić i woli, żebym ją pieprzył w korytarzu w klubie niż normalnym miejscu jak łóżko czy samochód? — Zaczął wchodzić, boleśnie wolno. W jego oczach płonęło światło. Jasna cholera, nie przypuszczałam, że seks z nieznajomym może być aż tak intymny. Obserwował reakcje uwidoczniające się na mojej twarzy. — Nie, kwiatuszku. Muszę przyznać, że nigdy mi się to nie zdarzyło.

Głos miał ściśnięty i po chwili zamilkł, gdyż wszedł głęboko we mnie; w klubie z pulsującymi jak oddech światłami i muzyką brzmiącą wokół, gdzie nieświadomi niczego ludzie przechodzili ledwie pięć metrów od nas. Mój cały świat skurczył się do miejsca, w którym on mnie wypełniał, gdzie z każdym uderzeniem ocierał się silnie o mnie, a ciepłą skórą bioder przywierał do moich ud.

Nie było już rozmowy, tylko krótkie pchnięcia, które przybierały na sile i szybkości. Przestrzeń między nami wypełniła się cichymi dźwiękami pochwały i ponagleń. Jego zęby wcisnęły mi się w szyję, złapałam go za ramiona, żeby nie spaść przez barierkę lub gdzie indziej, nie na parkiet, lecz do innego świata, w którym tak mi się podobało to całkowite odkrycie, moja przyjemność widoczna tak bardzo dla wszystkich obserwatorów — a zwłaszcza dla tego mężczyzny.

— Chryste, jesteś doskonała. — Wyprostował się, spojrzał na mnie i przyspieszył. — Nie mogę się napatrzeć na twoją idealną skórę i — cholera — tam, gdzie się w tobie poruszam.

Światło zdecydowanie mu sprzyjało, gdyż padało zza jego pleców, więc ja widziałam tylko sylwetkę mojego nieznajomego. Patrząc w dół, nie dostrzegałam niczego oprócz czarnych cieni i ruchu, kiedy wchodził we mnie i znów wychodził. Śliski i twardy, wsuwał się we mnie za każdym razem. Jakby dla podkreślenia, że nie potrzebuję przecież widzieć, światła przygasły niemal całkowicie, a klub wypełnił leniwy, drgający rytm.

— Nagrałem cię, jak tańczyłaś — wyszeptał.

Dopiero po kilku długich chwilach moja świadomość, skoncentrowana na jego pchnięciach, zanotowała znaczenie tych słów.

— Co… co?

— Nie wiem, dlaczego. Nie będę tego pokazywał. Ja tylko…

Obserwował moją twarz, zwalniając, zapewne po to, by dać mi czas do namysłu.

— Tańczyłaś jak nawiedzona. Chciałem to zapamiętać. Do licha, czuję się, jakbym wyznawał grzechy.

Przełknęłam ślinę, a on pochylił się i pocałował mnie. Dopiero wtedy zapytałam:

— Czy to dziwne, że podoba mi się to, co zrobiłeś?

Roześmiał się w moje usta, poruszając się we mnie powolnymi, ale zdecydowanymi ruchami.

— Po prostu ciesz się, dobrze? Lubię cię obserwować. Tańczyłaś dla mnie. Nic w tym złego.

Uniósł moją drugą nogę, zaplótł je obie wokół swojego pasa i przez kilka cudownych sekund w ciemności naprawdę ruszył. Szybko i zdecydowanie, wydając przy tym cudowne stęknięcia, a gdyby ktoś przypadkiem naszedł nas w tym ciemnym kącie na balkonie, nie miałby najmniejszych wątpliwości, co się tu dzieje. Sama ta myśl — gdzie jesteśmy, co robimy i że ktoś może zobaczyć, jak ten mężczyzna bierze mnie brutalnie — sprawiła, że się zatraciłam. Głowa opadła mi do tyłu na ścianę i poczułam...

Poczułam.

Poczułam, jak narasta w brzuchu tak nisko i ciężko, jak bolesna kula tocząca się wzdłuż kręgosłupa, potem na zewnątrz, wybuchająca w podbrzuszu tak mocno, że krzyknęłam, nie przejmując się, czy ktoś mnie usłyszy. Nie musiałam nawet widzieć jego twarzy, wiedziałam, że obserwuje, jak się rozpadam.

— Jasna cholera — wyszeptał spierzchniętymi ustami i sam doszedł z niskim jękiem, wbijając palce w moje biodra.

„Mogę mieć siniaki" — pomyślałam. „Mam nadzieję, że będę miała siniaki".

Chciałam pamiątki po tej nocy i tej Sarze, kiedy już wyjdę, żeby lepiej wyodrębnić moje nowe życie, którego tak pragnęłam.

Nieznajomy znieruchomiał i oparł się ciężko o mnie, z ustami delikatnie dotykającymi mojej szyi.

— Dobry Boże. Moja mała nieznajoma, wyssałaś ze mnie wszystkie siły.

Pulsował we mnie — reakcja po orgazmie — a ja chciałam, żeby został tak zatopiony w głębi mnie przez całą wieczność. Wyobrażałam sobie, jak wyglądamy z drugiej strony klubu: mężczyzna przyciska kobietę do ściany, zarys jej nóg na jego biodrach widoczny w ciemności.

Szeroką dłonią przesunął od mojej kostki do biodra, a potem z cichym jękiem oderwał się, postawił mnie na podłodze, odsunął się i zdjął prezerwatywę.

Jasny gwint, nigdy dotąd nie zrobiłam niczego nawet w przybliżeniu tak wariackiego. Uśmiech rozjaśnił mi całą twarz, a nogi zadrżały, jakby już nie chciały mnie podtrzymywać.

„Tylko bez paniki, Saro. Tylko bez paniki".

Było idealnie. Wszystko było idealne, lecz teraz musi się skończyć. „Rób wszystko inaczej. Bez imion, bez zobowiązań. Bez żalu".

Wygładziłam sukienkę i wspięłam się na palce, by pocałować go jeszcze raz.

— To było niewiarygodne.

Kiwnął głową, mrucząc cicho przy pocałunku.

— Było. A teraz…

— Idę na dół. — Zaczęłam się odsuwać i machnęłam do niego ręką.

Spojrzał na mnie zdezorientowany.

— A ty…

— W porządku. Wszystko w porządku. U ciebie też?

Oszołomiony pokiwał głową.

— No to… dzięki. — Z adrenaliną wciąż buzującą w żyłach odwróciłam się, zanim zdążył odpowiedzieć, i zostawiłam go w niezapiętych spodniach i z zaskoczonym uśmiechem.

Po kilku minutach znalazłam Chloe i Julię, obie gotowe do powrotu. Ramię w ramię opuściłyśmy klub i dopiero w taksówce, kiedy w ciszy przeżywałam jeszcze raz każdą sekundę tego, co zaszło między mną a tym obcym, silnym mężczyzną, przypomniałam sobie, że zostawiłam bieliznę na podłodze u jego stóp, a na jego telefonie film, w którym tańczyłam.

ROZDZIAŁ
DRUGI

W sobotę moje życie było doskonałe: zawrotna kariera, uporządkowane mieszkanie, kilka kobiet gotowych na figle w dowolnym miejscu i czasie. W niedzielę i poniedziałek wszystko się rozsypało. Nie mogłem się skupić, obsesyjnie oglądałem ten przeklęty filmik, a figi nieznajomej wypalały dziurę w szufladzie komody w sypialni.

Poprawiając się na krześle, przesunąłem kciukiem po wyświetlaczu, po raz tysięczny tego dnia włączając telefon. Uczestnicy lunchu biznesowego znów zboczyli z tematu, a ja próbowałem ze wszystkich sił wyglądać na uprzejmie zainteresowanego tym, co mówią, jednak kiedy rozmowa zeszła na futbol amerykański, miałem dość.

I tak byłem w stanie myśleć wyłącznie o niej.

Spojrzałem w dół, sprawdziłem, czy telefon jest ściszony, i wahałem się tylko przez moment, po czym wcisnąłem „odtwórz".

Ekranik był ciemny, obraz zamazany, lecz nie musiałem widzieć wszystkich szczegółów — i tak wiedziałem, co będzie za chwilę. Nawet bez dźwięku pamiętałem pulsującą muzykę, poruszające się w jej rytm biodra, sukienkę unoszącą się coraz wyżej na udach. Amerykanki nie doceniają uroku bladej skóry bez piegów, lecz moja nieznajoma miała najpiękniejszą skórę, jaką w życiu widziałem. Cholera, gdyby dała mi szansę, wylizałbym ją od kostek do bioder i z powrotem. Teraz wiedziałem, że tańczyła właśnie dla mnie, ze świadomością, że ją obserwuję.

I bardzo się to jej podobało.

Chryste, ta skąpa sukienka… Jej rozwichrzone włosy i ogromne, niewinne, brązowe oczy. To przez te oczy miałem ochotę robić z nią bardzo, bardzo brzydkie rzeczy, kiedy tak na mnie patrzyła.

Doskonała pupa i cycki też wspaniałe.

— Kiepskie z ciebie towarzystwo na lunch, Stella. — Will ukradł mi frytkę z talerza.

— Mmm? — mruknąłem, wciąż wpatrzony w telefon, starając się nie reagować w żaden sposób. — Gadacie o futbolu, a ja umieram z nudów. Tak zupełnie dosłownie siedzę i umieram.

W tej branży nauczyłem się już, że nigdy, przenigdy nie wolno odkrywać kart, nawet jeśli są najgorsze. Nie należy również pokazywać filmiku z tańczącą dziewczyną, którą zaraz potem przeleciało się pod ścianą.

— To, co oglądasz na telefonie, jest najwyraźniej tysiąc razy ciekawsze niż perspektywy na ten rok. I nie chcesz się pochwalić.

Gdyby tylko wiedział.

— Sprawdzam rynek — powiedziałem, kręcąc lekko głową. Niemal z jękiem wyłączyłem film i wsunąłem telefon do kieszeni marynarki. — Nuda.

Will wysączył ostatnie krople drinka i się roześmiał.

— Okropne, że tak doskonale kłamiesz. — Gdybyśmy nie byli najlepszymi kumplami od otwarcia jednej z najlepszych spółek kapitałowych w mieście trzy lata temu, może i bym mu uwierzył. — Pewnie oglądasz sobie porno.

Zignorowałem go.

— Hej, Max — wtrącił James Marshall, nasz główny doradca techniczny. — Co się stało z tą kobietą, z którą rozmawiałeś przy barze?

Zwykle na pytanie kumpli o przypadkowe kobiety wzruszałem ramionami i odpowiadałem: „szybki numerek" albo po prostu: „samochód". Jednak z jakiegoś powodu tym razem pokręciłem głową i powiedziałem:

— Nic.

Do naszego stolika przyniesiono następną kolejkę drinków. Podziękowałem z roztargnieniem, chociaż jeszcze nie tknąłem pierwszego. Spojrzeniem bezustannie przeczesywałem pomieszczenie, które wypełniał zwykły o tej porze tłum ludzi spotykających się w interesach i kobiet umówionych na lunch.

Miałem ochotę wyczołgać się z własnej skóry.

James jęknął, zamykając segregator i chowając go do teczki. Przytknął szklankę do czoła i się skrzywił.

— Czy ktoś jeszcze odczuwa skutki weekendu? Ja już jestem za stary na takie wyskoki.

Uniosłem moją szkocką do ust i natychmiast pożałowałem. Jak to możliwe, że alkohol, który popijałem praktycznie codziennie od okresu dojrzewania, przypomni mi o raz widzianej kobiecie?

Ktoś chrząknął; uniosłem wzrok.

— Hej — odezwał się Will. Podążyłem za jego spojrzeniem: przez restaurację przechodził mężczyzna. — Czy to nie Bennett Ryan?

— Niech mnie... — odparłem, wpatrując się w wysoką sylwetkę starego przyjaciela.

— Znasz go? — zapytał James.

— Tak, studiowaliśmy razem i przez trzy lata mieszkaliśmy w jednym pokoju. Kilka miesięcy temu zadzwonił z prośbą o wynajęcie mojego mieszkania w Marsylii, chciał się oświadczyć dziewczynie. Rozmawialiśmy o nowym biurze Ryan Media w Nowym Jorku.

Przyglądaliśmy się Bennettowi, który przystanął przy stoliku w odległym końcu sali i z uśmiechem idioty pochylił się, by pocałować oszałamiającą brunetkę.

— Zdaje się, że Francja pomogła — roześmiał się Will.

Ale ja skupiłem uwagę nie na przyszłej pani Ryan, lecz na pięknej kobiecie stojącej obok i sięgającej po portmonetkę. Karmelowo-miodowe włosy, te same czerwone usta, które całowałem w klubie, te same wielkie brązowe oczy.

Z trudnością powstrzymałem się, żeby nie zerwać się z krzesła i nie podbiec do niej. Uśmiechnęła się do Bennetta, potem powiedziała coś, na co ona i przyjaciółka się roześmiały, i we trójkę wyszli z restauracji. Mogłem tylko przyglądać się, jak odchodzą.

Chyba przyszła pora na wizytę u starego przyjaciela.

~

— Max Stella! — Duże metalowe drzwi oddzielające wewnętrzne biuro od holu recepcji otworzyły się i na moje spotkanie wyszedł z nich on sam. — Co tam u ciebie, do licha?

Odsunąłem się od szklanej ściany wychodzącej na Piątą Aleję i podałem Bennettowi rękę.

— Doskonale — odparłem, rozglądając się wokół.

Atrium miało co najmniej dwa piętra wysokości, a gładkie marmurowe posadzki lśniły w promieniach słońca. Z boku urządzono małą poczekalnię ze skórzanymi sofami, a z wysokości co najmniej sześciu metrów zwisał ogromny kryształowy żyrandol. Za szerokim biurkiem wbudowano w ścianę gładki wodotrysk, w którym woda spływała po niebieskoszarym kamieniu. Grupka pracowników spieszyła z wind do biur, rzucając Bennettowi nerwowe spojrzenia.

— Chyba się zadomowiłeś.

Gestem dłoni zaprosił mnie do środka.

— Powoli się rozkręcamy. W końcu Nowy Jork to wciąż Nowy Jork.

Zaprowadził mnie do biura leżącego w rogu budynku, z oknami bez framug i zapierającym dech widokiem na park.

— A narzeczona? — zapytałem, wskazując głową zdjęcie na biurku. — Pewnie spodobało się jej nad Morzem Śródziemnym, inaczej za cholerę nie zgodziłaby się wyjść za takiego aroganckiego sukinsyna.

Bennett się roześmiał.

— Chloe jest idealna. Dzięki, że mogłem ją tam zabrać.

Wzruszyłem ramionami.

— Przez większość roku dom stoi pusty, cieszę się, że się udało.

Przyjaciel wskazał mi krzesło, a sam zasiadł w wielkim fotelu plecami do okna.

— Dawno się nie widzieliśmy. Co u ciebie?

— Fantastycznie.

— Tak słyszałem — podrapał się w policzek i przyjrzał mi się uważniej. — Wpadnij kiedyś, jak się już urządzimy. Opowiedziałem o tobie Chloe.

— Mam nadzieję, że nie wszystko. — Bennett Ryan prawdopodobnie znał mnie z najgorszej strony z moich szalonych czasów.

— No cóż — przyznał — powiedziałem jej tylko tyle, żeby zechciała cię poznać.

— Z przyjemnością wpadnę sprawdzić, jak żyjecie. — Rzuciłem okiem na budynki za jego plecami i się zawahałem. W takich sytuacjach trudno było odczytać emocje

Bennetta; to dlatego zrobił tak błyskotliwą karierę. — Ale przyznaję, chciałbym cię prosić o przysługę.

Pochylił się z uśmiechem w moją stronę.

— Tego się spodziewałem.

Pracowałem już z najbardziej onieśmielającymi ludźmi na świecie, ale jednak to Bennett Ryan zawsze sprawiał, że jak najstaranniej dobierałem słowa. Zwłaszcza w tak… delikatnej sprawie.

— Zainteresowałem się kobietą, którą poznałem niedawno w klubie. Nie wziąłem jej numeru telefonu i teraz pluję sobie w brodę. Niesamowite, ale to ta sama, która jadła wczoraj lunch z tobą i twoją uroczą Chloe.

Przyglądał mi się przez chwilę.

— Mówisz o Sarze?

— Więc ona ma na imię Sara — stwierdziłem odrobinę zbyt triumfalnie.

— O nie — pokręcił głową. — Nie ma szans, Max.

— Co? — Jednak przy Bennetcie nie mogłem za długo udawać niewiniątka. Gość znał mnie z czasów studenckich, kiedy nie zachowywałem się najlepiej.

— Chloe wyrwie mi jaja, jeśli się dowie, że dopuściłem cię w pobliże Sary. Nie ma mowy.

Położyłem dłoń na piersi.

— Ranisz mnie, przyjacielu. A jeśli mam uczciwe zamiary?

Bennett roześmiał się, wstał i podszedł do okna.

— Sara jest… — zawahał się. — Właśnie dochodzi do siebie po nieprzyjemnym rozstaniu. A ty… — spojrzał na mnie i uniósł brwi — nie jesteś w jej typie.

— Daj spokój, Ben. Już nie jestem tym dziewiętna-stoletnim palantem.

Obdarzył mnie ironicznym uśmieszkiem.

— Może nie, ale pamiętaj, że to ja widziałem, jak jednego wieczoru poderwałeś jednocześnie trzy laski, przy czym żadna nie zorientowała się, że ma konkurencję.

Uśmiechnąłem się szeroko.

— Zupełnie źle to pamiętasz. Pod koniec imprezy wszystkie były już dobrymi znajomymi.

— Jaja sobie robisz.

— Daj mi jej numer. Uznam to za podziękowanie za wynajem mojej wspaniałej willi.

— Dupek z ciebie.

— Chyba już to słyszałem — powiedziałem, wstając. — W klubie... uciąłem sobie z Sarą interesującą pogawędkę.

— Pogawędkę. Sara z tobą rozmawiała? Jakoś nie wierzę.

— I to bardzo miło, naprawdę. Ta mała mnie intryguje. Niestety przerwano nam, zanim zdołałem zapytać ją o imię.

— Rozumiem.

— Co za szczęście, że wpadłem na waszą trójkę — ze znaczącą miną uniosłem brwi.

— Szczęście, tak... — Bennett usiadł z uśmiechem i spojrzał na mnie. — Obawiam się jednak, że będziesz musiał spróbować szczęścia gdzieś indziej. Jestem przywiązany do moich klejnotów i wolałbym je zatrzymać. Nie będę ci ułatwiał sprawy.

— Zawsze byłeś palantem.

— Tak mówią. Lunch w czwartek?

— W czwartek.

~

Wyszedłem z biura Bennetta z zamiarem rozejrzenia się po nowej siedzibie jego firmy. Zajmowała trzy piętra budynku i, jak słyszałem, odniosła już całkiem spore sukcesy. Przestrzenne atrium zapierało dech, lecz biura były równie luksusowe, z szerokimi korytarzami, posadzkami z trawertynu i mnóstwem światła dziennego wpadającego przez okna, szklane ściany i świetliki w dachu. Każde biuro miało mały kącik z kanapą — nie dorównywały gabinetowi Bennetta, lecz idealnie nadawały się na pogawędki niewymagające formalnej sali konferencyjnej.

Sala konferencyjna jednakże była najbardziej spektakularna: ściana ze szkła wychodząca na centrum Manhattanu, szeroki stół z orzecha na co najmniej trzydzieści osób i najnowsza technologia audiowizualna.

— Nieźle, Ben — mruknąłem, wychodząc z powrotem na korytarz, gdzie zapatrzyłem się w wiszące na ścianie fotografie Timothy'ego Hogana. — Niezły gust jak na palanta.

— A co ty tutaj robisz?

Uniosłem wzrok i zobaczyłem niebywale zaskoczoną Sarę, zastygłą na środku korytarza. Uśmiechnąłem się szeroko mimo woli; to naprawdę mój szczęśliwy dzień.

Albo i nie, sądząc po wyrazie jej twarzy.

— Sara! — zawołałem. — Co za miła niespodzianka. Byłem tu na spotkaniu. A przy okazji, jestem Max. Miło wreszcie dopasować imię do… — zjechałem spojrzeniem na jej klatkę piersiową i całą resztę w obcisłej czarnej sukience — …do twarzy.

Boże, co za laska.

Kiedy znów uniosłem wzrok, jej oczy powiększyły się niemal do rozmiarów talerzy. Naprawdę miała największe brązowe oczy, jakie w życiu widziałem. Jeszcze trochę i mogłaby uchodzić za lemura.

Chwyciła mnie za ramię i pociągnęła korytarzem, stukając obcasami wysokich kozaków.

— Wspaniale znów cię widzieć, i to tak szybko, Saro.

— Jak mnie znalazłeś? — szepnęła.

— Znajomy znajomego — niedbale machnąłem ręką i przyjrzałem się jej. Grzywkę sczesała na bok i spięła małą czerwoną spinką pasującą do pełnych pąsowych ust. Wyglądała jak żywcem przeniesiona ze zdjęcia z lat sześćdziesiątych. — Sara to naprawdę piękne imię.

Zmrużyła oczy.

— Powinnam była się domyślić, że jesteś psychopatą.

Roześmiałem się.

— Niezupełnie.

Minęła nas młoda kobieta, która na nasz widok pochyliła głowę i wymamrotała nieśmiało:

— Dzień dobry, panno Dillon — po czym odeszła pośpiesznie.

„No to mamy także nazwisko. Dzięki przerażonej sta-żystce!"

— Aa, Sara Dillon... — powiedziałem radośnie. — Czy moglibyśmy kontynuować rozmowę w bardziej zacisznym miejscu?

Rozejrzała się i ściszyła głos.

— Nie mam zamiaru uprawiać z tobą seksu w moim biurze, jeśli po to przyszedłeś.

Była fantastyczna.

— Prawdę mówiąc, przyszedłem przywitać cię porząd-nie w Nowym Jorku. Ale zapewne mógłbym to zrobić także tutaj...

— Masz dwie minuty — powiedziała, obróciła się na pięcie i ruszyła w kierunku biura.

Mijaliśmy zakręty, aż w końcu dotarliśmy do kolejnej małej recepcji z widokiem na panoramę miasta. Na nasz widok młody mężczyzna siedzący za okrągłym biurkiem uniósł wzrok.

— Będę u siebie, George — powiedziała Sara przez ramię. — Niech mi nikt nie przeszkadza.

Kiedy drzwi się za nami zamknęły, odwróciła się twa-rzą do mnie.

— Dwie minuty.

— Jeśliby się nam spieszyło, pewnie mógłbym cię ob-rócić w dwie minuty. — Zrobiłem krok naprzód i prze-sunąłem kciukiem po jej biodrze. — Ale chyba oboje wiemy, że wolisz, kiedy się nie spieszę.

— Dwie minuty na wyjaśnienie, co tu robisz — uściś-liła lekko drżącym głosem. — I jak mnie znalazłeś.

— Cóż — zacząłem — w sobotę poznałem kobietę. Posuwałem ją pod ścianą. I jakoś nie mogę wyrzucić jej z myśli. Była niesamowita. Piękna, zabawna, piekielnie seksowna. Ale nie zdradziła mi swojego imienia, zostawiła tylko swoje figi. Było mi trudniej trafić niż Jasiowi i Małgosi po drodze z okruszków. — Przysunąłem się bliżej, odgarnąłem jej kosmyk włosów za ucho i przesunąłem nosem po jej szczęce. — A kiedy doszedłem dzisiaj rano, dotykając się, myślałem o tym, jak się czuła, ale wciąż nie wiedziałem, jak mam ją nazywać.

Sara chrząknęła i odepchnąwszy mnie, przeszła na drugą stronę biurka.

— Nadal nie wiem, w jaki sposób mnie odnalazłeś — powiedziała z zarumienionymi policzkami.

Widziałem ją w świetle stroboskopów z odrzuconą do tyłu głową i zamkniętymi oczami, lecz chciałem zobaczyć ją nagą w świetle słońca wlewającego się przez okna biurowca. Chciałem się przekonać, jak daleko po ciele wędruje jej rumieniec.

Spasowałem trochę z żartami. Ta Sara była diametralnie inna od kokieteryjnej nowo przybyłej z Chicago, którą poznałem przy barze.

— Przez przypadek widziałem cię wczoraj na lunchu z Benem. Znam go od dawna. Dodałem dwa do dwóch i miałem nadzieję, że znów cię zobaczę.

— Powiedziałeś Bennettowi o sobocie? — syknęła i podziwiany przeze mnie rumieniec zniknął z jej twarzy.

— Boże, nigdy w życiu. Zapewniam cię, że nie spieszy mi się do gwałtownej śmierci. Poprosiłem tylko o twój telefon. Odmówił.

Minimalnie rozluźniła ramiona.

— Dobrze.

— Słuchaj, spotkałem cię teraz naprawdę przypadkowo i może trochę to dziwne, że tu jestem, ale naprawdę chciałem się zobaczyć z Benem. Gdybyś kiedyś miała ochotę na kolację… — Położyłem wizytówkę na jej biurku i odwróciłem się, żeby wyjść.

— A ten filmik — odezwała się nagle. — Co z nim zrobiłeś?

Odwróciłem się, czując niemal nieopanowaną chęć, by znów się z nią podrażnić. Jednak im dłużej myślałem nad odpowiedzią, tym większą panikę widziałem na jej twarzy.

W końcu pękła.

— Wrzuciłeś go na YouTube, PornTube czy inną taką stronę?

Nie zdołałem powstrzymać wybuchu śmiechu.

— Co takiego?

— Powiedz, proszę, że nie.

— Boże, no pewnie, że nie! Przyznaję, oglądałem go jakieś siedemset tysięcy razy. Ale nigdy w życiu nikomu bym go nie pokazał.

Spojrzała na swoje dłonie i skubnęła skórkę przy paznokciu.

— A mogę go zobaczyć?

Co zabrzmiało w jej głosie…? Ciekawość? A może coś więcej?

Obszedłem biurko i stanąłem za jej plecami. Wciąż była spięta, lecz oparła się o mnie, a dłonie miała zaciśnięte w pięści. Wyjąłem telefon z marynarki i znalazłem film. Nacisnąłem przycisk odtwarzania i uniosłem urządzenie tak, by widziała.

Dźwięk był włączony; usłyszeliśmy rytm muzyki dobiegający z głośników. Sara pojawiła się na wyświetlaczu; tańczyła z ramionami nad głową. Jak za pierwszym razem, kiedy ją zobaczyłem, poczułem, jak twardnieję.

— Wtedy właśnie — powiedziałem w jej kark — wtedy zastanawiałaś się, czy zauważyłem, jak ci się unosi sukienka, prawda? — przycisnąłem biodra do jej pleców, żeby na pewno wiedziała, jak na nią reaguję.

Położyłem telefon na biurku przed nią, a dłoń na jej talii.

— A tutaj — wskazałem głową na wyświetlacz, a ona wzięła telefon do ręki i przyjrzała się bliżej — to, jak patrzyłaś na mnie przez ramię, to mój ulubiony fragment. Twoja mina… Jakbyś tańczyła tylko dla mnie.

— Boże… — wyszeptała.

Miałem nadzieję, że wspomina tamtą chwilę, kiedy ją obserwowałem.

Potem ujęła mnie za rękę i przesunęła nią powoli do brzegu sukienki, którą uniosła na biodro. Jej skóra pod moją dłonią była gładka; przesunąłem palce na jej brzuch, którego mięśnie drgały pod moim dotykiem.

— Tańczyłaś dla mnie? — zapytałem, czując, że potrzebuję przypomnienia.

Kiwnęła głową i przesunęła moją dłoń niżej. Boże, ta kobieta stanowiła kłębowisko sprzeczności.

— A o czym jeszcze myślałaś? — zapytałem. — Wyobrażałaś sobie moją twarz między swoimi udami i moje usta?

Znów pokiwała głową i zagryzła wargi.

— Chciałem cię dotykać — powiedziałem, wsuwając dłoń w jej bieliznę. — Właśnie tak.

Pochyliła się lekko pod moim dotykiem i oparła o biurko, wyginając ciało w łuk.

— Chcę poczuć, jaka jesteś mokra — odezwałem się chrapliwym, niskim, zdyszanym głosem. — Chcę poczuć, jak wilgotniejesz na myśl o tym, że dzisiaj rano doszedłem, obserwując cię.

Moje palce zsunęły się niżej.

Zachłysnęła się.

— Oglądasz? — zapytałem, wsuwając palec do środka. Kiwnęła głową; w ciągu sekundy byłem w niej, kciukiem masując łechtaczkę. — Jesteś tak piekielnie mokra — odezwałem się, przesuwając zębami po jej ramieniu.

— Nie… nie powinniśmy tego tutaj robić — powiedziała.

Nasuwała się na mnie coraz mocniej. Pod wpływem mojego równego rytmu czułem, jak zaczyna pulsować, a jej oddech przyspiesza i staje się coraz bardziej nierówny.

Z pełnym poczucia winy grymasem cofnąłem dłoń i odwróciłem ją twarzą do mnie. Wyglądała, jakby coś zażyła, powieki opadały jej ciężko, usta się rozchyliły.

— Niestety moje dwie minuty upłynęły.

Pocałowałem ją w policzek, potem w kącik ust, a potem w każdą powiekę, gdyż przymknęła oczy, po czym zabrałem telefon i wyszedłem z gabinetu.

ROZDZIAŁ
trzeci

Nieznajomy nagrał mnie w czasie tańca.

A następnie znalazł moją firmę — chyba kumpluje się z moim szefem — a ja poprosiłam, żeby pokazał mi ten filmik.

Po czym nakłoniłam go, żeby włożył rękę w moją bieliznę — znów, tym razem w moim nowym biurze — i udowodniłam nam obojgu, jak bardzo kręci mnie świadomość, że on się podnieca, oglądając to nagranie.

— O mój Boże.

— W ciągu piętnastu minut powiedziałaś to po raz dziesiąty, Saro. Chodź i wyrzuć to z siebie. — O framugę drzwi stał oparty George, mój asystent. — Chyba że to tak skandaliczna wiadomość, że to ja powinienem wejść i zamknąć drzwi.

— To nic, ja tylko… — Ułożyłam długopisy równo w pojemniku i poprawiłam dokumenty. — Nic.

George uśmiechnął się niedowierzająco.

— Fatalnie kłamiesz.

— Naprawdę. To wielkie, olbrzymie, żałosne nic.

Asystent wszedł do mojego gabinetu i opadł na krzesło po drugiej stronie biurka.

— Czy to nic nie zdarzyło się przypadkiem na panieńskim wieczorku Chloe w sobotę?

— Możliwe.

— A czy to była odmiana męska niczego?

— Potencjalnie.

— Czy to męskie nic było może odpryskiem Maxa Stelli, który właśnie wyszedł z twojego biura?

— Co? Nie! — skłamałam bez mrugnięcia okiem. Później pogratuluję sobie samej refleksu. Za pierwszym razem George trafił: fatalnie kłamię. Jednak widocznie wstyd z powodu uprawiania seksu w miejscu publicznym obudził we mnie nieznane dotąd talenty. — A skąd wiesz, kim jest Max Stella?

George starannie sprawdził wszystkich miejskich przystojniaków, lecz skoro przyjechał zaledwie tydzień przede mną i był nowojorczykiem od trzynastu dni, to chyba nawet on nie potrafił działać tak szybko.

— Mam pytanie — zaczął. — Co zrobiłaś natychmiast po tym, jak urządziłaś się w nowym mieszkaniu?

— Znalazłam najbliższe źródełko wina i ciastek — odparłam. — To oczywiste.

Roześmiał się.

— Oczywiste. Ale ponieważ moim celem nie jest zostanie pulchną starą panną, ja sprawdzam przede wszystkim okolicę. Miejsca, w których można zjeść, zatańczyć i się zabawić.

— Spotkać wszystkich facetów — dodałam.

Mrugnięciem przyznał mi rację.

— Wszystkich facetów. Dowiaduję się wszystkiego, co możliwe, a przy okazji tego, kto jest kim w mieście — pochylił się do mnie z szerokim, radosnym uśmiechem. — W tym mieście Max Stella jest kimś.

— Kimś? Jak to?

George znowu się zaśmiał.

— Jest kochasiem z Szóstej Strony. Import z londyńskiego City sprzed kilku lat. Błyskotliwy umysł, doskonały specjalista od kapitału, non stop podrywa celebrytki lub spadkobierczynie. Co tydzień nowa lala. La la la.

Fantastycznie. Udało mi się znów wybrać ten sam model donżuana. A na dodatek Max był nie tylko znanym podrywaczem, ale i znanym przedsiębiorcą, z którym na pewno nieraz spotkam się służbowo. I ma nagranie mojego tańca godnego striptizerki, podczas którego wyobrażałam sobie jego głowę między moimi nogami.

Znów jęknęłam.

— O mój Boże…

— Uspokój się. Wyglądasz, jakbyś miała zemdleć. Jadłaś obiad?

— Nie.

— Słuchaj, jesteś do przodu z pracą. Mamy tylko cztery umowy wymagające uwagi, a jeśli to, co Henry mi o tobie opowiedział, jest prawdą, pewnie już je przejrzałaś po sto razy. Chloe jeszcze nie dostała mebli do biura, jej asystent nawet nie przyjechał do Nowego Jorku, a Bennett przeżuł dzisiaj tylko trzy osoby. Jak widać, nie musisz się tu niczym zajmować. Masz mnóstwo czasu, zwolnij tempo i idź coś zjeść.

Odetchnęłam głęboko i uśmiechnęłam się z wdzięcznością.

— Henry dobrze cię wyszkolił.

George zatrudnił się jako asystent Henry'ego Ryana w Ryan Media, kiedy skończyłam studia ekonomiczne i odeszłam stamtąd do dużej firmy handlowej. Jakiś czas później Bennett zadzwonił do mnie z propozycją objęcia stanowiska dyrektora finansowego w nowym oddziale Ryan Media, a Henry w e-mailu obiecał, że jeśli zdecyduję się przenieść do Nowego Jorku, to on dopilnuje, by moim asystentem został George, który marzył o przeprowadzce. Od tamtej pory pracowaliśmy razem.

George odpowiedział mi uśmiechem i zasalutował żartobliwie.

— Henry mówił, że jesteś niezastąpiona i mam nawet nie próbować. Musiałem coś udowodnić.

— Jesteś zadziwiający.

— Wiem, wiem — odparł nieskromnie. — Poza tym uważam, że wskazanie ci miejsc dobrych do zabawy należy do moich obowiązków asystenta. Ciastka, wino lub coś jeszcze.

Moje myśli natychmiast pobiegły do sobotniej nocy w klubie pełnym ludzi i tętniącym muzyką, rozmowami i odgłosami stóp na parkiecie. Przypomniałam sobie twarz Maxa, odgłos, jaki wydawał, dochodząc; jego ciało przyciskające mnie do ściany, unoszące, wsuwające się we mnie.

Ukryłam twarz w dłoniach. Teraz już wiem, co to za typ, a on chce się znów ze mną spotkać? To straszne.

George wstał, podszedł do mnie i ująwszy pod ramię, postawił na nogi.

— No dobrze, idź coś zjeść. Wyjmę umowy dla Agent Provocateur i jak wrócisz, zajmiesz się nimi. Oddychaj, Saro.

Niechętnie wzięłam torebkę z szafki. George miał rację. Poza wypadem do klubu z dziewczętami dwa dni temu i bezsennymi nocami spędzonymi na urządzaniu nowego domu większość czasu spędzałam w biurze, starając się zorganizować pracę. Spora część trzech pięter, które wynajęliśmy w stalowo-szklanym wieżowcu w centrum, wciąż była pusta, a bez reszty mojego działu i bez ludzi z marketingu, którzy jeszcze nie dojechali, nie zrobimy najlepszych na świecie kampanii medialnych.

Po moim odejściu Chloe została w Ryan Media i przejęła kilku klientów do spółki z Bennettem. Ale to jej doskonała praca nad kampanią Papadakisa pomogła firmie wybić się na nowo; wkrótce stało się jasne, że potrzebujemy biura w Nowym Jorku do kontaktów z ważniejszymi klientami. Bennett, Henry i Elliott Ryanowie spędzili dwa tygodnie na poszukiwaniach najlepszego biura, potem zaś wszystko potoczyło się szybko: grupa Ryan Media zyskała nowy dom w centrum miasta.

Michigan Avenue w Chicago to ruchliwa ulica, ale nie może się równać z Piątą Aleją na Manhattanie. Czułam się oszołomiona ciągłym szumem z ulicy, imponującymi wysokościowcami wokół oraz przewalającymi się tłumami ludzi, samochodami i wszechobecnym hałasem. Wokół rozbrzmiewały klaksony, a im dłużej stałam spokojnie, tym bardziej ogłuszały mnie dźwięki miasta. Czy do tej chińskiej restauracyjki, którą lubi Bennett, mam skręcić w lewo czy w prawo? I jak się ona nazywa — jakiś ogród chyba. Stałam tak, usiłując się zorientować, podczas gdy rzeka ludzi rozchodziła się wokół mnie jak fala opływająca kamień tkwiący w środku koryta.

Kiedy sięgałam po telefon, żeby napisać do Chloe, ujrzałam znajomą wysoką sylwetkę wchodzącą do lokalu po drugiej stronie ulicy. Uniosłam wzrok na małe wejście i nazwę nad nim: OGRÓD HUNAN.

∽

Restauracja była pogrążona w półmroku, niemal pusta i pełna zadziwiających zapachów. Nie pamiętam, kiedy ostatnio jadłam coś solidniejszego niż baton muesli. Ślinka napłynęła mi do ust i przez moment zapomniałam, że mam się mieć na baczności.

Przeprowadziłam się tutaj, by rozpocząć nowe życie. Nowy początek oznaczał postawienie na pierwszym miejscu kariery, odnalezienie siebie — a nie po raz kolejny wchodzenie w rolę żony ze Stepford. I to było najważniejsze. Owszem, zjem obiad, ale dopiero po tym, jak oświadczę Maxowi, że nie wolno mu nigdy w ten sposób nachodzić mnie w biurze. I powiem mu też, że włożyłam sobie rękę pod sukienkę przypadkiem. Niechcący. Zupełnie nieświadomie.

— Sara?

W jego ustach moje imię brzmiało spokojnie i zmysłowo. Odwróciłam się w jego stronę. Siedział w boksie w rogu sali, przeglądając kartę dań. Z wyraźnym zaskoczeniem ją odłożył, po czym uśmiechnął się do mnie, a ja miałam ochotę przyłożyć mu za to, że tak na mnie działał i wprawiał mnie w zmieszanie. W półcieniu jego rysy były bardziej wyraziste. Wyglądał jeszcze bardziej niebezpiecznie.

Podeszłam do stolika, nie zwracając uwagi na to, że Max się przesunął, robiąc mi miejsce obok siebie. Kiedy się poruszył, kosmyk włosów — nieco dłuższych na czubku głowy — spadł mu na czoło. Miałam ochotę wyciągnąć rękę i sprawdzić, czy rzeczywiście pukiel jest tak miękki, jak się wydawało w świetle stożkowatych lamp nad głowami. Cholera.

— Nie przyszłam do ciebie — odezwałam się, prostując ramiona. — Chcę tylko wyjaśnić kilka spraw.

Położył przed sobą rozłożone dłonie.

— Ależ jak najbardziej.

Odetchnęłam głęboko i zaczęłam:

— Bardzo dobrze się z tobą bawiłam w klubie tamtej nocy...

— Nawzajem.

Uniosłam dłoń.

— Przeniosłam się tutaj, żeby zacząć od początku. Chciałam popełnić szaleństwo i udało mi się, lecz naprawdę taka nie jestem. Uwielbiam moją pracę i ludzi z firmy. Nie możesz wchodzić sobie tak po prostu do mojego biura i flirtować ze mną. Nie zamierzam już tak się zachowywać w pracy, nigdy — pochyliłam się do przodu i ściszyłam głos. — I nie wierzę, że zatrzymałeś sobie ten filmik.

Starczyło mu przyzwoitości na to, żeby zrobić lekko skruszoną minę.

— Przepraszam. Naprawdę chciałem go usunąć. Problem w tym, że nie potrafię się od niego oderwać. Uspokaja mnie lepiej niż whisky. Lepiej niż najostrzejsze porno.

Poczułam w podbrzuszu lekki dreszcz, rozchodzący się między nogami.

— I chyba miło ci to słyszeć — dodał po chwili. — Podejrzewam również, że ten szalony kwiatuszek, którego poznałem w klubie, to znacznie częstsze wcielenie Sary Dillon, niż ci się wydaje.

— Nieprawda — pokręciłam głową. — Nie potrafię się tak zachowywać.

— Ale teraz — powiedział — to tylko posiłek. Usiądź ze mną.

Nie ruszyłam się.

— No już — westchnął cicho. — W sobotę pozwoliłaś mi się zerżnąć, kilka minut temu włożyłaś sobie pod ubranie moją dłoń, a teraz nie chcesz zjeść ze mną lunchu? Czy zawsze jesteś tak pełna sprzeczności?

— Max...

— Saro...

Przez dłuższą chwilę wahałam się, po czym wsunęłam się do boksu, siadając obok niego i czując ciepło promieniujące od tego wysokiego, postawnego mężczyzny.

— Wyglądasz pięknie — powiedział.

Spojrzałam po sobie, na moją prostą czarną sukienkę i gołe od kolan nogi. Max przesunął palcem od mojego ramienia do nadgarstka; na nagiej skórze pojawiła się gęsia skórka.

— Już nie przyjdę do twojego biura — powiedział tak cicho, że musiałam się do niego pochylić, żeby dosłyszeć. — Ale naprawdę chciałbym cię znów zobaczyć.

Pokręciłam głową, wpatrując się w jego długie palce na mojej skórze.

— To chyba nie jest dobry pomysł.

Kiedy zatrzymał się przy nas kelner, Max ujął moją dłoń. Nie potrafiłam zebrać myśli i zamówić posiłku, więc wybrał za nas oboje.

— Mam nadzieję, że lubisz krewetki — powiedział z szerokim uśmiechem.

— Owszem. — Jego dłoń leżała na mojej, jego noga przyciskała się do mojego uda. Czego chciałam? Na pewno nie tego, żeby wciąż rozpraszał mnie wulkan energii taki jak Max, lecz nie potrafiłam wydostać się z jego orbity. — Przepraszam, jestem trochę rozkojarzona.

Mężczyzna wsunął pod stół drugą rękę. Poczułam na udzie lekkie muśnięcie jego palców.

— Rozkojarzona mną? Czy pracą?

— W tej chwili tobą. A powinnam się skupić na pracy.

— Masz na to mnóstwo czasu. Założę się, że to twój asystent przysłał cię tu na obiad.

Odchyliłam się i spojrzałam na niego.

— Czyżbyś szpiegował?

— Nie ma takiej potrzeby. On wydaje się dość wścibski, a ty na pewno rzadko pamiętasz o jedzeniu. — Jego palce podsunęły brzeg mojej sukienki wyżej, wyżej, wyżej, aż na biodro. — Tak może być? — Na koniec zdania obniżył głos niemal do szeptu.

Bardzo mogło być, lecz serce waliło mi jak oszalałe, napędzane mieszanką podniecenia i obawy. Znów zgubiłam cały rozsądek, który przy tym facecie pierzchał w najciemniejszy kąt i nie dawał się odnaleźć.

— Jesteśmy w restauracji.

— Wiem. — Wsunął dłoń pod mokrą koronkę moich fig i przesunął ją na moją łechtaczkę, po czym wsunął palec w moją wilgoć. — Boże, Saro. Jak ja bym chciał rozłożyć cię na stole jako mój obiad.

Na sekundę moja skóra zapłonęła.

— Nie możesz mi opowiadać takich rzeczy.

— Dlaczego? Jesteśmy tu sami, jeśli nie liczyć tego staruszka w kącie, kelnera i kucharza na zapleczu. Nikt mnie nie usłyszy.

— Nie o to mi chodziło.

— Nie mogę ci opowiadać takich rzeczy ze względu na to, jak na nie reagujesz? — zapytał.

Kiwnęłam głową, niezdolna do odpowiedzi, gdyż właśnie wsunął we mnie dwa palce.

— Mamy jakieś dziesięć minut, zanim przyniosą nam zamówienie. Myślisz, że zdołam doprowadzić cię do końca w tak krótkim czasie?

Przecież już wsunął we mnie dwa palce, i to głęboko, jednak z jakiegoś powodu słysząc te słowa, nagle z całą jasnością uprzytomniłam sobie, gdzie się znajdujemy. To była prawdziwa tortura: świadomość tego, co powinnam robić w tej zacisznej restauracyjce — popijać herbatę, zjeść obiad — oraz pragnienie postąpienia wbrew moim zasadom, czyli oddanie się mężczyźnie w miejscu, w którym mógł nas przyłapać pierwszy lepszy człowiek.

To była ta sama szalona fantazja jak wtedy w klubie: możliwość zostania przyłapaną z tym pięknym, obcym mężczyzną i świadomość, że udaje nam się tego uniknąć.

Max kciukiem zaczął zataczać kółka, lecz dwa palce wsunięte głęboko nie ruszały się. Jego ramię, widoczne nad stołem, ledwie się poruszało, ale pod kryjącym nasze biodra obrusem narastał wybuch.

Wbiłam wzrok w jego odświętną koszulę widoczną pod marynarką, czułam na twarzy jego spojrzenie, łowiące każdy mój oddech, westchnienie i zagryzienie warg, gdy powstrzymywałam jęk. Jego pewny i stanowczy dotyk budził silny ból między moimi nogami; nasuwałam się na jego dłoń, chcąc więcej i mocniej. Z daleka doszedł nas brzęk rozbijającego się na podłodze talerza, lecz szept Maxa wypowiadającego po cichu moje imię natychmiast go zagłuszył.

Z kuchni wynurzył się kelner i skierował w naszą stronę.

— Tylko popatrz — odezwał się Max, całując mnie w szyję tuż poniżej ucha. Jego ciepły oddech musnął moją skórę, ja zaś czułam się rozdarta między chęcią zatracenia się w jego dotyku a niepokojem wywołanym widokiem mężczyzny zmierzającego ku naszemu stolikowi. Pragnienie dotyku i obawa, że nas przyłapią, niemal mnie rozsadzały.

Jakby zdając sobie z tego sprawę, Max wymruczał:

— Nikt nie ma pojęcia, że zaraz doprowadzę cię dłonią do końca.

Spodziewałam się, że przestanie i położy ręce na stole, lecz on po prostu zatrzymał kciuk, gdy kelner przystanął przy nas i dolewał wody. Lód zadźwięczał o szkło, a po ściance naczynia spłynęła na obrus kropla, coraz większa, w miarę jak spływała coraz niżej. Miałam wrażenie, jakby szklanka roztapiała się tak samo jak ja. Dla postronnego obserwatora wyglądaliśmy tak, jakby Max drugą rękę położył mi na nodze. On tymczasem przesunął palcem po mojej łechtaczce raz jeszcze, aż się zachłysnęłam.

— Państwa zamówienie będzie za minutę — powiedział kelner z bezbarwnym uśmiechem.

Max mocniej przycisnął kciuk do mojego wzgórka, a ja przygryzłam sobie policzek od środka, by nie krzyknąć. On uśmiechnął się do kelnera.

— Dziękuję.

Kelner odszedł, a kiedy Max spojrzał na mnie ze źle skrywanym psotnym wyrazem twarzy, oszałamiająca ulga zmieszała się z lekkim ukłuciem rozczarowania i poczułam, jak roztapiam się pod jego dotykiem.

— O tak — wyszeptał, obracając dłoń i wsuwając we mnie trzeci palec. Doprowadził mnie na skraj cudownego bólu; poczułam się nieprzyzwoita, jakbym postępowała przerażająco niemoralnie, lecz on tylko się przyglądał, jak pragnę więcej. — O cholera, Saro. Właśnie tak.

Wbiłam palce w skórzane siedzenie, a on ryzykując, że nas zauważą, zaczął rytmicznie wsuwać i wysuwać palce, przy czym ramiona poruszały mu się jednoznacznie. Głowa opadła mi na oparcie, jęknęłam ledwie dosłyszalnie, zupełnie nieproporcjonalnie do rozrywającego mnie od środka orgazmu.

— O Boże — jęknęłam, kiedy mężczyzna przedłużył zakończenie, wsuwając długie palce jeszcze głębiej. Odwróciłam się i zatopiłam twarz w jego ramieniu, by marynarka stłumiła mój krzyk.

Mój kochanek zwolnił i zatrzymał się, pocałował mnie w skroń i wyciągnął palce. Uniósłszy dłoń nad stołem, na moment dotknął palcami ust, po czym wytarł dłoń w serwetkę.

I wciąż na mnie patrząc, oblizał usta.

— Twój język smakuje jak cukierek, lecz twoja cipka smakuje jeszcze lepiej — pochylił się i pocałował mnie mocno. — Chciałbym, żeby następnym razem to mój fiut wszedł w ciebie.

Tak, proszę.

„Boże, kim jest ta kobieta, którą się stawałam przy nim?" Faktycznie ja też tego chciałam. Nawet po tym, co mi przed chwilą ofiarował, miałam ochotę usiąść mu na kolanach i wchłonąć go całego w siebie.

Zanim dałam się ponieść myślom w niebezpiecznym kierunku, usłyszałam brzęczenie telefonu w torebce. Wyjęłam go. Bennett.

„Wróciłem ze spotkania. Widzimy się o 14.00?"

Telefon wskazywał kwadrans przed czternastą.

— Muszę iść.

— Chyba wchodzi ci to w nawyk, Saro. Dochodzisz i wychodzisz.

Obdarzyłam go ni to półuśmiechem, ni to grymasem, lecz kiedy przyszedł kelner z naszym zamówieniem, położyłam dwudziestodolarowy banknot na stole i poprosiłam, żeby zapakował mi jedzenie w pudełko na wynos.

— Proszę, daj mi swój numer — powiedział Max, wkładając pieniądze z powrotem do mojej portmonetki.

— W żadnym wypadku — roześmiałam się.

Nie miałam pojęcia, jak do tego wszystkiego doszło. No dobrze, kłamię: dobrze wiedziałam, jak do tego doszło — zaczął szeptać z tym swoim seksownym akcentem, a potem mnie dotykać — lecz doskonale zdawałam sobie sprawę z tego, że nie wolno mi się zadawać z Maxem. Po pierwsze — to donżuan, a takich przysięgłam sobie unikać po moich doświadczeniach. Po drugie — moja praca. Ona jest najważniejsza.

— Wiesz, że i tak w końcu wyciągnę ten numer od Bena. Znam go od wieków.

— Bez mojego pozwolenia nie wyciągniesz. Bardzo niewielu ludzi chciałoby przyłożyć mojemu byłemu bardziej niż ja, a Bennett jest jednym z nich — pocałowałam go w policzek, ciesząc się dotykiem szorstkiego zarostu, i wstałam. — Dziękuję za przystawkę. Usuń film.

— Zastanowię się, jeśli jeszcze raz się ze mną umówisz — odparł z iskierkami rozbawienia w oczach.

Ukryłam uśmiech, wyszłam z restauracji i ruszyłam Piątą Aleją.

ROZDZIAŁ
CZWARTY

Trzy dni po tym, jak zapewniłem jej orgazm na obiad, nie zdołałem się pozbyć obsesji na jej punkcie.

— No to kogo zaprosiłeś na dzisiejszy wieczór? — zapytał Will z roztargnieniem, wpatrzony w „Timesa", którego trzymał w rękach.

Droga powrotna od krawca przebiegła w milczeniu, zakłócanym jedynie szumem silnika i okazjonalnym dźwiękiem klaksonu lub okrzykiem z ulicy. Nie przerywając przeglądania segregatorów ze zdjęciami z nowej wystawy w Queens, odparłem:

— Idę sam.

Will spojrzał na mnie.

— Bez partnerki?

— Tak — uniosłem wzrok akurat w chwili, kiedy jego brwi podjeżdżały w górę ze zdziwienia. — A co?

— Od jak dawna się znamy, Max?

— Jakieś sześć lat.

— I przez cały ten czas zdarzyło ci się przyjść na imprezę bez kobiety?

— Naprawdę nie pamiętam.

— Może zerknijmy na szóstą stronę z plotkami towarzyskimi, powinni mieć napisane — odparł z udawaną powagą.

— Bardzo śmieszne.

— Po prostu to do ciebie niepodobne. Największa impreza w roku, a ty przychodzisz sam.

— Przecież to nie ma znaczenia.

Roześmiał się.

— Żarty sobie stroisz? Przy takiej okazji ludzie zastanawiają się przede wszystkim nad tym, kogo przyprowadzi Max Stella.

— Podoba mi się, jak robisz ze mnie takiego donżuana, żeby na moim tle wypaść na wzór cnoty.

— Oj, nigdy nie twierdziłem, że jestem cnotliwy — odezwał się, wracając do gazety. — Po prostu uważam, że ludzie będą się zastanawiać, czy w ogóle masz z kim przyjść, to wszystko.

Zastanawiałem się nad tym, oglądając zdjęcia. Szczerze mówiąc, nie zaprosiłem żadnej partnerki na imprezę dobroczynną. Nie zaprosiłem, ponieważ nie interesowało mnie zapraszanie kogokolwiek.

To było dziwne. Może Will ma rację. Odkąd poznałem Sarę, wszystkie inne kobiety wydawały mi się przewidywalne i nudnawe.

~

Will miał również rację, twierdząc, że doroczna gala dobroczynna Stella & Sumner to największe wydarzenie lata. Odbywała się w Muzeum Sztuki Nowoczesnej, a gromadziła wszystkich, którzy cokolwiek znaczyli w Nowym Jorku. Z tańcami, kolacją i następującą po nich cichą aukcją zbieraliśmy corocznie setki tysięcy dolarów dla fundacji pomagającej dzieciom chorym na raka.

Szare popołudniowe niebo nieco się przejaśniło, lecz w powietrzu wciąż wisiał zapach burzy, kiedy mój samochód przystanął przy barykadach przed wejściem do muzeum. Portier otworzył drzwi auta, a ja wysiadłem. Prostując się, zapiąłem guzik smokingu. Zawołano do mnie z kilku stron, a z miejsca dla reporterów rozległy się trzaski migawek i błyski fleszy.

— Max! A gdzie partnerka?

— Max, szybkie ujęcie! Szybko, spójrz tutaj!

— Czy w pogłoskach o darowiźnie dla Smithsonian jest ziarno prawdy?

Uśmiechnąłem się i ustawiłem do zdjęć, po czym machając ręką, wszedłem do budynku. Czułem się jak prowadzony na autopilocie, zadowolony, że tego wieczora nie wpuściłem prasy do środka. Po prostu nie miałem na to energii.

Gości kierowano przez muzeum do ogrodu, gdzie miało się odbyć przyjęcie. Grupki doskonale ubranych ludzi konwersowały, omawiały sprawy finansowe i najświeższe plotki, popijając koktajle. Wszędzie rozstawiono białe namioty, oświetlone od dołu kolorowymi reflektorami. W jednym końcu ogrodu siedziała orkiestra, a w drugim stał DJ, gotowy na imprezę po kolacji.

Powietrze było ciężkie i wilgotne, noc nieprzyjemnie kleiła mi się do skóry. Podszedłem do rzędu dużych stołów przykrytych białymi obrusami i lśniących od kryształów. Sięgając po kieliszek szampana, poczułem, że ktoś przystaje obok mnie.

— Jak zwykle idealnie, Max. Naprawdę przechodzisz sam siebie.

Zamrugałem; przy mnie stał Bennett.

— Cholernie gorąco — powiedziałem, kiwając głową w kierunku drinków, które trzymał w dłoniach. — A ty pewnie przyszedłeś ze swoją Chloe.

— A ty przyszedłeś z…

— Dzisiaj jestem solo — odparłem. — Pełnię funkcję gospodarza i mam mnóstwo innych obowiązków.

Bennett roześmiał się i uniósł kieliszek do ust. Nie skomentował tego, lecz nie umknęło mi jego spojrzenie przesuwające się nad moim ramieniem.

Obejrzałem się akurat w chwili, kiedy z łazienki wychodziły Chloe i Sara. Sara wyglądała olśniewająco w jasnozielonej sukience z cekinami na gorsie, płynnie przechodzącymi na spódnicę. Spod sukienki było widać srebrne szpilki.

Dopiero po chwili zdołałem zebrać myśli.

— Ona tu jest z kimś, Max.

Obróciłem się i zagapiłem na Bennetta, po czym rozejrzałem się wokół, żeby zgadnąć, z kim mogła przyjść.

— Naprawdę? Z kim?

— Ze mną.

— Zaraz… co? Niemożliwe.

— Boże, żartuję. Szkoda, że nie widzisz swojej miny. — Podrapał się w szczękę i niedbale machnął ręką.

Poczułem słuszną chęć, by mu przyłożyć.

— Max — odezwał się po chwili już cichym, poważnym głosem. — Sara to najbliższa przyjaciółka Chloe i ważna osoba w mojej drużynie. Ufam twojemu rozsądkowi, lecz jeśli chodzi o kobiety, nie jesteś bez skazy. Ostatni rzuciłbym w ciebie kamieniem, ale nie rób żadnych głupstw.

— Spokojnie. Nie mam zamiaru zaciągać jej do szatni na szybki numerek ani nic w tym stylu.

— Nie byłby to pierwszy raz. — Ryan uśmiechnął się i wysączył ostatnie krople z kieliszka.

— Dla ciebie to też nie pierwszyzna — zripostowałem.

Bennett czuł chyba ulgę, kiedy zostawiłem go przy stole, i przez ułamek sekundy czułem niemal wyrzuty sumienia z powodu mojego kłamstwa. Szczerze mówiąc, miałem właśnie ochotę na to, by zaciągnąć Sarę na szybki numerek w szatni, ale chciałem również przyglądać się jej przez chwilę niezauważony.

Przeszedłem przez ogród, uścisnąłem dłonie kilku osobom, a kilku kolejnym podziękowałem za datki. Cały czas starałem się mieć Sarę na oku. Zatrzymałem się obok dużego aktu autorstwa Lachaise'a i obserwowałem pannę Dillon z daleka, zachwycony jej urodą tego wieczoru. Dopasowana suknia uwydatniała każdą krągłość jej ciała i podkreślała niektóre szczególnie przeze mnie ulubione.

Pamiętałem, jak wyglądała tamtego wieczoru na parkiecie, nieopanowana, w zbyt krótkiej sukience i zbyt wysokich butach, i porównałem ją z tą wysmakowaną kobietą, którą miałem przed sobą teraz. Już wtedy wiedziałem, że to, co zrobiliśmy, nie leżało w jej charakterze, chyba jednak dopiero teraz zrozumiałem, jak bardzo to do Sary nie pasowało. Była opanowana i delikatna... chociaż pod elegancką powierzchownością kryło się coś jeszcze, jakaś zapomniana lekkomyślność.

Przesunąłem spojrzeniem po jej szyi i obojczyku, próbując zgadnąć, co ma na sobie pod sukienką. Zastanawiałem się, co wtedy w nią wstąpiło, kiedy posuwaliśmy się pod ścianą w klubie pełnym ludzi.

Byłem przekonany, że Bennett poważnie ostrzegał mnie przed zbliżaniem się do Sary. Na pewno miałby się z pyszna — ja zresztą również — gdyby jego narzeczona dowiedziała się, co mi chodzi po głowie. Bennett z pewnością zdawał sobie sprawę z tego, że moje zainteresowanie panną Dillon nie było przelotne, lecz trzymał się twardo. Z drugiej strony na pewno nie wtrącałby się, gdyby Sara się zgodziła.

Jednak Chloe to zupełnie inna sprawa. Wydawała się sprytna, rzucała mi znaczące spojrzenia. Nie wiedziałem zbyt dużo o przyszłej pani Ryan, lecz byłem przekonany, że skoro trafiła w końcu kosa na kamień, to na pewno nie mam ochoty się jej narażać.

Poza wszystkim dobrze się bawiłem w tej grze, którą prowadziliśmy z Sarą.

~

Kiedy orkiestra zaczęła wolniejszą piosenkę, zobaczyłem, jak kilkoro gości wychodzi na parkiet taneczny. Podszedłem na skraj ogrodu, stanąłem za plecami Sary i dotknąłem jej nagiego ramienia.

Odwróciła się; na mój widok jej uśmiech przygasł.

— Również miło cię widzieć — powiedziałem.

Sara pociągnęła długi łyk szampana, zanim się odezwała.

— Jak się pan dzisiaj miewa, panie Stella?

Ach, teraz jestem panem Stella? Uśmiechnąłem się.

— Widzę, że mnie sprawdziłaś. Najwyraźniej zrobiłem na tobie spore wrażenie.

Odpowiedziała uprzejmym uśmiechem.

— Jedno zapytanie w Google i dziewczyna już wie, czego się trzymać.

— A nikt cię nie uprzedzał, że w Internecie roi się od plotek i kłamstw? — Podszedłem bliżej, końcówkami palców przesuwając po jej ramieniu. Było miękkie i gładkie. Zauważyłem, że pod moim dotykiem pojawiła się na nim gęsia skórka. — Wyglądasz dzisiaj olśniewająco.

Nie opuściła oczu i zmierzyła mnie wzrokiem. Odsunęła się minimalnie.

— Też nieźle wyglądasz — mruknęła.

Udałem wstrząśniętego.

— Czyżbym usłyszał komplement?

— Może i tak.

— Byłoby niepowetowaną stratą, gdybyśmy w tych pięknych strojach nie zatańczyli. Zgadzasz się? — Sara niepewnie rozejrzała się wokół, dodałem więc szybko:
— Tylko taniec, kwiatuszku.

Opróżniła kieliszek i odstawiła go na tacę przechodzącemu właśnie kelnerowi.

— Tylko taniec.

Położyłem jej dłoń na plecach i poprowadziłem w słabo oświetlony fragment parkietu.

— Bardzo miło wspominam nasz lunch sprzed kilku dni — powiedziałem, biorąc ją w ramiona. — Może go powtórzymy? Z nieco innym menu?

Sara uśmiechnęła się lekko i spojrzała ponad moim ramieniem.

Przysunąłem ją bliżej, wywołując tym nieznaczne uniesienie brwi, co zaczynałem już bardzo lubić.

— Jak ci się podoba Nowy Jork? — zagaiłem.

— Jest inny — odrzekła. — Większy. Bardziej hałaśliwy — przechyliła głowę i wreszcie na mnie spojrzała.
— Mężczyźni są tu bardziej natrętni.

Roześmiałem się.

— Mówisz tak, jakby to było coś złego.

— To chyba zależy, kim jest ten mężczyzna.

— A jeśli to ten mężczyzna?

Uśmiechnęła się znów uprzejmie i zamrugała. Uderzyło mnie, że zachowuje się jak osoba przyzwyczajona do bycia w centrum uwagi.

— Max, pochlebia mi twoje zainteresowanie, ale czemu się tak przykleiłeś? Nie możemy sobie powiedzieć: miło było, ale się skończyło?

— Podobasz mi się — wzruszyłem ramionami. — Podoba mi się twoja perwersja.

Roześmiała się.

— Perwersja? Tego mi jeszcze nikt nie powiedział.

— A szkoda. Opowiedz mi, o czym zwykle fantazjujesz. O delikatnym, czułym seksie w łóżku?

Uniosła na mnie wyzywające spojrzenie.

— Czasami owszem.

— Ale także o tym, że ktoś cię obmacuje w restauracji, gdzie wszyscy mogą was podejrzeć? — Pochyliłem się i zacząłem szeptać jej prosto do ucha. — Albo posuwa cię w klubie?

Poczułem, jak Sara przełyka ślinę i wciąga z drżeniem powietrze, po czym prostuje się i odsuwa na odległość powszechnie uznawaną za przyzwoitą.

— Czasami oczywiście też. Chyba większość z nas miewa takie fantazje.

— Chyba niewielu. A jeszcze mniej decyduje się wprowadzić je w życie.

— Dlaczego tak się tego uczepiłeś? Na pewno tym swoim uśmiechem mógłbyś zaciągnąć do dowolnego pomieszczenia w muzeum każdą kobietę na tej imprezie.

— Niestety nie chcę żadnej innej kobiety na tej imprezie. Ty jesteś dla mnie prawdziwą tajemnicą. Za tymi wielkimi brązowymi oczami ukrywasz same paradoksy. Kim była ta, która posuwała mnie niemal na oczach tłumu ludzi?

— Może po prostu chciałam się przekonać, jak to jest popełnić takie szaleństwo.

— To niesamowite, prawda?

Spojrzała na mnie bez śladu wahania w oczach.

— Tak. Posłuchaj — dodała, odstępując o krok. Ramiona mi opadły. — Nie mam ochoty być niczyją zabawką.

— Ale jak mi się wydaje, to ja chciałbym zostać twoją zabawką.

Pokręciła głową, stłumiła uśmiech i spojrzała na mnie.

— Nie próbuj się przymilać.

— Chodź ze mną na górę.

— Co? Nie.

— Pusta sala balowa obok łazienek. Schodami w górę i na prawo. — Przysunąłem się i cmoknąłem ją w policzek, jakbym dziękował za taniec.

Zostawiłem Sarę w chwili, kiedy muzyka umilkła i ogłoszono, że kolacja zostanie podana wewnątrz budynku, a zaraz po niej nastąpi aukcja. Zastanawiałem się, czy dziewczyna przyjdzie. Czy zaryzykuje, że ktoś odkryje jej nieobecność, czy czuje ten sam przypływ adrenaliny co ja.

Szmer rozmów nasilił się, kiedy z wilgotnego nocnego powietrza wszedłem do klimatyzowanego wnętrza.

Ruszyłem do góry szerokimi schodami i krętym korytarzem dotarłem do pustej, nieoświetlonej sali. Głosy przycichły, kiedy przymknąłem drzwi za sobą, zostawiwszy tylko wąską szczelinę.

Czekałem przez krótką chwilę i nasłuchiwałem stłumionych odgłosów imprezy, która trwała na dole i w ogrodzie, upewniając się, że na pewno jestem sam w ciemnym pokoju.

Korytarzem przechodzili czasami goście, wchodzili do sali i dzwonili lub wycofywali się w poszukiwaniu łazienki. Wydawało się, że każdy mój krok odbija się echem, a moje buty skrzypiały na parkiecie, kiedy obchodziłem salę. Była długa, przez okna w dłuższej ścianie rysowały się światła wielkiego miasta, z ulicy dochodził jednostajny szum samochodów. Przy odległej krótszej ścianie stał prostokątny stół, częściowo zasłonięty ozdobnym parawanem. Poza tym pomieszczenie było puste. Wszedłem za parawan i oparłem się o stół, czekając w ukryciu.

Ponad kwadrans po tym, jak zostawiłem Sarę, kiedy już prawie chciałem zrezygnować, szczelina w drzwiach poszerzyła się i smuga światła padła na kawałek podłogi. Przez parawan widziałem sylwetkę dziewczyny, oświetloną od tyłu lampami z korytarza. Wiedziałem, że w ciemności jestem dla niej niewidoczny, i skorzystałem z okazji, by przyjrzeć się jej, kiedy omiatała wzrokiem salę. Wyobrażałem sobie, jak jej krew pulsuje z podniecenia i zdenerwowania. W końcu wyszedłem zza parawanu i ukazałem się jej. Widziała zapewne tylko zarys mojej sylwetki na tle panoramy miasta.

Przeszła przez salę i spoglądając na mnie, zbliżała się powoli. W półmroku trudno było dojrzeć wyraz jej twarzy. Czekałem, aż Sara powie, żebym szedł do diabła, lub poprosi, żebym ją zerżnął, lecz ona nie odezwała się słowem. Zatrzymała się ledwie kilka centymetrów ode mnie, zawahała przez moment, po czym chwyciła mnie za smoking i przyciągnęła do siebie.

Jej usta były ciepłe, naglące i pachniały szampanem. Wyobrażałem sobie, jak wychyla kieliszek z nadzieją, że doda jej odwagi, by przyjść tutaj i zrobić właśnie to, co teraz robiła. Na tę myśl jęknąłem i zamknąłem oczy, a ona otworzyła usta, odchyliła głowę i wsunęła język między moje wargi. Jedną ręką chwyciłem jej pierś, a drugą mocno złapałem za biodro.

— Zdejmij to — rozkazała, mocując się z moim krawatem i szarpiąc za guziki.

Poprowadziłem ją do tyłu i rozpiąłem sukienkę, przyglądając się, jak zsuwa się z niej i opada na podłogę. Pod ubraniem Sara była całkowicie naga.

— Cały czas nie miałaś niczego pod spodem? — zapytałem, spoglądając na nią i ujmując ustami jej sutek.

Kiwnęła głową, rozchylając usta i wczepiając dłonie w moje włosy. Zaczęła szeptać „więcej", „zębami" i „proszę". Poprowadziłem ją do stolika, chwyciłem pod kolanami i podciągnąłem na krawędź mebla.

Palcami przesunąłem po jej żebrach i płaskim brzuchu. Uniosłem brwi, kiedy moje dłonie natrafiły na obcasy jej butów.

— Chyba nie będziemy ich zdejmować — odezwałem się, spoglądając na jej nagie ciało w szpilkach. Była doskonała: kremowa skóra, olśniewające piersi i napięte różowe sutki.

Nachyliłem się i wylizałem ścieżkę w dół szyi do piersi, przyciskając kciukiem blaknący ślad po moich zębach z soboty.

— Na pewno codziennie go oglądałaś — powiedziałem, podziwiając swoje dzieło i naciskając odrobinę mocniej.

— Za dużo gadania — powiedziała, rozchylając moją koszulę. — Za dużo ubrań.

Przesunąłem zębami po jej sutku, ssąc i dmuchając na stwardniałe ciało.

— Dotknij mnie — rozkazałem, przyciskając jej dłoń do mojego stwardniałego fiuta.

Sara zacisnęła palce, a moja głowa opadła jej na ramię.

Dziewczyna trzęsącymi się dłońmi rozpięła mi spodnie i pospiesznie zsunęła je poniżej bioder. Oparła się plecami o stół, wyprostowała, a cienie podkreśliły zarys jej obojczyków i krągłość piersi.

— Max — wyszeptała, spoglądając na mnie spod półprzymkniętych powiek.

— Tak? — odezwałem się, rozproszony jej szyją, piersiami i dłonią zaciśniętą na moim kogucie.

— Masz aparat?

Jak ona to robi? Jak ktoś tak opanowany i z naturalną klasą może się tak całkowicie zapominać? Sięgnąłem do kieszeni smokingu, wciąż zwisającego mi luźno z ramion, wyjąłem telefon i podałem jej.

— Wystarczy?

— Zrobisz nam zdjęcia?

Zamrugałem raz i kolejny. Żartuje sobie?

— Ożeż cholera. No pewnie.

— Ale bez twarzy.

— Oczywiście.

Przez sekundę w ciszy zastanawialiśmy się, jak mogę wykorzystać urządzenie w mojej dłoni. Sara chciała zdjęcia tego, co robimy. Niemal upoiła mnie świadomość, że wciągnęła się w to tak mocno jak ja. Widziałem to po silnie pulsującej tętnicy na szyi i gorączkowym spojrzeniu.

— Nikt inny nie może ich zobaczyć — ostrzegła.

Uśmiechnąłem się.

— Nie zachwyca mnie pomysł, że miałbym się dzielić nawet najmniejszą częścią ciebie. Obiecuję, że nikt inny ich nie zobaczy.

Odchyliła się, a ja uniosłem telefon i skierowałem na nią. Pierwsze ujęcie jej ramienia. Drugie — jej dłoni na piersi, z palcami obejmującymi sutek. Z jej ust wyrwał się cichy jęk, kiedy przeciągnąłem dłonią po jej udzie i wsunąłem między nogi.

W korytarzu rozlegały się echem głosy, odrywając nas od naszego ciemnego zakątka i przypominając o rzeczywistości. W końcu będziemy musieli wrócić na dół. Nałożyłem prezerwatywę i wyciągnąwszy rękę, przycisnąłem kciuk do jej ust, a potem wsunąłem go do środka.

Zareagowała bez słowa, oplatając mnie nogami i próbując przyciągnąć bliżej. Obserwowałem, jak wślizguję się w nią, a w tej samej chwili drzwi uchyliły się szerzej z cichym skrzypieniem.

Z korytarza wpadło jasne światło, przeniknęło przez parawan i otuliło sylwetkę mojej kochanki świetlistą aurą. Sara wstrzymała oddech, lecz ja nie przestałem; uniosłem jej podbródek, gestem nakazałem ciszę i znów się w nią wsunąłem. Czułem ją wokół siebie, przejmującą ciepłem, którego fala popłynęła w górę, aż do kręgosłupa.

Sara zamknęła oczy, a ja chwyciłem jej biodro dla równowagi i wbiłem się mocniej, przyciągając ją po stole w moim kierunku. Światło miasta pozwalało mi akurat odróżnić zmysłowy, ciemny jak negatyw kształt mojej dłoni na jej skórze. W pokoju rozległy się kroki — ktoś szedł do okna. Jej nogi zacisnęły się wokół mnie, jakby chciała mnie zatrzymać w sobie, nie dopuścić, żebym się odsunął.

Widziałem, jak sutki jej twardnieją, a usta rozchylają się w ekstazie.

„Nie martw się" — pomyślałem z uśmiechem. „Nie przestanę".

Moje ruchy były płytkie; złapałem ją za pierś i uszczypnąłem w sutek.

— Są tutaj — wyszeptałem, pochylając się, żeby pocałować ją w szyję i napawać się dzikim pulsowaniem krwi w tętnicy pod moimi ustami. — Gdyby chcieli, mogliby nas dojrzeć.

Wstrzymała oddech; znów ją uszczypnąłem, tym razem mocniej.

— Nie mam zamiaru się wycofać. Chcę się wbijać głębiej, głębiej i głębiej.

— Mocniej — wyszeptała błagalnie.

— Mocniej szczypać czy posuwać?

— Jedno i drugie.

Z ustami tuż przy jej skórze zakląłem.

— Jesteś cholernie zboczona, wiesz o tym?

Otworzyła usta w niemym krzyku, kiedy mocnym pchnięciem wszedłem głębiej, żałując, że nie mogę wejść jeszcze dalej. Poczułem, jak jej brzuch, przyciśnięty do mojego, twardnieje, a biodra unoszą się mocniej. Była ciepła i śliska, a jeśli nie dojdzie do końca za chwilę, to — cholera — skończę pierwszy. Na szczęście w chwili, kiedy boleśnie wbiła mi paznokcie w ramię, jej ciało stężało, a ona rozpłynęła się w fali szczytowania. Poczułem zawrót głowy, euforię, jakby coś wewnątrz mnie miało za chwilę wybuchnąć.

Odgłosy kroków powróciły, po czym umilkły — ktoś zatrzymał się po drugiej stronie parawanu. Poczułem, jak ogarnia mnie orgazm, rozpalony do białości, aż zobaczyłem gwiazdy. Zgasły przy ostatnim pchnięciu, kiedy oparłem głowę o szyję Sary i opadłem na dno, niepomny na cały świat wokół w chwili, gdy dotarłem do końca głęboko w niej.

Nastała cisza, w której z trudem łapaliśmy zdyszane oddechy i żadne z nas nie odważyło się poruszyć.

Niejasno zacząłem zdawać sobie sprawę z tego, że po drugiej stronie parawanu ktoś oddycha, stoi nieruchomo, czeka. Nasłuchuje. Odwróciłem głowę i zobaczyłem szeroko otwarte oczy Sary, zagryzającej dolną wargę. Minęła chwila, potem kolejna, wreszcie znów rozległy się kroki, tym razem oddalające się od naszej kryjówki, a nasze spocone ciała znów omiotła łuna światła, po czym drzwi się zamknęły.

ROZDZIAŁ
piąty

W poniedziałek rano zastałam Chloe w jej nagle zagraconym biurze, wyglądającą przez okno. Wreszcie dotarły meble i cała reszta wyposażenia, a ze sposobu, w jaki moja przyjaciółka chodziła po pokoju i mamrotała do siebie, wywnioskowałam, że perspektywa rozpakowania nieco ją przeraża.

Większość weekendu spędziłam, popadając to w przerażenie, to w uniesienie z powodu tego, co zrobiłam na imprezie. Przyszłam do pracy, by pozbyć się prześladujących mnie myśli o tamtym wieczorze i nie zastanawiać się nad tym, jak o mnie świadczy to, co zrobiłam. W sobotę do północy ślęczałam nad umowami i fakturami, których potrzebowałam na ten tydzień. Poza kilkoma telefonami nie miałam nic do zrobienia, a w tej chwili Sara pozbawiona zajęcia to nie był dobry pomysł.

— Potrzebujesz pomocy?

Chloe roześmiała się i rzuciła na kanapę.

— Nawet nie wiem, od czego zacząć. Właśnie skończyliśmy urządzanie mieszkania. Poza tym czuję się, jakbym właśnie to wszystko spakowała.

— Zacznij od książek. Nigdy nie czuję się zadomowiona, dopóki ładnie nie poukładam książek na półkach.

Moja przyjaciółka wzruszyła ramionami, zsunęła się z kanapy i powlokła do kilku pudeł spiętrzonych pod ścianą.

— Dobrze się bawiłaś w muzeum?

Otworzyłam pudełko z artykułami biurowymi i wyjęłam nóż do papieru.

— Oj tak.

Czułam, jak Chloe podnosi na mnie wzrok, a jej zainteresowanie sprawiło, że zapiekł mnie policzek. Zapewne powinnam nieco rozbudować odpowiedź, lecz w głowie czułam pustkę, choć gorączkowo szukałam słów. Co się właściwie zdarzyło? Przyjechaliśmy. Zjedliśmy przystawki. Tańczyłam z Maxem, potem poprosiłam, żeby zrobił mi zdjęcia, podczas gdy posuwał mnie na stole.

Zanim przypomniałam sobie resztę — kolację, którą opuściliśmy, cichą aukcję, na którą on zszedł na dół, piękny ogród, do którego uciekłam po naszym… naszym spotkaniu — minęła zbyt długa chwila, bym mogła coś jeszcze dodać do mojej lakonicznej odpowiedzi.

— To dobrze — odparła Chloe, a w jej głosie dało się posłyszeć rozbawienie. — Cieszę się, że zgodziłaś się pójść. Max i Will urządzają tę imprezę co roku i zbierają ogromne kwoty na dobroczynność. Imponujące.

— Imponujące — wymamrotałam, przypominając sobie Maxa w smokingu. Wielki Boże, ten facet urodził się w czarnym krawacie. Chociaż półnagi również wyglądał świetnie.

Wyjrzałam przez okno i przypomniałam sobie jego świszczący, gorący oddech na mojej szyi.

„Nie mam zamiaru się wycofać" — powiedział chrapliwie, rozpościerając palce dużej dłoni na mojej piersi. „Chcę się wbijać głębiej, głębiej i głębiej".

Moje piersi nie są małe, lecz w jego wielkich dłoniach zmalały. Czułam się tak, jakby mógł mnie unieść i złamać. Nie czułam jednak strachu, wręcz przeciwnie: rozłożyłam nogi szerzej, by go głębiej wpuścić.

Odsunął się odrobinę i spojrzał na mnie.

„Mocniej szczypać czy posuwać?"

„Jedno i drugie" — przyznałam, a on schylił się nisko nad moją szyją i ugryzł mnie.

Nagle uświadomiłam sobie, że zastanawiam się nad zdjęciami, które robił, i zadrżałam lekko. Wolałam nie wyobrażać sobie, jak się w nie wpatruje. Może przy okazji się nakręca…

Chloe odchrząknęła i wyjęła z pudła kilka magazynów. Zamrugałam z wysiłkiem i spojrzałam na to, co trzymam w dłoniach. „Na miłość boską, a to skąd się tutaj wzięło?"

— Widziałam, jak rozmawiałaś z Maxem — odezwała się. — Przetańczyliście chyba ze trzy piosenki. Poznaliście się tego wieczoru?

Czy ona umie czytać w myślach? „Co to ma znaczyć, do jasnej cholery?"

Uniosłam wzrok i wymamrotałam:

— Tak, poznaliśmy się właśnie na... — machnęłam ręką w powietrzu — na tej imprezie w piątek.

— Niezłe z niego ciacho — stwierdziła.

„Uważaj. Uważaj!"

Czułam na sobie jej spojrzenie. Chloe nie dałaby sobie rady w pokerze, rzucała aluzje z subtelnością bomby.

— Nie zgadzasz się?

Wreszcie spojrzałam na nią i przewróciłam oczami.

— Daj spokój. Nie mam zamiaru rozpływać się nad Maxem Stellą. Wydawał się miły, to wszystko.

Moja przyjaciółka roześmiała się i wrzuciła kilka książek na półkę.

— Dobrze, dobrze. Sprawdzam tylko, czy nie dałaś mu się omotać. Wydaje się świetny, ale tak, to bawidamek. Przynajmniej tego nie ukrywa.

Przyglądała mi się przez minutę, podczas której starałam się nie reagować na jej słowa. To był przytyk do Andy'ego; rok czy dwa lata temu po tych słowach roześmiałybyśmy się obie, a ja powiedziałabym coś w rodzaju: „Wiem, przecież wiem".

Teraz jednak jej słowa zawisły w niezręcznej ciszy.

— Przepraszam — wymamrotała. — To nie ten moment. Wiedziałaś, że Max i Bennett studiowali razem?

— Tak, wspomniał coś. Nie wiedziałam, że Bennett studiował w Anglii.

Pokiwała głową.

— W Cambridge. Max mieszkał z nim w pokoju. Nie opowiadał mi wiele o tym, co tam wyprawiali, ale to, co słyszałam… — urwała, pokręciła głową i wróciła do leżących przed nią książek.

Powinnam była udawać obojętność, kompletną obojętność, prawda? Obejrzałam sobie kciuk, przy okazji zauważając świeże przecięcie od papieru.

„Saro, weź się, do licha, w garść. Max tak ci utkwił w głowie, że już nawet nie odczuwasz bólu? Żałosne".

Jak powinnam wyglądać, udając brak zainteresowania opowieściami, które słyszała Chloe? Z jej słów przecież wynikało, że Bennett nie opowiedział jej wszystkiego, ale coś jednak mówił.

Prawda?

Przeliterowałam tytuły na wielkim stosie magazynów, udając, że nie interesuje mnie nic poza nimi. Wreszcie poddałam się, kiedy ciekawość niemal mnie zadławiła.

— No to co wyrabiali na studiach?

— To, co zwykle faceci w tym wieku — odparła z roztargnieniem moja przyjaciółka. — Rugby. Warzenie własnego piwa i szalone imprezy. Wycieczki pociągiem do Paryża i inne takie eskapady.

Miałam ochotę ją udusić.

— Eskapady?

Uniosła nagle wzrok, jakby coś sobie przypomniała, a w jej ciemnych oczach zalśniły łobuzerskie ogniki.

— À propos eskapad…

Żołądek uciekł mi w pięty.

— W piątek wieczorem zniknęłaś chyba na godzinę! Gdzie się schowałaś?

Twarz mi zapłonęła. Odchrząknęłam i zmarszczyłam brwi, jakbym wytężała pamięć.

— Trochę mnie to wszystko przytłoczyło. Wyszłam się przewietrzyć.

— Cholera — szepnęła Chloe. — A ja miałam nadzieję, że wpadłaś na jakiegoś gorącego kelnera, a on rozłożył cię na stole.

Nagle rozkaszlałam się i przez długą chwilę nie mogłam złapać tchu, gdyż gardło w jednej chwili wyschło mi na pieprz.

Chloe wstała i nalała mi wody z dystrybutora przy kanapie. Uśmiechnęła się znacząco.

— Jesteś zdenerwowana. Zawsze kiedy panikujesz, zaczynasz kaszleć.

— Nic podobnego.

— Kłamczucha. Kłamczucha, która kłamie wszystkim dookoła. Gadaj.

Uparcie omijałam ją wzrokiem, jednak brązowe oczy Chloe i jej cierpliwy uśmiech w końcu mnie złamały.

— Nie ma nic do opowiadania…

— Saro, zniknłaś, wróciłaś po godzinie i wyglądałaś… — założyła dłuższy kosmyk włosów za ucho i rzuciła mi szatański uśmieszek. — Wiesz, jak wyglądałaś. Jak świeżo zerżnięta.

Rozcięłam pudło i wyjąwszy paczkę magazynów o projektowaniu, podałam jej.

— To zbyt szalone, żeby opowiadać.

— Żartujesz? Rozmawiasz z kobietą, która uprawiała seks z szefem na osiemnastym piętrze biurowca na klatce schodowej.

Gwałtownie poderwałam głowę i wybuchnęłam śmiechem. Napiłam się jeszcze wody, żeby zapobiec następnemu atakowi kaszlu.

— Jasny gwint, Chloe. O tym mi nie opowiadałaś.

— Przez chwilę myślałam. — Hm, dobrze, że nigdy nie chodziłam schodami. Fatalne. To by było naprawdę fatalne.

— Naprawdę nam odbijało. Nie istnieje większe wariactwo. — Chloe wzruszyła ramionami i zwróciła do mnie spokojną twarz. — A może istnieje? Opowiedz.

— No dobrze — odparłam, opierając się o kanapę.

— Pamiętasz tego gościa, którego poznałam w barze tydzień temu? To ciacho?

— Tak?

— Był na piątkowej imprezie.

Chloe zmrużyła oczy i niemal widziałam, jak kółka zębate w jej mózgu zaczynają wirować.

— Na tej imprezie charytatywnej?

— Tak. Znalazł mnie przy łazience — skłamałam i spojrzałam w okno, żeby przyjaciółka nie zajrzała mi w oczy. — Zeszliśmy. Pewnie dlatego wyglądałam, eee… na wymiętą.

— Mówiąc „zeszliśmy", masz na myśli…?

— No tak. W pustej sali balowej — uniosłam wzrok i spojrzałam jej w oczy. — Na stole.

Chloe zawyła z radości i klasnęła w ręce.

— No proszę, jaka z ciebie dzikuska!

Tak bardzo przypominało to opinię Maxa o mnie, choć wypowiedzianą w odmienny sposób, że na chwilę zabrakło mi słów. Dziwne było czuć jeszcze ból spowodowany przez niego, zastanawiać się, co robi, czy w tej chwili przewija moje zdjęcia i wpatruje się w nie.

— Naprawdę, Saro, wiedziałam, że masz to w sobie — dodała.

— Problem w tym, że naprawdę nie mam ochoty na kolejny związek. A nawet gdybym miała, to chyba nie ten typ. — Zatrzymałam się, żeby nie powiedzieć za dużo. Gdybym jeszcze dodała słowo o reputacji Maxa rodem z plotkarskich pism, Chloe na pewno odgadłaby, o kogo chodzi.

Moja przyjaciółka zaczęła nucić, przeglądając magazyny.

— Ale dobrze mi z nim było, Chloe. A sama wiesz, jak było z Andym.

Zagięła róg strony.

— No właśnie, Saro, o to chodzi, że nie wiem tak naprawdę. No wiesz — w ciągu tych trzech lat, odkąd się znamy, może z pięć razy jedliśmy razem kolację. Tak naprawdę więcej dowiedziałam się o Andym z gazet niż od ciebie. Prawie nigdy o nim nie mówiłaś! Zawsze miałam na koniec wrażenie, że on wykorzystuje reputację twojej rodziny, by robić wrażenie dobrze ustawionego i... przyzwoitego.

Poczułam przygniatający jak ołów ciężar poczucia winy i zakłopotania.

— Wiem — odpowiedziałam, wciągając powietrze i wypuszczając je powoli. Jedno to wyobrażanie sobie, jak mnie odbierają inni, a zupełnie co innego takie bezpośrednie słowa. — Zawsze się martwiłam, że jeśli cokolwiek o nim komuś powiem, zostanie to źle odebrane i może zepsuje jego wizerunek. Poza tym między nami nie układało się tak jak między tobą a Bennettem. Dopóki cię nie poznałam, nie spędzaliśmy z Andym jakoś miło czasu. On był pozerem i wyjątkowym palantem, tylko że ja odkryłam to dopiero po długim czasie. A w piątek to była świetna zabawa.

Chloe uniosła wzrok.

— W porządku. Wiedziałam, że coś w tym stylu. — Odwróciła się do kolejnego pudła. — W takim razie dobrze, że to nie drugi Andy.

— No tak.

— Czyli podobasz się mu.

— Przynajmniej fizycznie, a to mi na razie wystarczy.

— No to o co chodzi? Wygląda na idealną sytuację.

— Bo to jest takie intensywne. A ja mu naprawdę nie ufam.

Przyjaciółka odłożyła książki i odwróciła się do mnie.

— Saro, to będzie brzmiało bardzo dziwnie, ale posłuchaj mnie, dobrze?

— Jasne.

— Kiedy z Bennettem zaczęliśmy… to coś, co między nami było, za każdym razem postanawiałam sobie, że to już ostatni raz. Ale w głębi ducha chyba cały czas wiedziałam, że będę to ciągnąć, dopóki samo się nie skończy. Na szczęście chyba nigdy nie przestaniemy czuć się tak samo, jak wtedy na początku. A jednak nie ufałam mu. Nawet go nie lubiłam. No i przede wszystkim był moim szefem. Czyli coś absolutnie nie do przyjęcia — roześmiała się, a ja, podążając spojrzeniem za jej wzrokiem, zobaczyłam jedyną jak na razie rzecz, którą rozpakowała — zdjęcie ich dwojga przed domem we Francji, w którym się jej oświadczył. — Gdybym po prostu pozwoliła sobie na to, żeby się tym wszystkim odrobinę cieszyć, może by mnie tak bardzo nie zżerało.

Zaczęłam rozumieć, co miała na myśli, mówiąc o zżeraniu. Wiedziałam też, że świadomie walczyłam z tym uczuciem przy Maxie — walczyłam z ideą samego Maxa. Tutaj nie chodziło o związek szefa z podwładną czy inną walkę o władzę, lecz o prosty fakt, że na razie nie chciałam należeć do nikogo oprócz siebie samej. A chociaż wszystko, co działo się między mną a tym mężczyzną, było kompletnym szaleństwem i czymś zupełnie nowym, co budziło we mnie całkiem inne uczucia niż dotąd — ja byłam inna w tym wszystkim — to jednak podobało mi się to. Bardzo.

— Fakt, podoba mi się — przyznałam, starannie dobierając słowa. — Ale to chyba nie jest materiał na faceta dla mnie. Na pewno nie jest. Poza tym ja też nie nadaję się w tej chwili do związku.

— Dobrze, więc może po prostu spotkajcie się czasami na szybki numerek.

Roześmiałam się i ukryłam twarz w dłoniach.

— No proszę cię. Czyje to życie?

Chloe wyglądała, jakby miała ochotę pogłaskać mnie po głowie.

— Twoje, Saro.

~

Wróciwszy, zastałam George'a czytającego gazetę w moim gabinecie, z nogami na moim biurku.

— Tyrasz jak wół? — zakpiłam, siadając na rogu biurka.

— Mam przerwę obiadową. A do ciebie przyszła paczka, kochana.

— Przyniosłeś z recepcji?

Pokręcił głową i uniósł z kolan paczkę, pokazując mi ją.

— Doręczona osobiście, dodam, że przez przesłodkiego posłańca. Musiałem pokwitować odbiór i obiecać, że nie otworzę.

Wyrwałam mu paczkę z ręki i podbródkiem wskazałam na drzwi.

— Nawet mi nie powiesz, co jest w środku?

— Nie mam rentgena w oczach, a ciebie ma tu nie być, jak będę ją otwierać. Spadaj.

Z jękiem protestu zdjął nogi z mojego biurka i wyszedł, zamykając za sobą drzwi.

Przez kilka minut wpatrywałam się w przesyłkę, wyczuwając pod bąbelkami koperty prostokątny kształt. Ramka? Serce podskoczyło mi w piersi.

Wewnątrz spoczywała owinięta starannie paczuszka i kartka:

Kwiatuszku, otwórz to bez świadków. To moje ulubione.

Twój nieznajomy

Przełknęłam, czując się trochę tak, jakbym miała za chwilę wypuścić na wolność coś, czego nie jestem już w stanie powstrzymać. Spojrzałam dla pewności, czy drzwi są zamknięte, po czym drżącymi rękami odwinęłam opakowanie — rzeczywiście była to ramka. Z grubego drewna, prosta, zawierała pojedyncze zdjęcie: mój brzuch na wysokości wcięcia talii. Widoczny był czarny stół poniżej. Na dole widać też było końcówki palców Maxa, co wyglądało, jakby przyszpilał mnie w biodrach do blatu. Na mojej skórze widoczna była smuga światła, przypominająca o otwartych niedaleko drzwiach, o kimś, kto właśnie szedł przez pokój tuż za parawanem. Zapewne zrobił to zdjęcie zaraz po tym, jak zagłębił się we mnie.

Zamknęłam oczy, przypominając sobie, jak się czułam, dochodząc. To było jak szok elektryczny, jakby cały prąd potrzebny do oświetlenia sali balowej przepłynął przeze mnie. Max palcami odsłonił moją łechtaczkę i głaskał ją. Doznanie było tak intensywne, że chciałam zsunąć nogi, lecz on mruknął i przytrzymał mnie biodrami.

Wsunęłam zdjęcie z powrotem do koperty i schowałam do torebki. Po mojej skórze rozlało się gorąco; nie mogłam nawet włączyć klimatyzacji ani otworzyć okna na tak wysokim piętrze.

„Skąd wiedział?"

Czułam przygniatający mnie jego ciężar, tak bardzo chciałam, żeby to było zdjęcie nas obojga, tak bardzo chciałam, żeby nas zobaczono. On to zrozumiał, może nawet lepiej niż ja sama.

Potykając się, usiadłam za biurkiem i spróbowałam ogarnąć sytuację. Jednak tuż przede mną leżał najświeższy numer „New York Post", otwarty na plotkarskiej stronie szóstej. Na samym środku widniał artykuł zatytułowany „Bóg seksu solo na imprezie".

W sobotnią noc w Muzeum Sztuki Nowoczesnej milioner, playboy i finansista spróbował nowej strategii. Nie, nie chodziło o spojrzenie na sztukę i na pewno nie o zbiórkę pieniędzy (bądźmy szczerzy: z tym radzi sobie lepiej niż automaty do gry w Las Vegas). W sobotni wieczór na corocznej imprezie dobroczynnej na rzecz Fundacji Alexa Lemonade Max Stella pojawił się... sam. Zapytany o partnerkę, odparł po prostu: „Mam nadzieję, że jest już w środku".
Niestety fotografom zabroniono wstępu na imprezę. Następnym razem cię złapiemy, Mad Max.

Zapatrzyłam się w gazetę. Wiedziałam, że George położył ją tutaj celowo, żebym przeczytała tekst, a teraz zapewne śmieje się w kułak.

Drżącymi dłońmi złożyłam „New York Post" i schowałam do szuflady. Dlaczego nie przyszło mi do głowy, że gdzieś mógł się zaczaić fotograf? Ich całkowita nieobecność

sama w sobie była cudem. Max na pewno zdawał sobie
z tego sprawę, ale ja nie, a co gorsza — nawet nie przyszło mi to do głowy.

— Cholera — wyszeptałam.

Nagle z całą jasnością uświadomiłam sobie, że nasza
gra musi się bezwarunkowo skończyć lub muszę odzyskać
przynajmniej pozory panowania nad sobą. Uczucie ulgi
już po wszystkim to równia pochyła, a w tym pierwszym
tygodniu uniknęłam już trzech wpadek.

Uderzyłam w klawisz spacji, żeby obudzić laptopa,
i wpisałam w wyszukiwarkę hasło „Stella & Sumner".

Nie zdołałam powstrzymać uśmiechu. No jasne.

Rockefeller Plaza trzydzieści.

~

Siedziba Stella & Sumner zajmowała połowę dwudzie-
stego siódmego piętra w budynku GE, jednym z symboli
miasta. Nawet ja rozpoznałam go już z daleka.

Jednak jak na tak znaną spółkę inwestycyjną potrze-
bowali zaskakująco mało miejsca. Z drugiej strony firma,
która zajmuje się głównie gromadzeniem i inwestowa-
niem pieniędzy, nie wymaga wiele: Max, Will, kilku niż-
szych kierowników i paru maniaków matematyki.

Serce waliło mi tak szybko, że musiałam odetchnąć
głęboko dziesięć razy, a potem weszłam do łazienki tuż
obok biura, żeby wziąć się w garść.

Sprawdziłam, czy wszystkie kabiny są puste, po czym spojrzałam sobie w lustrze prosto w oczy.

— Jeśli już chcesz się z nim zabawiać, Saro, pamiętaj o trzech sprawach. Po pierwsze: on chce tego samego co ty — seksu bez zobowiązań. Nie jesteś mu winna nic więcej. Po drugie: nie bój się prosić o to, czego chcesz. I po trzecie... — wyprostowałam się i zaczerpnęłam powietrza — używaj młodości. Baw się. Zapomnij o całej reszcie.

W korytarzu szklane drzwi biura Stella & Sumner otworzyły się automatycznie, kiedy się zbliżyłam, a starsza recepcjonistka powitała mnie szczerym uśmiechem.

— Przyszłam do pana Maxa Stelli — odezwałam się, odwzajemniając uśmiech. Uśmiech i czoło kobiety wydały mi się znajome. Spojrzałam w dół, na identyfikator: Brigid Stella.

Niemożliwe, zatrudnił matkę jako recepcjonistkę?

— Jest pani umówiona, kochana?

Mówiła z takim samym akcentem jak on. Ponownie spojrzałam na jej twarz.

— Właściwie nie. Miałam tylko nadzieję, że mogłabym z nim porozmawiać przez minutę.

— Jak się pani nazywa?

— Sara Dillon.

Uśmiechnęła się — dzięki Bogu, nie był to znaczący uśmiech — spojrzała w ekran i kiwnęła do siebie głową, po czym podniosła słuchawkę telefonu.

— Mam tutaj panią Sarę Dillon. Chciałaby porozmawiać. — Słuchała przez jakieś trzy sekundy, po czym odparła: — Dobrze.

Odkładając słuchawkę, już kiwała głową.

— Tym korytarzem po prawej stronie. Ostatnie drzwi.

Podziękowałam i poszłam tam, gdzie wskazywała. Zbliżając się do drzwi, zobaczyłam Maxa stojącego w wejściu, opartego o framugę, z tak zadowolonym uśmieszkiem, że zatrzymałam się dobrych dziesięć kroków przed nim.

— Opanuj się — wyszeptałam.

Wybuchnął śmiechem, obrócił się i wszedł do gabinetu.

Podążyłam za nim i zamknęłam drzwi.

— Nie przyszłam tu w wiadomym celu — zaczęłam i zatrzymałam się na moment. — No dobrze, może i przyszłam tu w wiadomym celu. Ale nie przede wszystkim. To znaczy… nie tutaj i nie dzisiaj, skoro obok jest twoja matka! Boże, kto zatrudnia swoją matkę jako recepcjonistkę!

Wciąż się śmiał, w policzku robił mu się ten przeklęty dołeczek, a każde słowo mojej niezbornej przemowy wydawało się śmieszyć go bardziej. Cholera, to najzabawniejszy, najfajniejszy i najbardziej wkurzający… palant!

— Przestań! — wrzasnęłam i gdy usłyszałam mój krzyk, zasłoniłam dłonią usta. Max z trudem się opanował, przybrał niewinny wyraz twarzy, podszedł i pocałował mnie raz, tak słodko, że przez moment całkowicie zapomniałam, po co przyszłam.

— Saro — odezwał się cicho — wyglądasz pięknie.

— Zawsze tak mówisz — powiedziałam.

Przymknęłam oczy i poczułam, jak ramiona mi opadają. W ciągu ostatnich trzech lat Andy nigdy nie

skomplementował niczego oprócz wina, które wybrałam
do kolacji.

— Jestem tylko szczery. Ale co ty masz na sobie?

Otworzyłam oczy i spojrzałam na siebie. Biała bluzka,
plisowana granatowa spódniczka i szeroki czerwony pasek. Max patrzył otwarcie na mój biust. Poczułam, jak
sutki mi twardnieją pod jego spojrzeniem.

Uśmiechnął się szeroko. Zauważył.

— Mam na sobie… ubranie robocze.

— Wyglądasz jak niegrzeczna dziewczynka przebrana
za dobrą uczennicę.

— Mam dwadzieścia siedem lat — przypomniałam mu.
— Gapiąc się na moje cycki, nie stajesz się zboczeńcem.

— Dwadzieścia siedem — powtórzył z szerokim
uśmiechem. Zachowywał się tak, jakby każda informa-
cja, jaką ode mnie uzyskiwał, była bezcenną perłą, z których tworzy naszyjnik. — Ile to dni?

Zmrużyłam oczy.

— Słucham? To… — przez kilka sekund patrzyłam
w sufit — jakieś dziewięć tysięcy osiemset pięćdziesiąt.
Ale w rzeczywistości więcej, bo urodziłam się w sierpniu.
Około dziesięciu tysięcy dni temu.

Jęknął i dramatycznie uniósł dłoń do piersi.

— Cholera. Geniusz rachunkowy i jeszcze tak ubrana.
Jestem bezradny wobec twojego uroku.

Musiałam odpowiedzieć uśmiechem. Nigdy nie po-
traktował mnie nieuprzejmie ani szorstko, a w ciągu pół-
tora tygodnia dał mi więcej orgazmów niż inny mężczyzna
w… „Oj, Saro. To przygnębiające. Odpuść".

Jeszcze raz zmierzył mnie wzrokiem.

— No cóż, niecierpliwie czekam, aż wyjawisz mi, czemu zawdzięczam tę przyjemność. Ale najpierw odpowiem na twoje ostatnie pytanie. Tak, moja mama pracuje jako moja recepcjonistka, co wydaje się prostackie. Ale zapewniam cię, nie byłabyś w stanie przekonać jej, żeby odeszła chociaż na minutę. Urwałaby ci ucho.

Postąpił krok do przodu i nagle stanął blisko mnie. Zbyt blisko. Widziałam drobne prążki na jego szytym na miarę garniturze, cień zarostu na podbródku.

— Przyszłam z tobą porozmawiać — powiedziałam. Chyba wydawałam się onieśmielona. Muszę mówić z większym przekonaniem. Nie chciałam, żeby zaczęło się od razu jak przy Andym, gdy pozwalałam sobą rządzić. Po sześciu latach zdałam sobie sprawę z tego, że nigdy nie zależało mi na tym na tyle, by zawalczyć.

Uśmiechnął się.

— Domyśliłem się. Usiądziesz?

Pokręciłam głową.

— Napijesz się czegoś? — Podszedł do barku w kącie i uniósł kryształową karafkę wypełnioną bursztynowym płynem. Odruchowo kiwnęłam głową. Nalał dwie szklanki.

Podając mi drinka, szepnął:

— Dzisiaj tylko dwa palce, kwiatuszku.

Roześmiałam się.

— Dziękuję. Przepraszam, ta sytuacja... mnie przerasta.

Uniósł brwi, lecz chyba postanowił odpuścić sobie dalsze aluzje.

— Mnie też.

— Nie do końca wiem, jak się przy tobie zachować — zaczęłam.

Roześmiał się, ale bez złośliwości.

— Widzę.

— Wiesz, przed tym, co się zdarzyło w klubie, byłam z tym samym facetem, odkąd skończyłam dwadzieścia jeden lat.

Max upił drinka i zapatrzył się w szklankę, słuchając moich słów. Zastanawiałam się, ile mu powiedzieć o Andym i o sobie, o tym, jak byliśmy razem.

— Andy był starszy. Bardziej ułożony, ustabilizowany. I to było w porządku — powiedziałam. — Zawsze było w porządku. Myślę, że wiele związków kończy w ten sposób. Jest w porządku. Bezproblemowo. Coś w tym stylu. Nie był moim przyjacielem, nie był właściwie kochankiem. Mieszkaliśmy razem, wpadliśmy w rutynę.

„Ja byłam wierna, on posuwał kobiety w całym Chicago".

— Więc co się stało? Co nie wypaliło?

Zamilkłam i spojrzałam na niego. Czy użyłam przy nim tego słowa? Przypomniałam sobie, co mówiłam. Nie. W ten sposób opisywałam moje życie po wyjeździe, ale nie opowiadałam mu o tym. Poczułam gęsią skórkę na ramionach. Przez głowę przeleciały mi miliony odpowiedzi, jednak zdecydowałam się na jedną:

— Znudziło mi się bycie taką starą, skoro jestem jeszcze młoda.

— Tyle? Tylko to chcesz mi powiedzieć? Jesteś dla mnie zagadką, Saro.

Uniosłam na niego wzrok.

— Po tym, co zrobiliśmy w klubie, nie musisz wiedzieć nic więcej niż to, że pozostawiłam za sobą w Chicago dużo niemiłych wspomnień i nie mam ochoty wiązać się z nikim.

— Ale potem znalazłaś mnie w klubie — powiedział.

— O ile dobrze pamiętam — poprawiłam go, przeciągając palcem po jego koszuli — to ty mnie znalazłeś.

— Racja — powiedział i uśmiechnął się, lecz po raz pierwszy, odkąd go poznałam, jego oczy nie uśmiechnęły się najpierw. Później też nie. — I tak oto się tu znaleźliśmy.

— Tak oto — przytaknęłam. — Jak się zdaje, to był moment szaleństwa z mojej strony. — Wyjrzałam przez okno na kłębiaste białe chmury, które wyglądały tak solidnie, tak zapraszająco, że mogłabym wskoczyć na nie i polecieć gdzieś, gdziekolwiek, gdzie poczułabym się pewna tego, co chcę powiedzieć. — Ale widziałam cię potem jeszcze kilka razy i… podobasz mi się. Nie chcę tylko, żeby sprawy wymknęły się nam spod kontroli.

— Doskonale cię rozumiem.

Naprawdę? Niemożliwe. I w rzeczy samej nieważne, czy rozumiał, że w tej chwili ważniejsza od zachowania kontroli była moja potrzeba, żeby jak najdłużej unikać tego, co miałam w Chicago. Bezpieczeństwa. Bezpieczeństwo to koszmar. Bezpieczeństwo to kłamstwo.

— Jedna noc w tygodniu — oznajmiłam. — Będę twoja przez jedną noc w tygodniu.

Wpatrzył się we mnie z tym zamyślonym wyrazem twarzy i uświadomiłam sobie, że dotąd, za każdym razem, kiedy go widziałam, wykładał wszystkie karty na stół. Jego uśmiech był całkowicie szczery. Jego śmiech pochodził z głębi serca. Ale to właśnie była jego maska.

Żołądek ścisnął mi się boleśnie.

— Jeśli oczywiście w ogóle chcesz się jeszcze ze mną spotkać.

— Jak najbardziej — zapewnił. — Nie jestem tylko pewien, do czego zmierzasz.

Wstałam i podeszłam do okna. Poczułam, jak rusza za mną, i odezwałam się:

— Mam wrażenie, że poradzę sobie z tym wszystkim tylko w jeden sposób: stawiając wyraźne granice. Za tymi granicami będę tu pracować, budować swoje życie. Ale wewnątrz... — urwałam, zamknęłam oczy i poddałam się wyobrażeniu. Wyobrażeniu dłoni Maxa, jego ust. Jego rzeźbionego torsu i grubego członka wsuwającego się we mnie rytmicznie. — Możemy robić wszystko. Kiedy jestem z tobą, nie chcę się martwić niczym więcej.

Stanął z boku tak, że odwracając lekko głowę, mogłam na niego patrzeć, i spojrzał mi prosto w oczy. Uśmiechnął się. Maska zniknęła, popołudniowe słońce oświetlało jasno pokój, a jego oczy płonęły zielonymi ognikami.

— Proponujesz mi swoje ciało.

— Tak. — Pierwsza odwróciłam wzrok.

— Naprawdę dasz mi tylko jedną noc w tygodniu? Skrzywiłam się.

— Tak.

— Czyli chciałabyś… czego właściwie? Chwilowego romansu ze zobowiązaniami?

Roześmiałam się.

— Na pewno nie podobałaby mi się perspektywa, że skaczesz po łóżkach połowy miasta — odparłam. — Tak, to część umowy. Jeśli w ogóle możesz to przyjąć.

Podrapał się po brodzie, nie odpowiadając na moje pytanie.

— Który wieczór? Tak jak przedtem?

Tego akurat jeszcze nie przemyślałam, ale pokiwałam głową. Improwizowałam.

— Piątki.

— Jeśli nie mogę się spotykać z innymi kobietami, co mam zrobić, jeśli w piątek lub w sobotę wypadnie mi impreza w pracy lub inna, na którą muszę iść z partnerką?

Ścisnęło mnie z niepokoju.

— Nie. Żadnego pokazywania się publicznie. Możesz iść z mamą.

— Wymagająca osóbka z ciebie — po tych słowach rzucił mi uśmiech, który rozszerzał się powoli, jak stopniowo rozniecany ogień. — To takie… zorganizowane. Dotąd chyba nie działałaś w ten sposób, kwiatuszku.

— Wiem — przyznałam — ale tylko w ten sposób zdołam utrzymać to wszystko w granicach rozsądku. Nie chcę trafić z tobą do gazet.

Max ściągnął brwi.

— Dlaczego akurat to przyszło ci do głowy?

Powiedziałam za dużo.

— Po prostu nie chcę — mruknęłam.

— A czy ja mam cokolwiek do powiedzenia w tej sprawie? — zapytał. — Czy po prostu spotykamy się w twoim mieszkaniu, pieprzymy całą noc i tyle?

Przesunęłam palcem po jego klatce piersiowej, zjechałam niżej, do klamerki paska. Dotarliśmy do punktu, którego najbardziej się bałam, jednocześnie mając nadzieję, że on też na to pójdzie. Po tym, co robiliśmy w klubie, w restauracji, na przyjęciu, zaczęłam się czuć uzależniona od adrenaliny. Tego też nie chciałam się wyrzekać.

— Dotąd idzie nam całkiem dobrze. Nie chcę się spotykać u mnie w mieszkaniu, u ciebie też nie. Napisz SMS, gdzie mam się pojawić i czego mam się spodziewać, żebym wiedziała, co włożyć. Reszta mnie nie obchodzi.

Wspięłam się na palce i pocałowałam go. Pocałunek miał być delikatny, lecz po chwili pogłębił się tak bardzo, że miałam ochotę odwołać wszystko, co powiedziałam, i oddawać mu się co noc przez cały tydzień. Ale on pierwszy się odsunął, oddychając ciężko.

— Mogę unikać fotoreporterów, ale robienie ci zdjęć stało się moją obsesją. To mój jedyny warunek. Bez twarzy, ale zdjęcia są dozwolone.

Dreszcz przebiegł mi po kręgosłupie; wpatrzyłam się w Maxa. Myśl o tym, że miałabym dowód, jak dotyka mojej nagiej skóry, jak ogląda nasze wspólne zdjęcia i napala się, wywołała gorący rumieniec, który oblał mnie od dekoltu do policzków. Mężczyzna zauważył to, uśmiechnął się i wierzchem dłoni przesunął po moim policzku.

— Kiedy się to skończy, usuniesz wszystkie zdjęcia — powiedziałam.

Natychmiast kiwnął głową.

— Oczywiście.

— To do piątku — wsunęłam jeszcze ręce pod jego marynarkę, pogładziłam twardą klatkę piersiową, po czym z wewnętrznej kieszeni wyjęłam komórkę i wybrałam numer mojego telefonu. Zadzwonił w torebce. Nie patrząc na twarz Maxa, czułam, że uśmiecha się rozbawiony. Wsunęłam mu telefon z powrotem do kieszeni, obróciłam się i odeszłam, wiedząc, że gdybym spojrzała na niego, z pewnością zawróciłabym.

Pomachałam jego mamie na pożegnanie i zjechałam windą na parter, przez cały czas myśląc o aparacie w jego komórce.

Dwie przecznice dalej telefon zabrzęczał mi w torebce.

„Spotkajmy się w piątek na rogu Jedenastej i Kent na Brooklynie. 18.00. Przyjedź taksówką i nie wysiadaj, dopóki nie otworzę drzwi. Możesz przyjechać prosto po pracy".

ROZDZIAŁ
SZÓSTY

Kiedy jeszcze byłem młody i naiwny, Demitri Gerard stał się moim drugim w życiu klientem. Prowadził mały, ale dochodowy antykwariat w północnym Londynie. Na papierze jego firma nie robiła wrażenia — na czas płacił rachunki, miał listę stałych klientów i zarabiał rocznie więcej pieniędzy, niż wydawał. Jednak Demitri miał pewną wyjątkową cechę: niezwykły nos do wyszukiwania rzadkich okazji, o których istnieniu wiedziało bardzo niewielu ludzi. We właściwych rękach te antyki sprzedawano kolekcjonerom z całego świata za niemałą fortunę.

Potrzebował kapitału na rozwój firmy i, jak się później dowiedziałem, na opłacenie długiej listy informatorów, którzy zawiadamiali go, kiedy i gdzie pojawiały się interesujące antyki. To dzięki tym informatorom stał się tak bogatym człowiekiem. Oczywiście legalnie.

Demitri Gerard odniósł tak wielki sukces, że obecnie w samym Nowym Jorku posiadał dwanaście magazynów. Jeden z nich stał na rogu Jedenastej i Kent.

Wyjąłem z kieszeni świstek papieru i wpisałem kod, który rano Demitri podał mi przez telefon. Alarm piknął dwa razy, rozległ się brzęczyk i zamek szczęknął głośno i metalicznie. Machnąłem szybko kierowcy i otworzyłem ciężkie stalowe drzwi. Wchodząc, słyszałem, jak mój samochód rusza.

Windą towarową pojechałem na piąte piętro. Zdjąłem marynarkę, podwinąłem rękawy koszuli i rozejrzałem po otoczeniu. Nagie cementowe ściany i posadzki, jarzeniówki na belkach sufitu. Demitri przechowywał w tych budynkach kolekcje, które później sprzedawał na aukcjach lub przesyłał do handlarzy. Na szczęście ta kolekcja jeszcze czekała na nabywcę.

Światło słoneczne wlewało się przez zmatowiałe, popękane szyby w dwóch ścianach magazynu i odbijało w rzędach luster wypełniających wnętrze. Przeszedłem przez pomieszczenie, z każdym krokiem wzbijając drobne chmury kurzu, po czym uniosłem foliową narzutę na jedynym meblu w całym magazynie: czerwonym pluszowym szezlongu, który kazałem przysłać wcześniej tego samego dnia. Uśmiechnąłem się, przesunąłem dłońmi po krzywiźnie oparcia i wyobraziłem sobie cudowny widok Sary leżącej tu wkrótce, nagiej i błagającej.

„Idealnie".

Następną godzinę spędziłem, starannie odsłaniając lustra i rozstawiając je po całym pomieszczeniu wokół szezlongu. Niektóre miały ozdobne ramy, szerokie i złocone, a ich tafle pokryły się plamami i zmatowiały po brzegach. Inne, delikatniejsze, oprawiono techniką filigranu lub w lśniące drewno.

Kiedy kończyłem, słońce schowało się za okolicznymi budynkami, lecz wciąż świeciło na tyle jasno, że nie musiałem zapalać jarzeniówek nad głową. Miękkie światło sączyło się przez wypaczone okna. Zerknąłem na zegarek. Sara pojawi się lada chwila.

Po raz pierwszy, odkąd stworzyłem ten plan, przyszło mi do głowy, że może w ogóle nie przyjedzie. To by było duże rozczarowanie. Dziwne. Na ogół z łatwością odczytywałem motywy kobiet, które chciały mnie z powodu pieniędzy lub wątpliwej sławy, towarzyszącej pokazaniu się w moim towarzystwie. Nigdy dotąd nie starałem się tak bardzo o względy żadnej kobiety i nie do końca wiedziałem, jak się z tym czuję. Czy faktycznie jestem aż tak przewidywalny? Pragnę tylko tego, czego nie mogę mieć? Uspokoiłem się, mówiąc sobie, że oboje jesteśmy dorośli, obydwoje tego chcemy, a niedługo pójdziemy dalej. Bez żalu.

Proste.

Fakt, że Sara była tak fantastyczna, absolutnie nie przeszkadzał.

Z drugiego końca pomieszczenia dosłyszałem wibracje telefonu. Obrzuciłem magazyn ostatnim spojrzeniem, wszedłem do windy i zjechałem na dół, do pustego korytarza.

Na dźwięk otwieranych drzwi dziewczyna uniosła głowę, a ja od razu stwardniałem na jej widok, stojącej w oczekiwaniu i takiej niepewnej.

„Spokojnie, kolego. Najpierw zabierzmy ją do środka, potem się nią zajmiemy".

— Cześć — odezwałem się, schyliłem i pocałowałem Sarę w policzek. — Wyglądasz pięknie. — Jej zapach był już znajomy, kojarzył się z latem i cytrusami. Wyszedłem na zewnątrz i zapłaciłem kierowcy, a kiedy samochód odjechał, odwróciłem się do dziewczyny.

— Trochę za dużo sobie pozwalasz — odezwała się, unosząc brwi. Włosy miała gładko zaczesane, leciutko falowane, a z przodu przytrzymywała je mała srebrna spinka. Wyobraziłem sobie, jak będzie wyglądała później, już bez tej grzecznej spinki, rozczochrana i nieprzytomna z rozkoszy po tym, jak ją zerżnę. — Już mu zapłaciłam.

Spojrzałem w kierunku taksówki, po czym z uśmiechem pokręciłem głową.

— Powiedzmy, że nigdy nie miałem kompleksu niższości.

— A jakie miałeś kompleksy?

— Chyba żadnych. I pewnie dlatego mnie lubisz.

— „Lubię" to dość mocne słowo — odparła, a kącik jej ust uniósł się w lekkim uśmiechu.

— Trafiony, diablico — uśmiechnąłem się szeroko, otwierając drzwi i gestem zapraszając, żeby weszła pierwsza.

W ciszy ruszyliśmy do windy i nie odzywaliśmy się w czasie krótkiej jazdy w górę, lecz powietrze wokół zagęszczało się od oczekiwania, odzywającego się pulsowaniem w żyłach.

Drzwi windy otworzyły się bezpośrednio na magazyn, lecz przed wyjściem Sara odwróciła się do mnie.

— Zanim tam wejdziemy — powiedziała, wskazując głową na pomieszczenie — obiecaj mi, że nie ma tam żadnych łańcuchów i innych takich… akcesoriów.

Roześmiałem się. Dopiero teraz zauważyłem, jak to wygląda z zewnątrz, jak wielkie zaufanie mi okazała, przychodząc tutaj. Obiecałem sobie, że jej to wynagrodzę.

— Zapewniam, że nie ma obroży ani bicza — pochyliłem się i pocałowałem ją w ucho. — Może będzie kilka klapsów, ale zobaczymy, jak się sprawa potoczy, dobrze? — Pacnąłem ją w pośladek, potem przeszedłem obok niej i wprowadziłem nas do środka.

— O rany — skomentowała. Policzki miała lekko zaróżowione.

„Ile w niej sprzeczności".

Obserwowałem, jak rozgląda się po pomieszczeniu, obracając się powoli. Dopasowana suknia w kolorze czerwonego wina, długie nogi w niebotycznych czarnych obcasach.

— O rany — powtórzyła.

— Cieszę się, że ci się podoba.

Przesunęła palcem po powierzchni dużego srebrnego lustra, w którym nasze spojrzenia się spotkały.

— Chyba wyczuwam tu jakiś temat przewodni.

— Jeśli przez temat przewodni rozumiesz to, że się podniecam, obserwując ciebie, to owszem — usiadłem w wielkim oknie i wyciągnąłem przed siebie wyprostowane nogi. — Uwielbiam patrzeć, jak dochodzisz. A jeszcze bardziej lubię patrzeć, jak sama się nakręcasz świadomością, że ktoś cię obserwuje.

Otworzyła szerzej oczy, jakbym powiedział coś szokującego.

Przerwałem. Czyżbym źle odczytał jej pragnienia? Było dla mnie jasne, że ma przynajmniej odrobinę skłonności ekshibicjonistycznych i fascynuje ją świadomość bycia obserwowaną.

— Wiesz, jak lubię oglądać twoje nagie fotki. Wiem, że lubisz uprawiać seks w miejscach publicznych. Czy źle zrozumiałem to, co robimy?

— Nie, ale wypowiedziane głośno trochę mnie to zaskoczyło — odwróciła się, przeszła po pomieszczeniu, spoglądając w każde lustro. — Chyba zawsze zakładałam, że owszem, inni ludzie lubią takie rzeczy, ale przecież nie ja. Pewnie brzmi to absurdalnie.

— Dotąd twój związek wyglądał inaczej, co nie oznacza, że to ci odpowiadało, że to właśnie lubisz.

— Chyba sama nie do końca rozumiem, co lubię — odparła Sara, odwracając się twarzą do mnie. — Mam wrażenie, że nie spróbowałam jeszcze w życiu tyle, żeby się tego dowiedzieć.

— No cóż, znalazłaś się w magazynie z szezlongiem w środku i lustrami wokół. Z przyjemnością pomogę ci odkrywać, co lubisz.

Roześmiała się i podeszła do mnie.

— Ten budynek nie należy do ciebie.

— Jak widzę, poszperałaś w sieci.

Postawiła torebkę pod ścianą i usiadła na kanapce, krzyżując nogi.

— Chciałam dowiedzieć się czegoś więcej niż plotki z gazet. Nie chciałabym powtarzać sceny z *Leatherface*.

Pokręciłem ze śmiechem głową, zaskoczony moją ulgą, że Sara nie przyszła tutaj w ciemno.

— Magazyn należy do mojego klienta.

— Fetyszysty luster?

— Nie wiem, do czego się dokopałaś — powiedziałem.

— Mam dwóch partnerów, każdy z nas specjalizuje się w innej dziedzinie: Will Sumner w biotechnologii, James Marshall w technologii, ja skupiam się na sztuce — galeriach i…

— Antykach? — zapytała, obrzucając pomieszczenie badawczym spojrzeniem.

— Tak.

— Co sprowadza nas do powodu naszego przyjazdu tutaj — stwierdziła.

— Czy to już koniec zabawy w dwadzieścia pytań?

— Na razie.

— Zadowolona?

— Hm… jeszcze nie.

Przemierzyłem pomieszczenie i ukląkłem przed nią.

— Pasuje ci to?

— Że chcesz mnie wziąć w magazynie pełnym luster? — wsunęła za ucho kosmyk włosów i absolutnie niewinnie wzruszyła ramionami. — Dziwne, ale tak.

Przesunąłem dłoń na jej kark.

— Cały dzień myślałem o tym, jak będziesz wyglądać, siedząc tutaj.

Miała tak miękką skórę. Palcami przesunąłem powoli po jej szyi, wzdłuż obojczyka. Przycisnąłem usta do jej tętnicy, czując, jak pulsuje pod moim językiem. Sara wyszeptała moje imię i rozsunąwszy nogi, przyciągnęła mnie do siebie.

— Chcę cię nagą — powiedziałem, nie tracąc czasu i zsuwając z niej sukienkę. — Chcę cię nagą, wilgotną i błagającą, żebym cię posuwał — przesunąłem językiem do jej piersi, possałem, potem ugryzłem sutek przez delikatną koronkę stanika. — Chcę, żebyśmy byli tacy głośni, żeby ludzie na przystanku po drugiej stronie ulicy poznali moje imię.

Odetchnęła i sięgnęła do mojego krawata, rozluźniła go i pociągnąwszy, zdjęła z mojej szyi.

— Mógłbym cię nim związać — odezwałem się. — Dać ci klapsa. Ssać twoją cipkę, aż będziesz błagać, żebym przestał — przyglądałem się, jak zmaga się z guzikami mojej koszuli, z głodnym spojrzeniem zsuwa ją z moich ramion.

— Albo ja mogłabym cię nim zaknebblować — zakpiła z lekkim uśmiechem.

— Obiecanki cacanki — szepnąłem, chwytając ustami jej dolną wargę. Potem naznaczyłem pocałunkami jej podbródek i zacząłem ssać szyję.

Sara sięgnęła po mnie przez spodnie. Moje ciało już zaczęło reagować, fiut mi od razu stwardniał.

Rozpiąłem do końca sukienkę, uwolniłem ramiona Sary i odrzuciłem ubranie na bok. Stanik poszedł w ślady kiecki.

— Powiedz mi, czego pragniesz, Saro.

Zawahała się i przyglądała mi przez chwilę.

— Dotknij mnie — szepnęła.

— Gdzie? — zapytałem, przesuwając palcem po jej udzie. — Tutaj?

Jej skóra odcinała się mleczną bielą od ciemnej czerwieni leżanki — wyglądała lepiej niż wszelkie moje wyobrażenia — a ja wargami ssałem jej biodro, jednocześnie zsuwając z nóg skrawek koronki, który miała na sobie. Wsunąłem palec w jej wnętrze i wciągnąłem mocno powietrze, czując, jak bardzo już jest mokra. Kciukiem zataczałem kółka na łechtaczce; oboje spoglądaliśmy w miejsce, w którym ją dotykałem. Patrzyłem, jak mięśnie na brzuchu mojej kochanki drżą, słyszałem ciche dźwięki, kiedy przesuwałem dłonią po jej zwilgotniałej skórze.

Wstałem, rozpiąłem spodnie i zsunąłem je poniżej bioder. Rzuciłem na siedzenie prezerwatywę. Nie tracąc czasu, Sara wzięła mnie w dłoń, przesuwając językiem po główce penisa. Patrzyłem, jak ciepłymi, wilgotnymi ustami ssie końcówkę.

Uniosłem wzrok i dojrzałem nasze odbicie w lustrze po drugiej stronie pomieszczenia. Sara przytrzymywała moje biodra, jej ładne karmelowe włosy wiły się wokół moich palców, a głowa podskakiwała, kiedy przysunęła się do mnie. Zmusiłem się, by nie patrzeć w dół, wiedząc, jak z tego miejsca wyglądają jej długie ciemne rzęsy na zaróżowionych policzkach.

Albo jeszcze lepiej — jak unosi na mnie spojrzenie ciemnych oczu.

Czułem miejsce, w którym trzymały mnie jej palce, czułem miękki dotyk jej włosów na moim brzuchu, ciepło jej ust i wibracje przy każdym zachęcającym jęku. Było mi tak cholernie dobrze. Zbyt dobrze.

— Jeszcze nie — powiedziałem zdyszany. Udało mi się oderwać od niej. Przeciągnąłem palcami po jej wargach. Kusiło mnie bardzo, żeby przyglądać się, jak mnie ssie, dojść do końca w jej ustach. Ale miałem inne plany.

— Odwróć się. Chcę, żebyś klęknęła.

Uczyniła, o co prosiłem, oglądając się przez ramię. Stanąłem za jej plecami.

To spojrzenie niemal mnie pokonało. Musiałem się zmusić, żeby myśleć o arkuszach kalkulacyjnych, a nawet o kiepskich żarcikach Willa, kiedy sięgałem po prezerwatywę, rozdzierałem opakowanie i nakładałem na członka. Chwyciłem biodra Sary i dotarłem do jej wejścia, pocierając końcówką penisa o jej skórę, po czym nacisnąłem i wszedłem w nią.

Głowa jej opadła, a włosy zakryły twarz. Nie, tak nie może być.

Sięgnąłem do jej włosów i pociągnięciem uniosłem jej głowę do góry.

Sara wstrzymała oddech. W szeroko otwartych oczach widziałem zaskoczenie i głód.

— Tak lepiej — odezwałem się, wysuwając się odrobinę i przesuwając znów do przodu. — O tam — głową
wskazałem lustro naprzeciwko. — Chcę, żebyś patrzyła
tam, dobrze?

Oblizała usta, kiwając głową, na ile mogła.

— Podoba ci się? — zapytałem, ciągnąc mocniej za
jej włosy.

— T… tak — wyjąkała.

Przyspieszyłem, przyglądając się jej niemal z bojaźnią.
Najwyraźniej pozwalała mi dzisiaj przejąć prowadzenie,
dostosowywała się do moich pragnień. Myśli skłębiły mi
się w głowie, zacząłem się zastanawiać, jak mogę ją ożywić, jak sprawić, by poddała się równie wielkiej potrzebie,
jaką ja czułem przy niej.

— Widzisz, jak teraz lepiej? — zapytałem, śledząc
każde moje poruszenie w lustrze, kiedy wsuwałem się
i wysuwałem z jej napiętego ciała. — Widzisz, jakie to
doskonałe? — Zacząłem zataczać koła biodrami. Przyspieszyłem. — I tutaj — obróciłem jej głowę w prawo,
w stronę kolejnego lustra. — Cholera. Zobacz, jak ci
cycki podskakują, kiedy cię posuwam. I to zakrzywienie
twoich pleców. Twoja idealna pupa.

Przeniosłem dłonie z jej włosów na ramiona i chwyciłem mocno, by utrzymać równowagę. Ścisnąłem mięśnie,
kciukami ujmując w nawias jej kręgosłup. Skórę miała
śliską od potu, włosy zaczęły jej przylegać do czoła. Ugiąłem kolana, zmieniłem kąt, a ona wygięła się w moich
dłoniach, nasuwając się na mnie.

Przeniosła ciężar ciała na łokcie i krzyknęła, prosząc, żebym posuwał ją mocniej. Wbiła palce w tapicerkę siedzenia. Chwyciłem ją za biodra, pchając z całej siły, przyciągając szorstko jej plecy do siebie z każdym ruchem.

— Max — jęknęła, przytulając policzek do oparcia. Wyglądała na zupełnie pokonaną, przytłoczoną, jakby zapomniała o całym świecie oprócz mojego ciała wpasowanego w nią.

Nogi zaczęły mnie piec, po kręgosłupie przebiegł dreszcz przyjemności. W brzuchu czułem narastający ucisk; pochyliłem się do przodu, otoczyłem ją ramionami w talii, by zmienić naszą pozycję. Sara sięgnęła dłonią za siebie, przyciągnęła mnie za biodro, nasuwając głębiej.

— Właśnie tak — wydyszałem, coraz bliższy szczytu, czując, jak zaczyna zaciskać się wokół mnie, i tłumiąc moje błagania w jej ramieniu. — Dochodzisz?

— Tak blisko — odparła, przymykając oczy i zagryzając dolną wargę. Sięgnąłem do przodu, dotknąłem jej łechtaczki, na której moje palce spotkały jej już śliskie. Szezlong zatrzeszczał pod nami. Przemknęło mi przez głowę, że może się załamać. — Max, szybciej.

Rozejrzałem się wokół, po naszych odbiciach w lustrach ustawionych pod różnymi kątami; palcami oboje przesuwaliśmy po niej, poruszając się jednocześnie. Nigdy dotąd nie widziałem niczego podobnego. Wiedziałem, że to gra, ale niech mnie, jeśli kiedykolwiek ją zakończę.

Zwróciłem spojrzenie na Sarę, która powtarzała moje imię, odrzuciwszy głowę do tyłu i oparłszy ją na moim ramieniu. Doszła, zaciskając się mocno wokół mnie. Czułem gorąco i przebiegający mnie prąd, serce mi waliło.

— Nie zamykaj oczu, nie zamykaj oczu, do cholery. Zaraz dojdę! — I rzeczywiście tak zrobiłem. Spazm wstrząsnął całym moim ciałem i wypełniłem kondom. Osunąłem się do przodu, ściskając Sarę w talii i czując gorące pulsowanie krwi w żyłach.

— Niech to… — wydyszała, obracając się do mnie z lekkim uśmiechem.

— Tak — udało mi się wysunąć z niej i zdjąć prezerwatywę. Ułożyłem nas oboje na szezlongu. Sara była bezwładna, miękka i sennie się uśmiechała. Z lekkim westchnieniem położyła się na poduszce.

— Chyba nie dam rady iść — powiedziała, odsuwając z czoła kosmyk wilgotnych włosów.

— Nie ma problemu.

Mrugnęła do mnie.

— Jak zawsze żartowniś.

Uśmiechnąłem się szeroko, zamknąłem oczy i próbowałem wyrównać oddech. Przynajmniej wróciło mi czucie w nogach.

Nastąpiło kilka minut ciszy. Z ulicy dobiegały dźwięki klaksonów, z daleka słychać było warkot helikoptera. W magazynie zapadła ciemność, kiedy poczułem, że poduszka się przesuwa. Uniosłem wzrok — Sara wstała i zaczęła zbierać swoje rzeczy.

— Jakie masz plany na resztę wieczoru? — zapytałem, przetaczając się na bok i przyglądając, jak wkłada sukienkę.

— Wracam do domu.

— Musimy coś zjeść. — Przeciągnąłem dłonią po jej gładkiej łydce. — Nabrałem apetytu.

Delikatnie mnie odsunęła i przyklęknęła na podłodze, szukając buta. Nie pamiętałem, że je z niej zdjąłem.

— Nie.

Zmarszczyłem brwi. Chyba powinienem poczuć ulgę, że Sara nie ma zamiaru angażować się w nasz układ emocjonalnie, jednak stanowiła dla mnie zagadkę. Najwidoczniej była niedoświadczona i naiwna. A jednak przyszła tutaj, wykazując sporą beztroskę, i zaufała mi.

Dlaczego?

Każdy prowadzi jakąś grę. W co pogrywa Sara?

Włożyła buty, wyprostowała się, wyjęła szczotkę z torebki i przygładziła włosy. Jej oczy błyszczały, twarz miała zarumienioną nieco bardziej niż zwykle, lecz poza tym wyglądała zupełnie normalnie.

Następnym razem muszę się bardziej postarać.

ROZDZIAŁ
siódmy

Może w ten sposób Andy potrafił tyle dokonać w jeden dzień. Nic tak nie rozjaśnia w głowie, jak potężny orgazm z idealnym nieznajomym, który nie oczekuje, że po wszystkim pozbieram jego brudne rzeczy do prania. W poniedziałek rano czułam się pełna energii i całą uwagę poświęciłam spotkaniu działu o dziewiątej rano.

Inni dyrektorzy i asystentki wreszcie dojechali do nowego biura, a ponieważ dotarły też niektóre rzeczy, nad którymi pracował Bennett, czekała nas perspektywa obsłużenia dwudziestu nowych klientów. Pogrążyłam się w pracy. Z drugiej strony dzięki temu miałam bardzo mało czasu, żeby wyobrażać sobie laleczki voodoo w kształcie Andy'ego i zapoznawać się z technikami kastracji.

Jednak pomiędzy obowiązkami — bieganiem ze spotkania na spotkanie, wypadem do łazienki, ciszą po roz-
mowie telefonicznej — przypominałam sobie mój wieczór
z Maxem, jego sprężyste, nagie ciało za moimi plecami,
moje kończyny ciężkie od cudownego zmęczenia, jego
dłonie zanurzone w moich włosach.

„Nie zamykaj oczu, nie zamykaj oczu, do cholery. Zaraz dojdę".

Niezależnie od tego, jak dobrze się bawiłam, w sobotę
rano przez kilka godzin czułam się niewyraźnie. Nawet
nie żałowałam tego, co zrobiłam, jednak czułam się nieco
zakłopotana. Przyszło mi do głowy, że robię na Maxie
bardzo złe wrażenie, przychodząc w jakieś dziwne miejsce i chętnie pozwalając mu robić ze mną, co tylko chciał,
w otoczeniu setek luster, w miejscu, w którym nikt nie
usłyszałby mojego wołania o pomoc.

Najgorsze jednak było to, że mimo tej cienkiej war-
stwy zawstydzenia nigdy dotąd tak bardzo nie czułam,
że żyję. Co dziwne, przy tym obcym mężczyźnie czułam
się bezpieczna, jakbym mogła poprosić go o wszystko.
Tak, jakby widział we mnie coś, co umknęło pozostałym.
Kiedy w jego biurze wyłożyłam moje warunki, nie wydawał się w najmniejszej mierze zaskoczony, nie osądzał
mnie. Bez mrugnięcia okiem przyjął moje oświadczenie,
że nie będziemy uprawiać seksu w łóżku.

Usiadłam na moim biurku i przymknęłam oczy na
wspomnienie ostatniego razu, kiedy uprawiałam seks
z Andym, ponad cztery miesiące temu. Nie chciało się
nam już kłócić o jego czy mój rozkład zajęć. Brak bliskości

w naszym związku rozrastał się jak cień, przesłaniając nasz spokój.

Próbowałam ożywić nasze relacje i pewnego dnia pojawiłam się w jego gabinecie wieczorem, ubrana tylko w długi płaszcz i szpilki. Z jego zakłopotania można by wnioskować, że przyszłam do niego przebrana za żółtą kaczkę.

— Nie mogę się z tobą kochać tutaj — syknął, spoglądając nad moim ramieniem.

Może powiedział tak dlatego, że w biurze uprawiał seks tylko z innymi kobietami. Poczułam się upokorzona.

Bez słowa obróciłam się i wyszłam.

Gdy Andy wrócił do domu, próbował się zrehabilitować: obudził mnie, pocałował, nie spieszył się i starał zatrzeć złe wrażenie.

Nie wyszło.

Otworzyłam oczy; w tej chwili uderzyła mnie realność całej sytuacji. Przy Maxie czułam się tak dobrze, podczas gdy przy Andym byłam nieszczęśliwa. Nadszedł czas, żeby stanąć na nogi i przestać przepraszać za to, że biorę to, czego chcę.

≈

Chociaż wciąż pragnęłam Maxa, świadomość, że się spotkamy, pozwoliła mi wreszcie przestać się zastanawiać przez cały tydzień, kiedy lub jak to nastąpi. Gdy jednak nadeszła piątkowa przerwa na lunch, a on nie napisał, przyszło mi do głowy, że być może chce zakończyć sprawę, nie odzywając się więcej. Nie ustaliliśmy, w jaki sposób sobie to powiemy lub jak się z wdziękiem wycofamy. Właściwie sposób, w jaki utkałam nasze relacje, oznaczał, że najprościej będzie to zakończyć, znikając. Było coś pocieszającego w układzie tak lekkim, że mógł po prostu wyparować.

A jednak chciałam znów się spotkać z Maxem.

Włożyłam telefon do szuflady biurka, zdecydowana nie brać go ze sobą na popołudniowe spotkanie działu. Jednak po dziesięciu minutach rozmowy o kampanii marketingowej dla producenta bielizny, ze wciąż powracającym wspomnieniem Maxa zsuwającego skąpe koronkowe figi z moich nóg, pod pierwszym lepszym pozorem wróciłam do gabinetu po telefon.

Nie ma wiadomości. Cholera.

Wracając do sali konferencyjnej, zastałam Bennetta z szybkością światła przerzucającego slajdy na projektorze. Bez problemu nadążałam, bo już widziałam je wcześniej, lecz dostrzegłam, że świeżo przybyli kierownicy lekko pozielenieli, jakby chcieli zwrócić obiad.

— Zwolnij, Bennett — powiedziałam cicho, podchodząc do niego.

Gwałtownie odwrócił się do mnie. Widać było, że ledwo się kontroluje.

— Co?

Przełknęłam. Kolega kolegą, ale i tak facet mocno mnie stresował.

— Chyba trochę za szybko przeklikałeś segmentację marketingową — wyjaśniłam. — Skończyłeś ją wczoraj, kiedy ci ludzie siedzieli w samolocie. Daj im trochę czasu, niech to przetrawią.

Bennett pokiwał szybko głową i skierował spojrzenie na ekran. Niemal czułam, jak liczy w głowie do dziesięciu, żeby podwładni mieli czas przeczytać slajd, i spojrzałam na siedzącą naprzeciwko Chloe. Przyglądała się narzeczonemu, przygryzając końcówkę długopisu, by powstrzymać śmiech. Zdaje się, że Ryan nie miał żadnego współczucia dla pracowników Ryan Media Group, którzy właśnie przewrócili swoje życie do góry nogami, a teraz musieli nauczyć się na pamięć siedemnastu tabel danych marketingowych w dwadzieścia cztery godziny.

— Dobrze? — zapytał i nie czekając na odpowiedź, kliknął następny slajd.

„Jak nie nadążasz, to łap następny pociąg" — usłyszałam kiedyś, jak Bennett powiedział to nowemu pracownikowi marketingu imieniem Cole.

Na stole zawibrował głośno mój telefon. Podniosłam go i pod nosem wymamrotałam przeprosiny. Dzięki wszechświatowi za Bennetta Ryana i jego zabawny, niecierpliwy perfekcjonizm; dzięki niemu na całe dwie minuty zapomniałam o zastanawianiu się, czy Max wciąż chce się ze mną spotkać.

„Nowojorska Biblioteka Publiczna ma naprawdę fascynujące zbiory. Budynek Schwartzmana, 18.30. Miej na sobie spódnicę, najwyższe obcasy, a figi możesz sobie odpuścić".

Uśmiechnęłam się do telefonu. Max miał naprawdę szczęście, przed spotkaniem z nim musiałam jedynie zdjąć bieliznę. Kiedy uniosłam wzrok, zobaczyłam, że Chloe wciąż trzyma w zębach długopis, ale tym razem z uniesionymi brwiami przygląda się mnie.

Spojrzałam z powrotem na Bennetta, starannie unikając spojrzenia przyjaciółki, jednak nie mogłam ukryć szczęśliwego uśmiechu.

~

W Nowym Jorku jest zdecydowanie za dużo budynków-symboli. Każdy wydaje się znajomy lub naładowany historią. Jednak najlepiej rozpoznawałam Nowojorską Bibliotekę Publiczną z lwem strzegącym wejścia i wielkimi schodami.

Odkąd po raz pierwszy uprawialiśmy seks, widziałam Maxa cztery razy, a chociaż było to zaplanowane spotkanie, i tak wstrzymałam oddech na widok mojego pięknego nieznajomego. Stał znacznie wyżej niż inni i lustrował wzrokiem tłum, poszukując mnie. Przez kilka sekund po prostu się w niego wpatrywałam.

Czarny garnitur, ciemnoszara koszula bez krawata. Włosy mu odrosły w ciągu tych paru tygodni, a chociaż na czubku wciąż były dłuższe, podobała mi się ta jego rozwichrzona fryzura. Wyobrażałam sobie tę czuprynę między moimi nogami, kiedy mogłabym zanurzyć w niej dłonie.

Max Stella rzucał na schody długi cień, ludzie rozstępowali się wokół niego. „Chcę cię zobaczyć nagiego w świetle dziennym" — pomyślałam. „Chcę zobaczyć zdjęcia ciebie ze mną w pełnym słońcu".

W tej chwili znalazł mnie wzrokiem. Oblałam się rumieńcem z zakłopotania, że przyłapał mnie, jak się na niego gapię. Na jego twarzy pojawił się znaczący uśmiech. Przywołał mnie do siebie, kiwając palcem.

Kiedy się zbliżyłam, odezwał się kpiąco:

— Gapiłaś się na mnie.

Roześmiałam się i odwróciłam wzrok.

— Nieprawda.

— Jak na kogoś, kto lubi być obserwowany w najbardziej intymnych chwilach, bardzo się wstydzisz, kiedy ktoś przyłapie cię na podglądactwie.

Poczułam, że mój uśmiech trochę blednie, a pod żebrami poczułam ból. Przemówiłam, nie zastanawiając się:

— Po prostu cieszę się, że cię widzę.

Tym razem zbiłam go z tropu, jednak szybko odzyskał panowanie nad sobą i uśmiechnął się szeroko.

— Gotowa do zabawy?

Pokiwałam głową, dziwnie zdenerwowana pomimo oblewającej mnie fali gorąca. W zeszłym tygodniu towarzyszyła nam setka luster, lecz poza nimi byliśmy całkowicie sami. Tutaj, nawet o wpół do siódmej w piątkowy wieczór, biblioteka tętniła życiem.

— Wygląda ciekawie — wymamrotałam, odwracając
się do wejścia, a Max przycisnął delikatnie dwa palce do
moich pleców.

— Zaufaj mi — powiedział, zniżając głos do szeptu
i pochylając do mnie. — To coś w twoim stylu.

Już w środku szedł przede mną, jakbyśmy byli po
prostu dwójką nieznajomych idących w tym samym kierunku. Zauważyłam, jak kilka osób mu się przygląda;
dwójka z nich wskazała na niego i pokiwała głowami.
Tylko w centrum Manhattanu spec od inwestycji może
zostać natychmiast rozpoznany.

Ja zwracałam większą uwagę na to, jak marynarka
układa mu się na szerokich ramionach, niż na cel, do
którego zmierzamy.

Zwalniając, Max zapytał:

— Ile wiesz o Nowojorskiej Bibliotece Publicznej,
Saro? Dokładniej rzecz biorąc, o tym oddziale?

Przetrząsnęłam pamięć w poszukiwaniu tego, co słyszałam w filmach lub telewizji.

— Oprócz tego, co w pierwszej scenie z *Pogromców
duchów*? Niewiele — przyznałam.

Max się roześmiał.

— Ta biblioteka jest inna niż większość, ponieważ
w znacznej mierze opiera się na prywatnej filantropii.
Sponsorzy tacy jak ja — dodał, puszczając do mnie oko
— interesują się pewnymi kolekcjami i bywają hojni.
W niektórych przypadkach bardzo hojni, za co czasami
otrzymują pewne przywileje. Oczywiście po cichu.

— Oczywiście — powtórzyłam.

Zatrzymał się i odwrócił do mnie z uśmiechem.

— Ten pokój rozpoznałaby większość ludzi — Rose Main Reading Room.

Rozejrzałam się. Było to ciepłe, przytulne pomieszczenie wypełnione przyciszonymi głosami i stłumionymi odgłosami kroków oraz szelestem przewracanych kartek. Powędrowałam spojrzeniem do zdobionego sufitu, pomalowanego tak, by przypominał niebo, potem obejrzałam łukowe okna i rozjarzone żyrandole nad głową; przez moment zastanawiałam się, czy Max planuje wziąć mnie na jednym z wielkich stołów postawionych pod ścianami przestronnej i bardzo zatłoczonej sali.

Chyba wyglądałam niepewnie, gdyż on roześmiał się cicho.

— Wyluzuj — powiedział, kładąc dłoń na moim łokciu. — Nawet ja nie jestem tak zuchwały.

Poprosił, żebym zaczekała, a sam przeszedł przez salę do starszego pana, który — jak mi się wydawało — doskonale wiedział, kim jest Max. Mężczyzna rzucił mi spojrzenie ponad ramieniem mojego kochanka, a ja poczułam oblewający mnie rumieniec. Szybko odwróciłam wzrok, spojrzałam do góry na malowany sufit. Kilka minut później szłam za Maxem wąskimi schodami do małego pomieszczenia wypełnionego rzędami książek.

Pan Stella doskonale znał drogę, a ja nie mogłam przestać się zastanawiać, czy często tu przychodzi, czy też ostatnio przyszedł tu na zwiady. Podobały mi się obie możliwości: Max zaznajomiony z biblioteką tak, jakby tu pracował, albo Max tak mocno jak ja przejęty naszymi spotkaniami.

Zatrzymał się w spokojnym kącie w wąskim przejściu między regałami pełnymi książek. Czułam, że półki napierają na nas z obu stron; ciasnota wywołała dziwne wrażenie, jakby ściany zamykały się wokół nas. Dobiegło mnie chrząknięcie; uświadomiłam sobie, że oprócz nas była na sali jeszcze przynajmniej jedna osoba.

W dole brzucha poczułam pełne oczekiwania pulsowanie.

Max zdjął książkę z półki, nawet na nią nie patrząc.

— Czytasz pikantne książki, Saro?

Kiedy roześmiał się lekko z mojej reakcji, odgadłam, że oczy musiały mi niemal wyskoczyć z orbit. Nie jestem purytanką i nie zamykam się na erotykę, jednakże nigdy jej nie szukałam.

— Nie za bardzo.

— Nie za bardzo? Czy w ogóle?

— Czytałam kilka romansów…

Kręcił już głową.

— Nie mówię o okładkach z obrazkiem męskiej klaty. Mam na myśli książki opisujące, jak czuje się kobieta, kiedy wchodzi w nią mężczyzna. Jak się czuje, kiedy mężczyzna wsuwa w nią język. Jak on na jej prośbę opisuje jej smak. Czyli książki mówiące o tym, jak się ludzie pieprzą.

Serce zaczęło mi walić pod żebrami; o sprawach, które przyprawiały mnie o jęki i zamykałam na myśl o nich oczy, on opowiadał w tak nonszalancki sposób…

— W takim razie nie. Nie czytałam takich książek.

— Zatem — powiedział, podając mi tom — cieszę się, że jestem świadkiem tej wyjątkowej chwili.

Zerknęłam na okładkę. Anaïs Nin, *Delta Wenus*. Znałam to nazwisko i jak wszyscy wiedziałam, z czym się kojarzy.

— Doskonale, mogę ją wypożyczyć — przerzuciłam strony w poszukiwaniu kodu kreskowego lub numeru. Książkę oprawiono w skórę, strony były obficie złocone. Wydanie kolekcjonerskie. — Bierzemy ze sobą…?

— O nie, nie. W tej bibliotece właściwie nie można wypożyczać książek — zaczął. — Poza tym to chyba nie byłby dobry pomysł. Tutaj zaś akustyka jest doskonała, z drewnem, tymi sufitami i całą resztą…

— Co takiego? Tutaj? — Mina mi nieco zrzedła. Bardzo podobał mi się pomysł czytania pikantnych opisów razem z Maxem siedzącym obok, ale jeszcze bardziej podobał mi się pomysł wspólnych szaleństw dzisiejszego wieczoru.

Skinął głową.

— I to ty mi poczytasz.

— Mam ci tutaj czytać erotykę?

— Tak. A ja prawdopodobnie odczuję potrzebę, żeby cię posuwać… Też tutaj. W zeszłym tygodniu byłaś dość głośna, ale w tym… — odsunął mi z twarzy kosmyk włosów i zacisnął usta. — Dziś będziesz musiała zachowywać się ciszej.

Przełknęłam szybko ślinę, niepewna, czy właśnie takie słowa chciałam usłyszeć, czy wręcz przeciwnie, przeraziło mnie to. Dotyk palców Maxa na moim karku był kojący.

Mężczyzna miał ciepłą dłoń, a palce na tyle długie, że mógł niemal sięgnąć nimi do mojej tchawicy.

— Dałaś mi tylko piątki i zastrzegłaś, że nie ma być łóżka — powiedział. — W takim razie chcę robić z tobą rzeczy, których na sto procent nie doświadczyłaś wcześniej.

— A ty? — Znów zaczęłam się zastanawiać, dlaczego tak dobrze zna ten pokój.

Pokręcił głową.

— Na ogół nie wpuszcza się tutaj odwiedzających. Zapewniam cię, nigdy dotąd nie posuwałem dziewczyny w bibliotece. Niezależnie od mojego bogatego doświadczenia, o które mnie posądzasz, większość moich przygód ograniczała się do samochodu przy okazji odwożenia kogoś w różne miejsca. Jak się nad tym zastanowię, to większy ze mnie dupek niż puszczalski.

Z uporem trwał w stanie kawalerskim, gdyż oznaczał on dla niego wolność; nie musiałam udawać, że między nami jest coś więcej. A chociaż chodziło nam tylko o seks i chociaż wcale nie chciałam tego faceta bliżej poznać, od tygodnia tęskniłam za jego dotykiem.

Wyciągnęłam rękę i przyciągnęłam jego twarz do swojej.

— Dla mnie wystarczy. Nie musisz być miłym gościem.

Roześmiał się i pocałował mnie.

— Będę dla ciebie miły, obiecuję. Dotąd nie zgadzałaś się na tylne siedzenie mojego samochodu ani szybki numerek u mnie w domu. Przy tobie łamię wszystkie moje zasady.

Z drugiej strony pokoju nie można nas było dostrzec dzięki książkom, lecz gdyby ktokolwiek wszedł do tego kącika, miałby naszą dwójkę jak na dłoni. Poczułam wewnątrz znajomy ból, ciężki i słodki, przez który mój kręgosłup zaczął się wyginać, a serce przyspieszyło rytm.

Max postąpił krok do przodu, pochylił się i pocałował mnie, zaczynając od kącika ust. Mruczał przy tym i się uśmiechał.

— Postępuję zgodnie z twoimi zasadami, ale niestety przez to cały czas jestem napalony. Usunąłem filmik, ale żałuję tego, przyznaję. Pozwolisz mi dzisiaj na jeszcze kilka zdjęć?

Niewielkim wysiłkiem sprawiał, że rozpływałam się w ciepłą, miodową masę.

— Tak.

Uśmiech, którym mnie obdarzył, sprawił, że zaczęłam się zastanawiać, czy przypadkiem nie oddałam kawałka duszy diabłu. Wtedy jednak on pocałował mnie w szyję, szepcząc:

— Nigdy nie pokazałbym ich nikomu, wiesz przecież. Odrzuca mnie sam pomysł, że inny mężczyzna miałby cię taką oglądać. Kiedy mnie zostawisz, inny biedak będzie musiał się nagłowić samodzielnie nad tym, jak cię zadowolić.

— Kiedy cię zostawię?

Wzruszył ramionami. Oczy miał szeroko otwarte i przejrzyste.

— Albo to skończysz, jak zwał, tak zwał.

— Już się dzisiaj zastanawiałam, czy może po prostu nie napiszesz. Czy tak się to właśnie nie zakończy.

— To by było dość paskudne — odparł, marszcząc brwi. — Jeśli któreś z nas będzie chciało przerwać to, co między nami, miejmy tyle przyzwoitości, żeby to sobie powiedzieć, dobrze?

Pokiwałam głową, z zaskoczeniem uświadamiając sobie, jak bardzo mnie cieszy jego propozycja. Podejrzewałam, że mimo mojego postanowienia, by nie wykraczać poza seks, i tak będzie mi go brakować — seksu i Maxa — jak się to wszystko skończy. Stella to nie tylko doskonały kochanek. Doskonale się z nim również bawiłam.

Ale on zalicza kobiety i podchodzi do tego tak poważnie jak ja… czyli zupełnie niepoważnie.

— Skoro to ustalone… — odwrócił mnie twarzą do książek. Sięgnął nad moim ramieniem, otworzył okładkę, przerzucił strony w poszukiwaniu fragmentu i położył moją dłoń na stronie. Z nim stojącym za moimi plecami i półką przed sobą czułam się osłonięta, jakbym zatonęła w tym wielkim mężczyźnie. Albo jakbym znalazła w nim schronienie.

— Czytaj — wyszeptał; czułam na uchu jego gorący oddech. — Od tego miejsca.

Wskazał palcem akapit w środku rozdziału. Nie miałam pojęcia o tym, jak przebiega akcja, kto jest narratorem. Ale najwyraźniej było to niepotrzebne.

Zwilżyłam usta i zaczęłam:

— „Kiedy poznali się z Louise, od razu do siebie przylgnęli. Antonia fascynowała biel jej skóry, pełność piersi, szczupła talia…"

Dłonie Maxa wsunęły się pod moją sukienkę, na biodra, przesunęły po brzuchu w górę i objęły moje piersi.

— Cholera, jesteś taka gładka…

Jedna jego dłoń zjechała po moim boku i wsunęła się między nogi, drażniąc mokrą skórę.

Z trudem skupiałam się na książce, ale czytałam dalej. Gdy Max zabrał ręce, na moment rozjaśniło mi się w głowie, ale natychmiast usłyszałam za plecami szczęk rozpinanej klamry paska. Ledwie rozumiałam słowa, które wypowiadałam, gdyż całą uwagę skupiłam na dźwiękach dochodzących z tyłu.

Naprawdę mogę to zrobić? To nie tamto szaleństwo na parkiecie w migotaniu stroboskopów i natłoku wirujących ciał; to nie pusta restauracja i jego dłoń pod stołem. To najsłynniejsza biblioteka publiczna, pełna białych kruków, z marmurowymi posadzkami… Wielkie miejsce dla wielkiej literatury. Od wejścia do budynku rozmawiamy ściszonymi głosami. I mamy tu uprawiać seks? Jedna sprawa to wyobrażenia, a zupełnie inna — przyjście tutaj i realizacja tych wyobrażeń.

Bałam się.

Byłam wręcz przerażona. Ale jednocześnie czułam podniecenie, komórki nerwowe iskrzyły, krew pulsowała szaleńczo w żyłach. Zająknęłam się.

— Skup się, Saro.

Mrugając, próbowałam skupić wzrok i uwagę na słowach leżącej przede mną książki.

— „Wszystko go bawiło. Przy nim cały świat znikał, istniało tylko to zmysłowe wrażenie, że nie będzie jutra, spotkań z nikim innym — istnieje tylko ten pokój, to popołudnie, to łóżko".

— Przeczytaj to jeszcze raz — mruknął Max, unosząc mi spódnicę. — Ten pokój, to popołudnie, to łóżko.

Miałam właśnie się odezwać, kiedy bez ostrzeżenia wślizgnął się we mnie. Byłam tak mokra, że właściwie nie musiał mnie drażnić, pieścić ani pobudzać. Wystarczyła podana przez niego książka, kilka przelotnych dotknięć i szelest zdejmowanego ubrania. Jęknęłam, żałując, że nie znalazł sposobu, by wsunąć się we mnie cały. Największą przyjemność w życiu odczułabym na pewno wtedy, gdybym rozdarła się na nim na pół.

— Cicho — przypomniał mi, wysuwając się i znów wsuwając. Był tak twardy i długi... Przypomniałam sobie ostre ukłucie, kiedy brał mnie brutalnie na czworakach przed lustrami w zeszłym tygodniu. Przypomniałam sobie, jak z drżeniem lęku i radości oczekiwałam każdego mocnego pchnięcia. Kiedy dojrzał odbicie mojej twarzy w chwili orgazmu w setce luster, zupełnie się rozsypał. I właśnie ten widok stanowił ukoronowanie mojego wieczoru.

Znajdowaliśmy się na końcu pogrążonego w półmroku rzędu regałów, lecz kilka metrów dalej słyszałam ciche odgłosy innego człowieka. Zagryzłam wargi, a Max przesunął dłonią po moim biodrze, po czym wsunął ją między nogi, drażniąc łechtaczkę.

— Czytaj dalej.

Otworzyłam szeroko oczy. Chyba żartuje? Jeśli wydobędę z siebie jakikolwiek dźwięk, nie odpowiadam za siebie.

— Nie mogę — pisnęłam.

— Na pewno możesz — odparł tak spokojnie, jakby radził mi, żebym odetchnęła. Jego palce znów zaczęły drażnić moją szparkę. — Możemy też przestać.

Rzuciłam mu przez ramię spojrzenie, nie zwracając uwagi na jego cichy śmiech. Nie miałam pojęcia, gdzie skończyłam ani co się działo w powieści poza tym, że Antonio zdarł z Louise sukienkę, zostawiając jakiś olbrzymi, ciężki pasek. Ledwo łapałam oddech, lecz znów zaczęłam czytać zduszonym, przerywanym głosem, który zdawał się doprowadzać Maxa do szaleństwa. Jego palce wbiły się w moje biodra, poczułam, jak pęcznieje we mnie.

— Proszę… — powiedziałam błagalnie.

— Chryste — zachłysnął się. — Czytaj dalej.

Udało mi się jakoś znaleźć słowa. Scena stawała się coraz bardziej gorąca i szaleńcza, coraz bardziej szczegółowa. Jej wilgoć określono jako „miód". Mężczyzna ssał i smakował każde miejsce na skórze kobiety, wsuwając się w nią, drażniąc, aż poczułam ciężar naszego wspólnego pragnienia — bohaterki i własnego. Ku mojemu przerażeniu poczułam, jak po udach spływa mi wilgoć, wzbierająca od jego poruszeń.

Max wstrząsnął się za mną, tracąc zarówno cierpliwość, jak i rytm. Chyba nie był w stanie oderwać dłoni od mojego biodra, a drugą ręką, jak podejrzewałam, trzymał telefon i robił zdjęcia.

— Saro, cholera… dotknij się.

Starannie przytrzymałam książkę przedramieniem, żeby się nie zamknęła, sięgnęłam między nogi i zaczęłam pocierać mój wrażliwy punkt. Byłam tak obrzmiała, ciężka od narastającego orgazmu, że w ciągu kilku sekund zaczęłam dochodzić do końca. Ostatnie słowa wydobyłam z siebie z największym trudem.

— „Miała wrażenie… że… oszaleje… z nienawiści i ro… rozkoszy…"

Kiedy mięśnie przestały mi drżeć, Max wepchnął się we mnie mocno jeszcze kilka razy i znieruchomiał. Przycisnął usta do mojego karku, tłumiąc jęk.

W pomieszczeniu panowała zupełna cisza. Uświadomiłam sobie, że nie wiem, jak głośno się zachowywałam. Na pewno czytałam szeptem. Ale kiedy doszłam, czy nie wydobyłam z siebie głośnego dźwięku? Całkowicie się w nim zatraciłam.

On wysunął się ze mnie, chrząknął cicho i szepnął:

— Zaraz wracam.

Stałam, słysząc, jak odchodzi, podczas gdy ja poprawiałam ubranie. Wróciwszy, pocałował mnie w kark.

— Mmm… cudownie.

Odwróciłam się twarzą do niego.

— Według ustanowionych przez ciebie zasad — dodał, patrząc na mnie i zapinając marynarkę — w tym miejscu się rozstajemy, jak się zdaje.

Poprawiłam sukienkę jeszcze raz, chociaż nie było takiej potrzeby. Tak się umówiliśmy — i ja nalegałam — jednak teraz wydawało się to… dziwne. Max patrzył na mnie z błyskiem w oku, jakby chciał powiedzieć: „Właśnie podarowałem ci szaleńczy orgazm, wydajesz się nieco oszołomiona, ale cóż… To ta twoja głupia zasada!".

Miałam chęć przytaknąć.

— Zgadza się. Doskonale. Cieszę się, że jesteśmy po tej samej stronie — powiedziałam jednak.

On roześmiał się i odłożył książkę na półkę.

— I dzięki Bogu nie jest to strona plotkarska, prawda? Doskonały seks, ale nikt o niczym nie wie. Zgadzamy się w zupełności.

— Czy nie masz czasami tego dość? — zapytałam.

— Tego ciągłego bycia obserwowanym? — Przypomniałam sobie, jak nie znosiłam niechcianych komentarzy dotyczących mojej fryzury lub ubrania, kiedy byłam z Andym, jak i spekulacji, czy schudłam, czy przytyłam lub z kim mnie widziano. Zastanawiałam się, czy on też tak to odbiera.

— Nie jestem celebrytą. Tutejsi ludzie chcą po prostu wiedzieć, co wymyślę następnym razem. Chyba większość czytelników tych śmieci chce tylko myśleć, że dobrze się bawię.

Bardzo optymistyczne podejście do sprawy.

— Naprawdę? A mnie się wydaje, że chcą cię przyłapać ze spuszczonymi spodniami.

— Raczej ty tego chcesz — roześmiał się, a kiedy przewróciłam oczami, mówił dalej: — Mój wizerunek bawidamka jest dla nich wygodny. Naprawdę nie posuwam co noc innej dziewczyny.

Wspięłam się na palce i pocałowałam go.

— Przynajmniej ostatnio — dodałam.

Coś mignęło w jego spojrzeniu, drobne zmieszanie, które zaraz znikło.

— Racja — odparł. Schylił się i ująwszy moją twarz w swoje dłonie, pocałował mnie delikatnie. — Idziemy?

Kiwnęłam głową, wciąż nieco zdezorientowana. Max puścił mnie przodem. Schodami poszliśmy na główne piętro biblioteki. Nic się nie zmieniło: szepty i szelest przewracanych kartek wciąż wypełniały powietrze, nikt jednak nie spojrzał w naszym kierunku. To, co zrobiliśmy, przejmowało mnie dreszczem — jak również fakt, że nikt o niczym nie wiedział.

Zbliżaliśmy się do wyjścia, kiedy Max chwycił mnie za rękę i zaciągnął do ciemnego kąta.

— Jeszcze tylko jeden — powiedział i zbliżył usta do moich. Był to miękki, słodki pocałunek, jego wargi przylgnęły do moich, jakby nie chciał odsunąć się pierwszy.

Napotkałam jego spojrzenie.

— Do zobaczenia za tydzień, kwiatuszku.

I odszedł. Spoglądałam za nim, jak przechodzi przez pomieszczenie i wychodzi z budynku, wprost w zachodzące słońce. Zastanawiałam się, jak bardzo będzie mi żal, kiedy to wszystko się skończy.

ROZDZIAŁ
ÓSMY

W poniedziałek po południu miałem fatalny nastrój. Na dworze było gorąco jak w piecu, najmłodsza siostra wspominała coś o przekonaniu mamy do przeprowadzki z powrotem do Leeds, a gabinet Willa miał lepszy widok.

— Co za palant z ciebie — wymamrotałem, wbijając widelec w kurczaka.

Will roześmiał się i wrzucił do ust wielgachny kęs obiadu.

— Czy znów chodzi o mój widok z okna?

— Cholernie obleśne — wskazałem pałeczkami na jego twarz; ledwie go rozumiałem, gdyż właśnie gryzł bakłażana z przyprawami. — Przypomnij mi, proszę, jak wylądowałeś w tym biurze?

— Spóźniłeś się na bramce. Powiesiłem tabliczkę na drzwiach i tyle.

Racja. Po raz pierwszy od przybycia do Nowego Jorku poszedłem z kobietą do łóżka u niej w domu i zgodnie z przewidywaniami utknąłem. Zwykle wolę seks u siebie, gdzie zawsze mogę skorzystać z wymówki, że mama za chwilę wpadnie lub muszę wyjść. U kobiety kończy się zawsze propozycją herbaty albo spędzenia nocy.

Nie jestem zupełnym dupkiem. Jestem otwarty na wszelkie związki. Po prostu jeszcze nie spotkałem kobiety, pod której wpływem zrezygnowałbym z nocy w moim łóżku. Te, które dotychczas poznawałem, przedstawiały mi się, wiedziały, kim jestem i czego ode mnie chcą, a przynajmniej tak myślały. Mimo swoich rozmiarów Nowy Jork wydawał się często maleńki.

Wyjrzałem przez okno na fantastyczny widok — do licha z Willem — i pomyślałem o Sarze. Ostatnio wciąż mnie rozpraszały myśli o niej. Ta kobieta stanowiła dla mnie zagadkę. Jeśli kobieta chce, by mężczyzna wciąż o niej myślał, powinna mu się oddawać tylko raz w tygodniu. Murowane zaburzenia koncentracji.

Zastanawiałem się więc, co bym powiedział, gdyby kiedyś Sara zaproponowała mi nocleg.

„Dobrze wiesz, co byś powiedział. Zgodziłbyś się".

Od przeprowadzki do Stanów miałem kilkadziesiąt kobiet, lecz ostatnio z trudnością przypominałem sobie szczegóły. Każde wspomnienie seksu kierowało moje myśli do panny Dillon. Była słodka i szalona. Tak bardzo ostrożna, a jednak pozwalała mi praktycznie na wszystko.

Nie spotkałem dotąd kobiety tak tajemniczej i jednocześnie otwartej.

— Poznałem kogoś, kolego.

Will włożył pałeczki do pojemnika i przesunął przez biurko.

— Więc teraz zamierzasz o niej poopowiadać?

— Oj tam zaraz. Może.

— Chyba spotykacie się już od jakiegoś czasu, co?

— Od paru tygodni.

— Tylko ona?

Pokiwałem głową.

— Jest doskonała, no i dobrze, bo powiedziała mi, że nie chce, żebym sypiał z innymi kobietami.

Will zrobił minę pod tytułem „cholera jasna". Nie zwróciłem na to uwagi.

— Ale ona jest inna. Jest w niej coś takiego… — wytarłem usta i zapatrzyłem się w widok za oknem. „Co się ze mną dzisiaj dzieje, do cholery?" — Wciąż o niej myślę.

— Czy ją znam?

— Raczej nie — myślami przebiegłem ostatnie tygodnie, starając się przypomnieć sobie, czy Will poznał Sarę na imprezie dobroczynnej. Spędziłem z nim większość wieczoru po tym, jak zostawiłem ją, żeby poprawiła sukienkę i odświeżyła się; chyba nie widziałem, żeby tych dwoje zamieniło chociażby słowo.

— No to mi nie powiesz, kto to jest — roześmiał się Will, siadając wygodniej na krześle. — Czyżby skradła ci duszę, młody kochanku?

— Odwal się — złapałem foliową torebkę i wrzuciłem do niej prawie puste pojemniki po jedzeniu. — Po
prostu ją lubię. Ale na razie chodzi tylko o seks. Za obo-
pólną zgodą.

— I dobrze — odparł ostrożnie mój wspólnik.
— W takim razie nie poluje na ciebie.

— Czy jestem świrem, bo uważam to za dziwne? Ona
nie chce niczego więcej. Nawet gdybym ja chciał, uciek-
łaby z krzykiem. Przeraża ją myśl, że moglibyśmy razem
pokazać się publicznie. Myślisz, że tak mi się podoba, bo
tak cholernie nie obchodzi jej nic oprócz mojego fiuta?

Jak zawsze na myśl o Sarze zacząłem się zastanawiać
nad tym, jak planuje zakończyć tę grę.

Will zagwizdał cicho.

— Brzmi idealnie. Ale nie wyobrażam sobie, jak może
obchodzić ją twój fiut. Z tym robakiem nie będziesz nawet w połowie takim mężczyzną jak twoja matka.

— Czyżbyś właśnie obraził Brigid? Jesteś dupkiem.

Wzruszył ramionami i otworzył ciasteczko z wróżbą.

— Sikasz na siedząco, prawda? — zapytałem z szerokim uśmiechem.

— Nie. Nie chcę moczyć sobie ptaka.

— Will, jedyny sposób, w jaki ty możesz dostarczyć
kobiecie przyjemności, to sprezentować jej swoją kartę
kredytową.

I jakoś w trakcie dalszych obelg, którymi zaczęliśmy
się obrzucać, dzięki Willowi przestałem się zachowywać
jak żałosny mięczak i martwić, czy przypadkiem Sara nie
mąci mi w głowie.

~

Po lunchu wyszedłem z biura i natychmiast zatrzymałem taksówkę, żeby przejechać się na krótką wycieczkę do
Chelsea, gdzie organizowano nową wystawę sztuki. Po-
mogłem wcześniej staremu klientowi znaleźć i otworzyć
galerię, a on teraz przez zaledwie kilka tygodni pokazywał
rzadkie zdjęcia E.J. Bellocqa. Wystarczył jego jednowier-
szowy e-mail o treści „Już są", a rzuciłem wszystkie popołudniowe zajęcia. Z niecierpliwością czekałem na szansę
obejrzenia nigdy dotąd niewystawianych rekonstruowa-
nych fragmentów kolekcji Bellocqa *Storyville*. Chociaż
dość późno poznałem jego prace, to one wyzwoliły we
mnie fascynację zdjęciami ciała, jego płaszczyzn, prostoty,
codziennej delikatności.

Chociaż do tej pory nigdy nie robiłem sobie zdjęć
z kochanką.

I tu kolejny zgryz. Moje zdjęcia Sary ze mną w żaden
sposób nie naśladowały sztuki Bellocqa, a jednak wciąż
mi o niej przypominały. O jej szczupłej talii, miękkim
brzuchu i delikatnej krzywiźnie bioder.

Zerkając na telefon po raz tysięczny, pożałowałem,
że nie mam chociaż jednego zdjęcia jej oczu, kiedy się
kochamy.

Wróć, cholera.

Seks. Kiedy uprawiamy seks.

~

Było ciepło, ale bez nieznośnej duchoty, a po obejrzeniu zdjęć chciałem nieco rozchodzić emocje. Ruszyłem do centrum Chelsea, wcale niebrzydkiego, ale w okolicach Times Square uświadomiłem sobie, że idzie za mną mężczyzna z aparatem.

Zawsze zakładałem, że paparazzi w końcu uświadomią sobie, że nie jestem tak interesujący, jak podejrzewają, jednak to jeszcze nie nastąpiło. Śledzili mnie w weekendy, w czasie imprez dobroczynnych i wszystkich spotkań służbowych. Od niemal czterech lat nie przydarzyło mi się nic ciekawego — oprócz okazjonalnej randki z dość znanymi kobietami — lecz przynajmniej w połowie przypadków, kiedy odważyłem się na samotny spacer po Manhattanie, ktoś mnie śledził z aparatem.

Mój dobry nastrój nagle znikł jak zdmuchnięty; chciałem już tylko wracać do domu, bezmyślnie pogapić się na Pythonów i wypić kilka piw. Cholera, dopiero wtorek, a ja chcę Sary.

— Odwal się! — zawołałem przez ramię.

— Tylko jedno ujęcie, Max. Ujęcie i komentarz na temat plotek o tobie i Keirze.

Cholera. Znów te bzdury? Spotkałem ją raz, na koncercie miesiąc temu.

— Tak, jasne. Pieprzę Keirę Knightley. Naprawdę uważasz, że jestem odpowiednią osobą do potwierdzenia tej plotki?

Przy krawężniku z piskiem opon zahamowała taksówka, a ja o mało nie wyskoczyłem ze skóry. Tylne drzwi otworzyły się z impetem. Ukazało się gładkie, nagie ramię i machaniem zaprosiło mnie do środka, a po chwili wychyliła się uśmiechnięta Sara.

— Wskakuj!

Przez kilka sekund mój mózg usiłował wysłać sygnał do ust, a potem do nóg.

— Cholera. Jasne. Super.

Schroniłem się w taksówce, rzuciłem aktówkę na podłogę i spojrzałem na dziewczynę.

— Hej, Max. Chyba ktoś cię gnębi.

— Dobre masz oko — odparłem, mierząc pannę Dillon wzrokiem.

Wzruszyła ramionami i obdarzyła mnie tym swoim dziwnym uśmiechem.

— Cholerni paparazzi — wymruczałem.

Założyła nogę na nogę i lekko wzruszyła ramionami.

— Biedactwo. Może cię przytulić?

Miała w oczach ogień, którego nie widziałem od tamtej nocy w klubie, kiedy zaciągnęła mnie do pustego korytarza.

„Masz kłopoty, koleś".

Była ubrana w krótką czerwoną sukienkę, nieco rozchyloną u góry. Rozumiałem to uczucie. Spojrzałem na jej lewą pierś w czarnym koronkowym staniku, którego rąbek wychylał się spod sukienki.

— Miło cię widzieć — przemówiłem do jej dekoltu.

— Co za dzień. Czy mogę się w tobie schronić?

— Nie ma seksu w mojej taksówce! — warknął kierowca. — Dokąd teraz?

Wzrokiem poszukałem spojrzenia Sary, lecz ona tylko uniosła brwi i się uśmiechnęła.

— W stronę parku — wymamrotałem. — Jeszcze nie jestem pewien.

Taksówkarz wzruszył ramionami, skręcił kierownicą i zjechał z głównego pasa, mamrocząc coś pod nosem.

— Wyglądasz pięknie — powiedziałem do Sary, pochylając się, żeby ją pocałować.

— Zawsze tak mówisz.

Teraz to ja wzruszyłem ramionami, po czym polizałem jej szyję. Cholera. Smakowała jak słodka herbata i pomarańcze.

— Chodź ze mną do domu.

Pokręciła głową ze śmiechem.

— Nie. Mam bilety na przedstawienie o ósmej.

— Z kim?

— Ze mną — odparła, prostując się i wyglądając przez okno. Ująłem jej dłoń i splotłem palce z jej palcami.

— Jeszcze będą je grali. A ty powinnaś pojechać ze mną do domu i trochę mnie poujeżdżać.

Sara otworzyła szerzej oczy i zerknęła na taksówkarza. Rzucał nam w lusterku gniewne spojrzenia, ale się nie odzywał.

— Nie — szepnęła, szukając mojego wzroku. Próbowała uwolnić rękę, lecz nie puszczałem. — Ale czy mogę cię o coś zapytać?

Z włosami wsuniętymi za uszy wyglądała na tak małą na siedzeniu obok mnie, że poczułem zupełnie nową obawę: czy to dla niej nie za dużo? W takich momentach, kiedy się odsłaniała, wydawała się bardzo naiwna.

— Pytaj, o co chcesz — odparłem.

— Zastanawiałam się nad tym, dlaczego jesteś tutaj tak znany. No dobrze, jesteś atrakcyjny i odnosisz sukcesy, ale w Nowym Jorku to codzienność. Dlaczego fotografowie chodzą za tobą w zupełnie zwykły wtorek?

Aha. Uśmiechnąłem się, gdyż zdałem sobie sprawę, że w swoich internetowych poszukiwaniach Sara nie cofnęła się zbyt daleko w przeszłość.

— Myślałem, że odrobiłaś lekcje.

— Znudziłam się po trzeciej stronie twoich zdjęć w smokingu, kiedy obejmujesz wszystkie kobiety w pobliżu.

Roześmiałem się.

— Zapewniam cię, że nie o to im chodzi.

Zamilkłem na chwilę, zastanawiając się, dlaczego rozmawiam o tym teraz, po tak długim milczeniu.

— Przeniosłem się tutaj nieco ponad sześć lat temu — zacząłem. Kiwnęła głową, widocznie o tym wiedziała. — Jakiś miesiąc po moim przyjeździe poznałem kobietę o nazwisku Cecily Abel.

Zmarszczyła brwi.

— Nazwisko brzmi znajomo… Czy wiem, kto to jest?

Wzruszyłem ramionami.

— Może ją znasz, ale nie zdziwiłbym się, gdyby nie. Była bardzo znana na Broadwayu, lecz, jak to często bywa w nowojorskim światku teatralnym, jej sława nie sięgała środkowych Stanów.

— Co masz na myśli, mówiąc, że była znana na Broadwayu?

Spojrzałem na jej palce splecione z moimi.

— Jak się zdaje, zapamiętano mnie właśnie przez Cecily i jej dramatyczne odejście z teatru. Porzuciła Nowy Jork dość gwałtownie, po wysłaniu listu, który przedrukował „Post". Opisała w nim swoje perypetie w mieście łącznie, cytuję, „z reżyserami, którzy nie umieją trzymać rąk przy sobie, politykami dziwkarzami i rekinami inwestycji, którzy nie potrafią docenić tego, co mają".

— Kochała cię?

— Tak. I jak to często w życiu bywa, była to miłość nieodwzajemniona.

Oczy Sary ściemniały; zacisnęła lekko usta.

— Brzmi to dość nonszalancko.

— Wierz mi, nigdy nie okazuję nonszalancji, jeśli chodzi o Cecily. Teraz już doszła do siebie, jest szczęśliwą mężatką i mieszka w Kalifornii. Ale przez jakiś czas znajdowała się pod opieką lekarską. — Zanim Sara zdążyła coś wtrącić, dodałem: — Była moją przyjaciółką, a decyzja, by porzucić tu wszystko, wskazuje na jej brak... zrównoważenia. Naprawdę, wyjechała z wielu powodów, a ja byłem tylko ostatnim rozczarowaniem. Po prostu nie kochałem jej w taki sposób, w jaki ona kochała mnie.

Sara uniosła wzrok do sufitu; wydawała się rozważać moje słowa.

— Chyba lepiej, że grałeś z nią uczciwie.

— Oczywiście — zapewniłem. — W gruncie rzeczy na jej stan psychiczny nie wpływało jedynie to, czy ją kochałem, czy nie. I tak miała problemy… Ale to przecież źle się sprzedaje w prasie, prawda?

Sara zwróciła na mnie spojrzenie i wyraźnie złagodniała. Na jej twarzy znów pojawił się uśmiech.

— Ludzie zaciekawili się, co to za mężczyzna złamał serce lokalnej gwiazdce i doprowadził ją do takiego stanu.

— I dlatego zrobiono ze mnie sensację. Prasa kocha takich łobuzów, a list Cecily brzmiał naprawdę dramatycznie. Ich charakterystyka jest trafna i nietrafna jednocześnie. Naprawdę lubię kobiety i lubię seks. Ale moje życie rzadko bywa tak interesujące, jak mają nadzieję tabloidy. Nauczyłem się nie przejmować zbytnio tym, co mówią o mnie ludzie.

Taksówkarz skręcił gwałtownie, żeby nie potrącić dzieciaka na rowerze, i oparł się ciężko o klakson. Odrzucona siłą bezwładu Sara opadła biustem na moje ramię, a ja przycisnąłem ją do siebie, uśmiechnięty. Uniosła brwi w udawanej bezsilności.

— W sieci natrafiłam na mnóstwo twoich zdjęć.

— Niektóre z tych kobiet były moimi kochankami, inne nie — przesunąłem kciukiem po zakrzywieniu jej piersi. Spojrzała w dół, zakrywając oczy powiekami.

— Zwykle nie unikam zobowiązań, po prostu od dawna tego nie miałem.

Dziewczyna gwałtownie uniosła głowę; doskonale widziałem jej rozszerzone źrenice i usta wygięte w uśmiechu.

— Tak — przyznałem ze śmiechem. — Nasz układ jest swego rodzaju zobowiązaniem. Po prostu nie liczy się, skoro odmawiasz pójścia ze mną na prawdziwą randkę.

Jej uśmiech nieco przygasł.

— Chyba obojgu nam najlepiej z tym, co mamy.

— No cóż — przyznałem — na pewno dobrze sobie radzimy z tym, co mamy. Przy okazji, rozmawiałem o tobie z Willem — powiedziałem, czując, jak ciepło oblewa mój policzek, a irytacja Sary podnosi jej temperaturę. Zabawnie było się z nią przekomarzać. — Bez imion, kwiatuszku. Nie denerwuj się.

Czekałem, aż zapyta, co mówiłem.

I czekałem.

Wreszcie spojrzałem w bok; Sara wciąż przyglądała mi się uważnie. Zatrzymaliśmy się na czerwonym świetle, w taksówce zapanowała kompletna cisza.

— No i? — odezwała się w końcu, obdarzając mnie powolnym, szatańskim uśmiechem, kiedy samochód ruszył. — Opowiedziałeś Willowi, że poznałeś kobietę, która lubi uprawiać seks w miejscach publicznych?

— Nie w mojej taksówce! — wrzasnął kierowca tak głośno, że oboje podskoczyliśmy i wybuchnęliśmy śmiechem. Facet naciskał rytmicznie na hamulce, rzucając nas do przodu. — Nie w mojej taksówce!

— Nie martw się, kolego — powiedziałem. Odwróciłem się do Sary i dodałem ciszej: — Ona nie pozwala mi posuwać się w samochodach. Ani we wtorki.

— Nie pozwala — odparła szeptem, chociaż pozwoliła mi się znów pocałować.

— Szkoda — powiedziałem prosto w jej usta. — Dobrze mi idzie w samochodach. A zwłaszcza we wtorki.

— A ta rozmowa z Willem — podsunęła Sara, wsuwając dłoń pod marynarkę leżącą na moich kolanach. — Skoro nie powiedziałeś mu, jak się nazywam, to co mu powiedziałeś? — przycisnęła dłoń do mojego fiuta i ścisnęła go.

Czyżby chciała mnie przetrzepać w taksówce?

„Cholernie dobry pomysł".

— Róg Sześćdziesiątej Piątej i Madison — powiedziałem do taksówkarza. — I niech pan jedzie naokoło.

Rzucił mi złe spojrzenie, zapewne z powodu perspektywy jazdy przez Columbus Circle w godzinach szczytu, lecz kiwnął głową i zjechał Pięćdziesiątą Siódmą w stronę Broadwayu.

— Żadnego seksu w taksówce — powtórzył, tym razem ciszej.

Odwróciłem się do Sary.

— Wspomniałem mu, że poznałem kobietę, z którą mi bardzo dobrze. Może też wspomniałem, że kobieta ta nie przypomina żadnej innej.

Sara rozpięła mi zamek, zwinnie wyciągnęła mojego penisa i ścisnęła mocno. Po kręgosłupie przebiegła mi fala dziwnego ciepła, jednocześnie uświadomiłem sobie, że dziewczyna dotyka mnie z coraz większą swobodą.

— W czym jestem inna? — oparła się o mnie, possała moje ucho i wyszeptała: — Inne kobiety nie ściskają cię w samochodzie?

Wpatrzyłem się w nią, zastanawiając się, kim w końcu jest; świeża, niewinna i niebywale atrakcyjna kobieta, która nie chce ode mnie właściwie niczego oprócz dobrego seksu. Czy ze mną gra? Czy to prawdziwe?

Czy może zerwie to wszystko po kilku orgazmach, przyzna, że już jej się nie podoba, powie, że chce więcej? „Najpewniej tak". Ale patrząc na nią — na jej czerwone usta i wielkie brązowe oczy, tak figlarne i pełne chochlików — wiedziałem, że absolutnie jej nie puszczę, póki ona sama mi nie każe.

— Właściwie nie powiedziałem mu wiele. Poważne rozmowy z Willem zawsze kończą się stekiem wyzwisk na temat rozmiaru penisa.

— W takim razie na pewno mu odpuściłeś. „Nie zaczynam bitwy na umysły z nieuzbrojonym przeciwnikiem" — powiedziała, chichocząc w moją szyję i głaskając mnie.

— Racja — odparłem, odwracając się, żeby ją pocałować. — Chociaż będę szczery: nie mam pojęcia, jakiego rozmiaru ma fiuta.

— Jeśli cię to ciekawi, z przyjemnością się dowiem i cię poinformuję.

Roześmiałem się i jęknąłem w jej usta.

— Jak cudownie odświeża rozmowa z kobietą, która nie musi cały czas chwalić się swoją inteligencją.

— Żadnego seksu — warknął taksówkarz, patrząc na nas gniewnie w lusterku.

Uniosłem dłonie i się uśmiechnąłem.

— Nie dotykam jej, kolego.

Chyba uznał, że lepiej będzie nas zignorować, włączył głośniej radio i odkręcił szybę, wpuszczając popołudniowy wiatr i nieustanny szum wielkiego miasta. Sara zaczęła powoli gładzić mnie do góry, zataczać kółka na końcówce i znów zjeżdżać dłonią w dół.

— Wyssałabym cię, ale zauważy — wyszeptała.

— Mam na myśli… zasługujesz na najlepsze. Przynajmniej jesteś piękny wewnątrz, Max. Tam, gdzie to się liczy.

Wybuchnąłem śmiechem. Przycisnąłem twarz do jej szyi, by stłumić jęk, który wyrwał mi się z gardła, kiedy skupiła się na główce.

— Cholera, to cudowne. Odrobinę szybciej, kochanie. Możesz?

Zawahała się chwilę na dźwięk spieszczenia, po czym odwróciła się i zaczęła ssać moją szczękę, cały czas mocno ściskając i masując mi fiuta. Zerknęła na kierowcę, lecz on był zajęty radiem i wrzeszczeniem na samochody przed nami.

— Jak teraz? — zapytała.

Kiwnąłem głową i uśmiechnąłem się tuż przy jej policzku.

— Nigdy nie przypuszczałem, że tak dobrze ci idzie.

Jej śmiech zawibrował w mojej szyi i pod skórą. Nigdy dotąd nie słyszałem, żeby wydała z siebie taki niepowstrzymany, nieelegancki dźwięk. Kolejna ściana, którą obaliłem. Poczucie zwycięstwa oblało moją klatkę falą ostrego ciepła, przez moment miałem ochotę wychylić się przez okno i wrzasnąć, że Sara dopuszcza mnie do siebie.

Liznęła mnie w bok szyi i possała dolną wargę.

— Masz idealnego koguta — powiedziała mi.

— Sprawiasz, że mam na ciebie ochotę nawet we wtorek.

— Cholera — jęknąłem. I dochodząc z zaciśniętymi szczękami i pięściami zwiniętymi przy bokach, uświadomiłem sobie, że Sara również sprawia, że zapominam zachowywać się jak żałosny dupek i nie martwię się już, czy mi miesza w głowie.

Sara sięgnęła do torebki i wytarła dłoń w chusteczkę, nie wyjmując jej. Rzuciła mi przy tym łobuzerski uśmieszek, chowając przed taksówkarzem dowód rzeczowy. Następnie pochyliła się do mnie i pocałowała tak słodko, że miałem ochotę rzucić ją na siedzenie i językiem dopieścić do końca tylko po to, by usłyszeć jej ciche, chrapliwe okrzyki.

— Lepiej się czujesz? — zapytała cicho, obserwując mnie uważnie.

W tej chwili dowiedziałem się o Sarze jeszcze czegoś: jej pierwszym odruchem — z którym wciąż walczyła — było zadowalanie mnie.

Taksówka zatrzymała się przecznicę od mojego mieszkania. Dziewczyna usiadła wyprostowana i uśmiechnęła się uprzejmie.

— Czy tutaj nie wysiadasz?

Zawahałem się, niepewny, czy wyjdzie ze mną.

— Tak, chyba że chciałabyś…

Jej głos był cichy, jak sobie uświadomiłem, po to, by złagodzić szorstkość słów:

— Do zobaczenia w piątek, Max.

Skończyliśmy. Mogę odejść.

ROZDZIAŁ

dziewiąty

— Porozmawiamy dziś o tym?

Obróciłam się na drabinie i spojrzałam na Chloe. Trzymając pędzel przy biodrze, przyjaciółka utkwiła we mnie wzrok.

— O…?

Zmrużyła oczy.

— O rozpadzie twojego związku. O twojej nagłej przeprowadzce. O Andym i tym tajemniczym facecie, którego teraz pieprzysz, i o tym, jak bardzo twoje życie różni się teraz od tego, jakie prowadziłaś zaledwie dwa miesiące temu.

Przywołałam na twarz uśmiech.

— Och, o tym? O czym tu rozmawiać?

Roześmiała się i przesunęła nadgarstkiem po czole, pozostawiając na nim nikły ślad rozmazanej farby. Bennett przebywał służbowo poza miastem i w czasie, gdy nie był w stanie zarządzać tym procesem w skali mikro, Chloe postanowiła przemalować całe wnętrze ich ogromnego mieszkania. Wyglądała na wyczerpaną.

— Dlaczego po prostu nie zatrudniłaś malarza do całej tej roboty? — zapytałam, rozglądając się dookoła.

— Dzięki Bogu, możesz sobie na to pozwolić.

— Ponieważ maniakalnie lubię mieć nad wszystkim kontrolę — odparła. — I nie próbuj zmieniać tematu. Słuchaj, widziałam, jak ten związek powoli ciągnął cię w dół, ale i tak mi dziwnie, że tak mało o nim wiem. Bennett zna Andy'ego z imprez biznesowych, ale ja nigdy nie poznałam go bliżej, a…

— Ponieważ — przerwałam jej — przejrzałabyś go na wylot. Tak jak Bennett. — Na samą myśl o Andym poczułam znajome ukłucie w żołądku.

Chloe zaczęła coś mówić, ale uniosłam rękę.

— Daj spokój. Wiem, że Bennett od początku miał się na baczności przed Andym, nawet jeśli nie chciał się w to mieszać. Jeszcze zanim się poznałyśmy, podejrzewałam, że Andy mnie zdradza. Nie chciałam, żebyście się spotykali, żebyś nie widziała, jak bardzo się pogrążam.

Jej spojrzenie przygasło i zanim jeszcze otworzyła usta, wiedziałam, co ma zamiar powiedzieć.

— Kochanie, nie musiałam znać go osobiście, by wiedzieć, że to niemoralny facet. Nikt nie musiał. Tylko dzięki tobie zachowywał pozory przyzwoitości.

Przełknęłam kilka łez.

— Czy fakt, że spędziłam z nim tyle lat, coś o mnie mówi? Że byłam głupia i ślepa?

Powróciłam myślami do obiadu w Evereście w naszą pierwszą rocznicę. Andy spóźnił się o pół godziny, przyszedł, przesiąknięty mocnymi perfumami. Taki banał. Gdy zapytałam go, czy był z kimś innym, odpowiedział: „Mała, gdy nie jestem z tobą, zawsze jestem z kimś innym. Po prostu takie mam życie. Ale teraz jestem tutaj".

Jak mi się wtedy wydawało, miał na myśli to, iż kiedy nie jest ze mną, pracuje. Ale w istocie wtedy chyba jedyny raz był ze mną szczery, mówiąc o innych kobietach.

— Nie — powiedziała Chloe, potrząsając głową. — Byłaś młoda; gdy go spotkałaś, musiał wydawać ci się nierealny. Jest uroczy jak diabli, Saro, z całą pewnością. Ale niedobrze zmieniać wszystko tak gwałtownie i nawet o tym nie rozmawiać. Naprawdę wszystko u ciebie w porządku?

Skinęłam głową.

— Naprawdę.

— Andy dzwoni?

Wpatrzyłam się w pędzel w swojej ręce i włożyłam go z powrotem do puszki.

— Nie.

— Martwi cię to?

— Może trochę. Chciałabym, żeby po moim odejściu zdał sobie sprawę z tego, jak namieszał. Miło by było usłyszeć, jak się płaszczy. Mimo to jednak prawdopodobnie nie odebrałabym telefonu. Nigdy do niego nie wrócę.

— Co zrobił, gdy mu oznajmiłaś, że odchodzisz?

— Wrzeszczał. Groził — spojrzałam w okno i przypomniałam sobie wykrzywioną z wściekłości twarz Andy'ego. Jego gniew zwykle mnie uspokajał, ale ostatnim
razem coś we mnie pękło. — Wyrzucił moje ubrania na
ulicę i wypchnął mnie za drzwi.

Chloe zaskoczyła mnie, ciskając pędzel na plastikową
folię, nie dbając o to, gdzie poleci. Podeszła do mnie
i zamknęła w mocnym uścisku.

— Mogłaś go zrujnować.

— Podejrzewam, że ostatecznie sam to sobie zrobi. Po
prostu chciałam odejść — uśmiechnęłam się w jej ramię.
— I zmusiłam pełnomocnika rodzinnego do eksmito-
wania go. Gazetom się to spodobało. Przecież dom był
mój, pamiętasz?

~

Dobrze było to wszystko wyrzucić z siebie. Chloe nie
były obce bolesne przeżycia; przez cały czas naszej rozmowy o Andym pamiętałam, jak nieco ponad rok wcześniej nagle porzuciła Ryan Media, zamknęła się w swoim
mieszkaniu i przez tydzień z nikim nie kontaktowała.
Gdy w końcu zadzwoniła, opowiedziała mi wszystko,
co zdarzyło się między nią a Bennettem — jak zaczęli
swój potajemny romans i jak postanowiła, że musi od
niego odejść.

To był dla mnie odkrywczy moment, ale w sposób całkowicie błędny. Jej postanowienie porzucenia pracy i poświęcenie związku tylko umocniło mnie w postanowieniu, by patrzeć na rzeczywistość przez pryzmat Andy'ego. Chciałam nadal ciężko pracować nad tym związkiem dla nas obojga. Bennett okazał się właściwym facetem dla Chloe, razem wszystko posklejali, a Andy nigdy nie postąpiłby tak ze względu na mnie.

Myślenie o moim byłym wzbudzało we mnie niesmak, a rozmowa o nim sprawiła, że poczułam w jelitach ołowianą kulę, która nie chciała zniknąć, niezależnie od tego, jak wiele pokojów pomogłam pomalować Chloe albo ile kilometrów przebiegłam wzdłuż rzeki tego dnia.

Przez krótką chwilę zastanawiałam się, czy nie zadzwonić do Maxa, ale odpowiedzią na jeden problem nigdy nie jest stwarzanie innego. Może poprzednio zapraszał mnie na kolację, lecz nie dlatego, że chciał się zaangażować. On też nie będzie dla mnie tym właściwym.

Poniedziałek i wtorek zleciały szybko. Środę wypełniły spotkania z nowymi klientami, miałam wrażenie, że każda minuta trwa rok. Czwartek był gorszy z zupełnie innego powodu: Chloe i Bennett wzięli wolne na długi weekend w święto z okazji Czwartego Lipca, a George pojechał do domu, do Chicago. Biura opustoszały i chociaż nasza firma pracowała, cały mój zespół stał się teraz zbyt efektywny. Nie miałam nic do roboty, a wszystkie sale wokół mnie rozbrzmiewały echem.

„Dlaczego tu jestem?" — wysłałam do Chloe SMS, nawet nie oczekując odpowiedzi.

„Zapytałam cię wczoraj o to samo, zanim wyjecha-
łam".

„Moje kroki odbijały się echem w holu, gdy szłam po
następną kawę. Wypiłam jej już tyle, że nie zasnę teraz
przez miesiąc".

„Więc wyślij SMS do swojego pięknego nieznajomego. Wykonaj miły telefonik. Użyj tej energii do czegoś pożytecznego".

„To nie działa w ten sposób".

Mój telefon zabrzęczał natychmiast.

„Co to znaczy? Jak to działa???"

Wsunęłam telefon z powrotem do torebki i westchnęłam, spoglądając w okno. Nie wprowadziłam Chloe
w szczegóły umowy z moim nieznajomym, ale widziałam,
jak wyczerpuje się jej cierpliwość. Na szczęście nie było jej
w mieście; mogłam odłożyć telefon i zatrzymać tajemnicę
dla siebie przez jeszcze co najmniej kilka dni.

Pogoda w czerwcu w Nowym Jorku była piękna,
jednak z nadejściem lipca zrobiło się nieznośnie. Czułam się, jakbym była uwięziona w labiryncie wieżowców
i podpiekana w ceglanym piekarniku. Po raz pierwszy
od przeprowadzki zatęskniłam za domem. Brakowało mi
wiatru znad jeziora, podmuchów tak silnych, że mogły
cisnąć w tył podczas spaceru. Brakowało mi zielonego
nieba letnich burz i przeczekiwania ich, gdy przykuc-
nięci w piwnicy całymi godzinami bawiliśmy się z tatą
fliperami.

Najlepsze na Manhattanie jest to, że można po prostu
chodzić bez celu, co chwila przypadkowo natykając się na

coś ciekawego. To miasto ma wszystko: yakisobę dostarczaną o trzeciej nad ranem, mężczyzn, którzy potrafią znaleźć magazyn pełen luster na seksualną eskapadę, i flipery w barze odległym o krótki spacer od mojego biura. Gdy dostrzegłam w oknie odbicie świateł automatu do gier, zachwiałam się, czując, że miasto oferuje mi dokładnie to, czego potrzebowałam.

Może nawet częściej, niż naprawdę byłam w stanie docenić.

Dałam nura do ciemnego budynku, wdychając znajomy zapach prażonej kukurydzy i starego piwa. W południe w ten słoneczny czwartek panował w nim taki półmrok, że poczułam się tak, jakby na zewnątrz była północ, a wszyscy inni spali albo przyszli tutaj napić się i pograć w bilard. Maszyna, którą ujrzałam przy wejściu, była nowsza, z dźwigniami wyczyszczonymi do połysku i muzyką emo punk; nie zainteresowała mnie. Ale w głębi, w kącie, stał starszy model z KISS, pomalowany w buźki, z otwartymi ustami Gene'a Simmonsa pokazującego język.

Rozmieniłam kilka dolarów przy barze, zamówiłam piwo i mijając nielicznych gości, podeszłam do stojącego w kącie automatu.

Mój ojciec był kolekcjonerem. Gdy miałam pięć lat i chciałam szczenię, przyniósł mi dalmatyńczyka, później innego psa, aż wreszcie skończyliśmy w olbrzymim domu pełnym głuchych psów warczących na siebie nawzajem.

Później były klasyczne corvairy, przeważnie o obłych sylwetkach. Tata wynajął na nie garaż.

Następnie przyszedł czas na stare trąbki. Dzieła miejscowego rzeźbiarza. I na koniec automaty do gry.

Tata miał około siedemdziesięciu sztuk w magazynie i siedem czy osiem innych w domu w pokoju do gier. Tak naprawdę to podczas obchodu po tym pokoju między tatą i Andym nawiązała się sympatia. Pomimo że tata w żaden sposób nie mógł wiedzieć, że mój chłopak nigdy w życiu nie zagrał na fliperze, Andy zachowywał się tak, jakby kolekcja taty była najbardziej niesamowitą rzeczą, jaką widział w życiu, i udało mu się sprawić wrażenie specjalisty, który grał od małego. Tata był oczarowany, a ja zachwycona. Miałam tylko dwadzieścia jeden lat i bałam się, jak moi rodzice zareagują na chłopaka prawie dziesięć lat starszego ode mnie. Ale tata natychmiast zrobił wszystko, co w jego mocy — łącznie z poświęceniem swojego czasu i książeczką czekową — by wesprzeć nasz związek i ambicje Andy'ego. Mojego ojca zawsze było łatwo do siebie przekonać, a kiedy to się stało, trudno było stracić jego szacunek.

Dopóki nie wpadł na mojego chłopaka w trakcie jego romantycznej kolacji z kobietą, która nie była mną. Pomimo słów ojca i jego starań o to, bym zobaczyła prawdziwego Andy'ego, a nie jego wersję na pokaz, postanowiłam uwierzyć w wersję ukochanego: kobieta była ciężko pracującą znajomą z pracy, przygnębioną rozstaniem i potrzebującą kogoś, kto jej wysłucha, to wszystko.

Co za troskliwy szefunio.

Dwa miesiące później reporter lokalnej gazety przyłapał go z jeszcze inną.

Wrzuciłam ćwierć dolara i oparłam ręce na bokach maszyny, patrząc na błyszczące srebrne kule spoczywające na półce do wyrzutnika. Muzyka, gwizdki i dzwonki zostały zapewne odłączone, ponieważ gdy wystrzeliłam kulę w pole, szarpałam dźwigniami i popychałam maszynę biodrami, nie słyszałam żadnego dźwięku. Od dawna nie grałam i w ogóle mi nie szło, ale nie dbałam o to.

W ciągu ostatnich paru tygodni mało miałam takich cichych chwil, które pomagają się skupić. Chwil, w których jednocześnie zauważałam, jak bardzo się rozwinęłam i jak mało tak naprawdę wciąż wiem o życiu i związkach. Podobnie się poczułam, patrząc kiedyś na Bennetta z Chloe, obserwując, jak się przekomarzają z miłością. Kolejna taka chwila zdarzyła się teraz, przy samotnej grze, która dała mi mnóstwo radości, jakiej nie czułam od dawna.

Jeden czy dwóch facetów podeszło i zagadnęło; byłam przyzwyczajona do takich natrętów, niezdolnych do pozostawienia w spokoju kobiety grającej samotnie na fliperze. Ale po czterech partiach poczułam, że ktoś na mnie patrzy.

Miałam wrażenie, jakby skórę z tyłu mojej szyi muskał czyjś oddech. Dopijając piwo do końca, odwróciłam się i ujrzałam Maxa stojącego po drugiej stronie sali.

Był z jakimś mężczyzną, którego nie rozpoznałam, ale również w stroju biurowym, wyróżniającym się w barze tak samo jak ja w mojej obcisłej szarej sukience i czerwonych butach na obcasach. Max obserwował mnie sponad swojego piwa, a kiedy spojrzałam na niego, uśmiechnął się i lekko uniósł szklankę w pozdrowieniu.

Po jakichś dwudziestu minutach skończyłam grać i podeszłam do nich, starając się powstrzymać rozanielony uśmiech. Miałam ochotę zobaczyć się z Maxem i nawet nie zdawałam sobie z tego sprawy.

— Cześć — powiedziałam, pozwalając sobie na lekki uśmiech.

— Cześć.

Spojrzałam na jego towarzysza, starszego mężczyznę o podłużnej twarzy i życzliwych brązowych oczach.

— Sara Dillon, a to James Marshall, mój kolega i dobry kumpel.

Wyciągnęłam rękę i uścisnęłam dłoń mężczyzny.

— Miło cię poznać, James.

— Mnie również.

Max upił łyk piwa i wskazał na mnie szklanką.

— Sara jest nową szefową finansów w Ryan Media Group.

Oczy Jamesa powiększyły się, był pod wrażeniem.

— Ach, rozumiem.

— Co tu robisz? — zapytałam Maxa, rozglądając się wokół. — Nie jest to raczej miejsce spotkań biznesowych w środku dnia.

— Po prostu wypieprzyłem wcześniej z pracy, jak każdy w tym mieście. A ty co tu robisz, panienko? Ukrywasz się? — zapytał Max z niecnym błyskiem w oczach.

— Nie — odpowiedziałam, uśmiechając się szerzej. — Nigdy.

Jego oczy rozszerzyły się nieznacznie, po czym mrugnął w stronę baru, do barmana.

— Przychodzę tu, bo jest tu bardzo brudno i zazwyczaj pusto, poza tym mają guinnessa z kija.

— A ja przychodzę tu, ponieważ mają bilard i lubię udawać, że mogę skopać tyłek Maxowi — wyjaśnił James, po czym długim łykiem dopił piwo. — Więc zagrajmy.

Uznałam to za sygnał do odejścia i zarzuciłam torebkę na ramię, uśmiechając się lekko do Maxa.

— W takim razie miłej gry. Na razie.

— Pozwól, że cię odprowadzę na zewnątrz — powiedział Max i odwrócił się do Jamesa, prosząc: — Weź dla mnie jeszcze jedno duże piwo i spotykamy się przy ostatnim stole.

Z ręką Maxa na moich plecach wyszliśmy z baru na oślepiające popołudniowe słońce.

— O cholera — jęknął, zakrywając oczy. — Wewnątrz jest lepiej. Wracaj i zagraj z nami.

Potrząsnęłam głową.

— Myślę, że pójdę do domu i zrobię jakieś pranie.

— Pochlebia mi to.

Zaśmiałam się, ale potem rozejrzałam z niepokojem, gdy podniósł dłoń i dotknął mojego policzka, po czym szybko ją opuścił.

— Dobra, dobra — wymamrotał.

— Czy James wie o mnie? — zapytałam cicho.

Max spojrzał na mnie trochę urażony.

— Nie. Moi przyjaciele wiedzą, że jest ktoś, ale nie wiedzą, kto to.

Przez chwilę staliśmy bardzo skrępowani. Nie wiedziałam, jakie obowiązują tu reguły. To właśnie dlatego układ ze spotkaniami wyłącznie w piątki był idealny: nie wymagał żadnego myślenia, żadnych negocjacji przyjaciół, uczuć ani granic.

— Myślisz czasami, jakie to dziwne, że wciąż na siebie wpadamy? — zapytał, a z jego oczu nic nie dało się wyczytać.

— Nie — przyznałam. — Czyż nie w ten sposób działa świat? W milionowym mieście zawsze będziesz spotykać tę samą osobę.

— Ale jak często jest to osoba, którą chciałabyś zobaczyć najbardziej?

Zamrugałam, czując w żołądku musującą mieszankę niepokoju i ekscytacji.

Zignorował moje skrępowanie i mówił dalej.

— Wciąż jesteśmy umówieni na jutro, tak?

— Dlaczego mielibyśmy nie być?

Zaśmiał się, opuszczając wzrok na moje wargi.

— Bo jest święto, kwiatuszku. Nie byłem pewien, czy obejmują mnie przywileje świąteczne.

— Dla ciebie to nie jest święto.

— Oczywiście, że jest — powiedział. — To dzień, który uwolnił nas od biadolących Amerykanów.

— Ha, ha.

— Szczęśliwie dla mnie w tym roku nie ma żadnych innych świąt w piątki, więc nie muszę się martwić, że będę tęsknić za moim nowym ulubionym dniem tygodnia.

— Sprawdzałeś kalendarz tak daleko naprzód? — automatycznie przysunęłam się do niego lekko, na tyle blisko, by poczuć ciepło jego ciała nawet w tym ponadtrzydziestostopniowym upale.

— Nie, po prostu mam w sobie coś z erudyty.

— Erudyty idioty?

Zaśmiał się i mlasnął frywolnie językiem.

— Coś w tym stylu.

— Więc gdzie się jutro spotykamy?

Ponownie uniósł rękę i przesunął palcem wskazującym po mojej dolnej wardze.

— Napiszę SMS.

I napisał. Gdy tylko zniknęłam za rogiem i skierowałam się w stronę metra, telefon w kieszeni zabrzęczał i wyświetlił słowa: „11 Aleja i Zachodnia 24 Ulica. Wieżowiec naprzeciwko parku. O 19.00".

Żadnej wzmianki, co to za budynek, które piętro, nawet jak się ubrać.

~

Gdy tam nazajutrz dotarłam, stało się jasne, że Max mógł mieć na myśli tylko jeden budynek. Nowoczesna budowla

z kamienia i szkła, górująca nad Chelsea Waterside Park
z ładnym widokiem na rzekę Hudson. Hol był pusty, jeśli
nie liczyć strażnika za biurkiem, który w końcu zapytał
mnie, czy jestem znajomą pana Stelli.

Zatrzymałam się ostrożnie.

— Tak.

— O, dobrze! Powinienem był wcześniej zapytać
— stanął, prawie tak duży wszerz jak wzwyż, i machnął
w stronę wind. — Mam panią wysłać na górę.

Przez chwilę gapiłam się na niego, po czym ruszyłam
za nim do windy. Strażnik włożył klucz w dziurkę i nacisnął guzik „R".

Dach.

Jedziemy na dach?

Ochroniarz oddalił się z przyjaznym machnięciem.

— Radosnego Dnia Niepodległości — powiedział,
gdy zamykały się drzwi.

Budynek miał dwadzieścia siedem pięter, ale winda
najwyraźniej była nowa i bardzo szybka, tak że ledwie
miałam czas pomyśleć o tym, co mnie czeka, gdy drzwi
rozsunęły się z cichym dzwonieniem.

Znalazłam się w niewielkim korytarzu, z którego krótkie schody prowadziły jedynie do drzwi z napisem: „Wejście na dach. Osobom postronnym wstęp wzbroniony".

Co innego mi zostało, niż uznać, że ten znak dzisiaj
mnie nie dotyczy? Przecież to był Max. Miałam poczucie, że przestrzega zasad tak długo, aż nie nauczy się ich
odpowiednio naginać.

Drzwi na dach otworzyły się z przenikliwym, metalicznym skrzypnięciem i ciężko zatrzasnęły za mną. Obróciłam się i spróbowałam otworzyć je ponownie, ale bezskutecznie. Dzień był gorący, wietrzny, a ja utknęłam na dachu budynku.

Cholera. Lepiej niech Max będzie tu na górze, albo stracę panowanie nad sobą.

— Tutaj! — głos Stelli zabrzmiał gdzieś z prawej strony.

Odetchnęłam z ulgą i obeszłam dużą skrzynkę elektryczną. Max stał niedaleko, z kocem, poduszkami i olbrzymim zapasem jedzenia i piwa u stóp.

— Szczęśliwego Święta Niepodległości, kwiatuszku. Gotowa pieprzyć się na świeżym powietrzu?

Gdy ruszył w moją stronę, wyglądał niewiarygodnie, ubrany luźno w dżinsy i niebieski T-shirt, z opalonymi, umięśnionymi ramionami, ponad metr osiemdziesiąt wzrostu. Jego fizyczna obecność na słońcu i z wiatrem targającym koszulkę na jego klatce piersiowej… Święci Pańscy. Powiem tylko, że bardzo na mnie działał.

— Zapytałem, czy jesteś gotowa na seks na zewnątrz — powiedział cicho, schylając się, by mnie pocałować. Smakował piwem, jabłkami i czymś jeszcze. Ciepło, seks, wygoda… Max był moją przekąską na pocieszenie, czymś, czemu można się co jakiś czas oddać bez poczucia winy, wiedząc, że to pomaga, nawet jeśli w ogólnym rozrachunku nie wychodzi na dobre.

— Tak — powiedziałam. — Nie martwisz się o helikoptery albo kamery czy coś takiego? — Spojrzałam za niego, wskazując ludzi na dachu w oddali. — Ci ludzie tam mają lornetkę.

— Nie.

Zmrużyłam oczy, przesunęłam rękami po jego klatce piersiowej w górę, do szyi.

— Dlaczego nigdy nie martwisz się o to, że ktoś cię zobaczy?

— Ponieważ wtedy bym się zmienił. Przestałbym wychodzić, wpadł w paranoję albo nie odważył się przelecieć cię na dachu. Pomyśl, co to byłoby za nieszczęście.

— Okropne.

Przyszło mi do głowy, że jest mu właściwie całkiem obojętne, czy go ktoś zobaczy, czy nie. Nie szukał tego, ale i nie unikał. Po prostu żył obok rzeczywistości. To był sposób dogadywania się z prasą i z gapiami, który powalił mnie swoją odmiennością. Wydawał się tak prosty.

Max uśmiechnął się i pocałował mnie w czubek nosa.

— Zjedzmy.

Przyniósł bagietki, ser, kiełbaski i owoce, małe ciasteczka z dżemem i doskonałe, maleńkie makaroniki. Na niewielkiej tacy stały miski z oliwkami, korniszonami i migdałami. W metalowym wiadrze leżało kilka butelek ciemnego piwa.

— Niezła uczta — powiedziałam.

Zaśmiał się.

— Tak myślę — przesunął ręką w górę po moim boku, przez brzuch, do piersi. — Mam zamiar poświętować.

Pociągnął mnie na koc, otworzył piwo i rozlał je do dwóch szklanek.

— Mieszkasz w tym budynku? — zapytałam, gryząc kawałek jabłka. Myśl, że byliśmy tak blisko jego mieszkania, sprawiła, że poczułam się trochę nieswojo.

— Mieszkam w budynku, przy którym wysadziłaś mnie któregoś dnia po tym, jak robiłaś mi laskę. Mam tu mieszkanie, ale zajmuje je mama — uniósł rękę właśnie wtedy, kiedy otworzyłam usta, by zaprotestować. — Wyjechała na kilka tygodni do Leeds odwiedzić moją siostrę. Nie wejdzie na dach.

— Nikt nie przyjdzie tu na górę?

Wzruszył ramionami, wrzucając oliwkę do ust.

— Nie sądzę. Chociaż nie jestem pewien — żując, przyglądał mi się przez minutę z rozbawieniem. — Jak się z tym czujesz?

Poczułam w brzuchu ciepłą falę lęku. Spojrzałam za siebie na zamknięte na klucz drzwi, zastanawiając się, jak by to było rozłożyć się na kocu pod Maxem, czuć, jak mnie posuwa, a następnie nagle usłyszeć dźwięk otwieranych i zatrzaskujących się drzwi.

— Dobrze — powiedziałam, uśmiechając się.

— Stąd jest najlepszy widok na fajerwerki — wyjaśnił. — Zaczynają cztery pokazy jednocześnie, widać je nad rzeką. Pomyślałem, że może chciałabyś to zobaczyć.

Przyciągnęłam go do siebie i pocałowałam w szczękę.

— Właściwie najbardziej podniecające byłoby zobaczyć cię zupełnie nagiego.

Z lekkim stęknięciem Max odsunął poduszki na bok i położył mnie na grubym kocu. Uśmiechnął się, zamknął oczy i pocałował mnie.

Cholera, dlaczego tak mi z nim dobrze? Byłoby łatwiej traktować to przelotnie — chociaż z pewnością byłoby to dużo mniej zadowalające — gdyby Max był miernym kochankiem albo traktował mnie od początku jako miły sposób na cotygodniową rozrywkę. Ale był tak czuły, uważny, zarazem tak pewny siebie, że bez większego wysiłku sprawiał, że wyginałam się, pragnęłam go i błagałam o więcej.

Uwielbiał to błaganie. Drażnił się ze mną, żebym prosiła o więcej. Chciałam, by drażnił mnie dłużej.

W takich chwilach, gdy mnie całował, przesuwając rękami po mojej skórze i szczypiąc mnie we wrażliwe, spragnione miejsca, starałam się powstrzymać przed porównywaniem tego kochanka z jedynym, jakiego miałam przed nim. Andy był szybki i szorstki. Mniej więcej po roku seksualnej zabawy nasze stosunki tak naprawdę nigdy nie przeszły w odkrywanie siebie ani dzielenie się sobą. Robiliśmy to w łóżku, czasami na kanapie. Raz czy dwa w kuchni.

A teraz Max przesuwał truskawką po mojej brodzie, odsysał soki. Mruczał, że czuje mój smak, liżąc moje soki, pieprząc mnie do chwili, gdy zaczynałam krzyczeć, aż mój głos rozbrzmiewał echem po drugiej stronie ulicy.

Fotografował, gdy zrzuciłam z siebie sukienkę, a z niego zdarłam koszulę, gdy lizałam go coraz niżej po brzuchu, rozpinałam mu dżinsy i gdy brałam w usta jego twardy członek. Miałam nadzieję, że tym razem pozwoli mi posunąć się dalej.

— Otwórz oczy. Patrz na mnie — szepnął.

A potem zrobił mi zdjęcie. W tej chwili byłam w nim tak zagubiona, że nie troszczyłam się o nic.

W końcu jego telefon upadł na koc, a jego ręce zagłębiły się w moich włosach, prowadząc mnie, powstrzymując zbyt gwałtowne ruchy. Moje usta poruszały się na nim tak wolno, długo ciągnąc i powoli biorąc go ponownie, że nie wyobrażałam sobie, jak dojdzie w ten sposób. Nie pozwolił mi jednak przyspieszyć; oczy mu pociemniały i były pełne głodu, w końcu spuchł we mnie.

— Dobrze? — zapytał napiętym głosem. — Zaraz dojdę.

Mruczałam, obserwując wypieki na jego twarzy i jego lekko rozwarte usta, gdy wpatrywał się w moje wargi, wciąż go trzymające. Dźwięki, które wydawał z siebie, szczytując, były głębokie, zachrypnięte i nonsensowne, przeplatane najordynarniejszymi słowami, jakie kiedykolwiek słyszałam. Przełknęłam szybko nasienie, koncentrując się na wyrazie oszołomienia na jego twarzy.

— O kurwa — jęknął, uśmiechając się. Sięgnął w dół, podciągnął mnie do swojej klatki piersiowej. Niebo nad nami zaczęło ciemnieć. Poróżowiało, później zmieniło się na lawendowe; wpatrywaliśmy się w koronkową warstwę chmur. Skóra Maxa była ciepła i gładka, odwróciłam twarz, wdychając jego zapach.

— Lubię dezodorant, którego używasz.

Roześmiał się.

— A dziękuję.

Pocałowałam jego ramię i zawahałam się, nie chcąc popsuć tej chwili. Ale musiałam.

— Zrobiłeś zdjęcie mojej twarzy.

Bardziej poczułam, niż usłyszałam jego śmiech.

— Wiem. Już je usuwam. Chcę tylko spojrzeć na nie parę razy.

Opuścił ciężkie ramię na koc i po omacku zaczął szukać telefonu, który znalazł się pod moim biodrem. Wyciągnęłam go i podałam Maxowi.

Razem przeglądaliśmy zdjęcia. Moje ręce na koszuli, na jego klatce piersiowej. Moje piersi, moja szyja. Zatrzymaliśmy się na zdjęciu moich rąk rozpinających jego dżinsy i wyciągających penisa. Gdy doszliśmy do fotki przedstawiającej mój kciuk drażniący główkę jego fujarki, kochanek przekręcił się na mnie, znów twardy.

— Nie, czekaj — powiedziałam, a słowa gubiły się w jego ustach, gdy mnie całował. — Skasuj te zdjęcia z twarzą, Max.

Z jękiem przetoczył się do tyłu i pokazał mi je. Nie mogłam zaprzeczyć, że były jedną z najbardziej zmysłowych rzeczy, jakie widziałam: moje zęby obnażone przy jego biodrze, mój język dotykający czubka jego koguta i na koniec moje usta obejmujące go, w czasie gdy ja patrzę prosto w obiektyw. Miałam tak pociemniałe oczy, że było oczywiste, że chciałabym go ssać jak najdłużej. Z taką fotką jak ta mogłabym trwać wiecznie w tej pozycji.

Max kliknął przycisk kasowania, potwierdził i usunął zdjęcie.

— To była najbardziej rozpalająca rzecz, jaką kiedykolwiek oglądałem — powiedział, ponownie przekręcając
się na mnie i znów całując po szyi. — Naprawdę żałuję,
że mamy tę zasadę niefotografowania twarzy.

Nic nie odpowiedziałam. Zamiast tego całkowicie zsunęłam mu bokserki z nóg, a on ściągnął ze mnie moje
krótkie spodenki i zaplótł moje nogi wokół swoich bioder.

— Załóż prezerwatywę — wymamrotałam w jego szyję.

— Szczerze mówiąc — zaczął, odsuwając się na tyle,
by spojrzeć mi w oczy — miałem nadzieję, że możemy
zapomnieć o prezerwatywach.

— Max…

— Mam to — wyciągnął jakąś kartkę spod koca. Ech,
te zawsze romantyczne wyniki testu. — Nie pieprzyłem
się bez gumki od liceum — wyjaśnił. — Nie pieprzę żadnej innej, a przy tobie chcę być nagi.

— Skąd wiesz, że biorę pigułki?

— Bo widziałem je w twojej torebce w bibliotece.

Odsunął się, ułożył i napierał na mnie, kołysząc biodrami.

— Tak jest dobrze?

Kiwnęłam głową, ale zapytałam:

— Nie martwi cię moja przeszłość?

Uśmiechnął się, całując mnie wzdłuż ramienia i przesuwając rękę po mojej piersi.

— Opowiedz mi.

Przełknęłam, odwracając wzrok. Położył palec na mojej brodzie, odwracając moją twarz w swoją stronę.

— Miałam innego faceta — przyznałam.

W oczach Maxa zgasł uśmiech.

— Byłaś jeszcze tylko z jednym facetem?

— Ale w czasie gdy byliśmy razem, on pieprzył wszystkie inne w Chicago.

Wyrwało mu się ciche przekleństwo.

— Saro…

— Więc jeśli przyjąć, że byłam z każdą, z którą był on, to mam całkiem niezły wynik — uśmiechem próbowałam złagodzić ostrość moich słów.

— Badałaś się od tamtej pory?

— Tak.

Podsunęłam biodra do niego, pragnąc tego bardziej, niż sobie uświadamiałam. Andy zaczął używać prezerwatyw po pewnym czasie naszego związku, co powinno mi dać do myślenia. Wtedy to poczułam przygnębiający dystans, mimo że Andy tłumaczył mi, że chce mieć pewność, że nie będziemy mieć dzieci, zanim nie będziemy gotowi. Teraz zdałam sobie sprawę, że wyświadczył mi przynajmniej tę jedną uprzejmość.

Ale Max robił wszystko odwrotnie. Najpierw zachowywał dystans, a później dążył do tej dziwnej monogamii, w której byliśmy.

„Bzdura, Saro. Większość ludzi tak postępuje".

Szarpnęłam jego biodra, unosząc się, by possać jego szyję.

— Więc w porządku. — Max cofnął się, zbliżył do mnie i z cichym jękiem wślizgnął do środka. Powoli, powoli wypełnił mnie. Następnie pokrył moje ciało pocałunkami, posuwając się od dołu w stronę szyi, a na końcu

przylgnął wargami do moich ust. — Cholernie wspaniale
— szepnął. — Jezu, nic temu nie dorówna.

Opanowała mnie dziwna desperacja. Nigdy tak bardzo
nie czułam jego ciężaru na sobie, nie czułam tak każdego
kawałka jego nagiej skóry; to był zupełnie inny rodzaj posiadania. Jego ramiona były tak szerokie, każdy naprężony
mięsień wyraźnie rysował się pod moimi dłońmi. Czułam
Maxa w sobie i nade mną jak odrębną planetę.

Wciąż mnie całując, poruszył się, zaczynając powoli,
pozwalając mi czuć każdy centymetr.

— Ktoś może na nas patrzeć. Widzieć cię pode mną,
z rozłożonymi udami, twoją bosą stopą na moich nogach — podniósł się na łokciach, spoglądając na moje
piersi. — Myślę, że chciałby je ujrzeć.

Zamknęłam oczy i wygięłam plecy w łuk, więc mógł
przyjrzeć się dokładniej. Boże, z Maxem to było tak dziwnie bezpieczne. Nigdy nie wywołał we mnie wrażenia, że
jest coś nienormalnego czy złego w moim upodobaniu
do pomysłu, że ludzie na nas patrzą. Wręcz przeciwnie
— wydawał się bardzo to lubić i tak samo chciał zostać
przyłapany.

— Chcesz, by kiedyś ktoś przyglądał się, jak się pieprzysz? — zapytał, nieco przyspieszając.

Z rozpaczliwą uczciwością wydyszałam:

— Podoba mi się pomysł, że ktoś mógłby zobaczyć
cię ze mną w tej chwili.

— Tak?

— Nie wiem, czy chciałam tego, zanim cię spotkałam.

Opadł na mnie, ciężki i ciepły.

— Dam ci wszystko, czego pragniesz. Uwielbiam, jak się odmieniasz, gdy cię pieprzę i patrzę na ciebie. Jak robię ci fotki, jak odrzucasz swoją tarczę ochronną, jak się otwierasz, wreszcie oddychasz.

Rozciągnęłam się pod nim, przyciągając go tak blisko, jak tylko mogłam, i spojrzałam w górę na ciemne niebo właśnie w chwili, gdy pierwsze fajerwerki wystrzeliły na drugim brzegu rzeki. Po rozbłysku dotarł dźwięk i głęboki grom zatrząsł dachem pode mną.

Kolejne sztuczne ognie wybuchły serią — gwiazdy, płomienie i światła tak błyskotliwe i tak bliskie, że miało się wrażenie, jakby zapłonęło niebo. Budynek pode mną zadrżał, wprawiając też w drżenie moje kości i piersi.

— Cholera jasna — powiedział Max i przyspieszył do brutalnych szarpnięć, bliski wytrysku. Znałam już dobrze jego rytm. Ledwie się powstrzymywał. Tak blisko rzeki huk był niemal ogłuszający, a powietrze zgęstniało od siarki, dymu i świateł. Max pochylił się tuż obok mojej głowy, uniósł w górę na kolanach i wbił we mnie, pstrykając fotkę, na której łączyliśmy się jak czerwone, niebieskie i zielone błyski światła na mojej skórze.

Wzięłam głęboki wdech i rozpadłam się na kawałki, krzycząc ostro, ale mój głos zagubił się w grzmotach wokół nas.

≈

Max wyciągnął koc ze sterty i owinął nim nas oboje, może mniej z powodu chłodu, a bardziej po to, by okryć naszą nagość, ponieważ nie występowaliśmy już dla naszej wyimaginowanej publiczności. Po prostu sączyliśmy piwo, trzymając się za ręce i oglądając fajerwerki.

— Powiedziałeś, że od pewnego czasu nie przyjmowałeś zobowiązań, ale czy to nie dziwne pozostawać w monogamicznym związku opartym tylko na seksie? — zapytałam, odwracając się, by spojrzeć na jego twarz.

Roześmiał się i przyłożył butelkę piwa do ust.

— Nie. Nie jestem takim skurwysynem, że nie mogę być z jedną osobą, jeśli ona tego chce.

— Czego ona chce? Dobrze byś się czuł, gdybym była z innym?

Potrząsnął głową i spojrzał za siebie na rzekę, gdzie dym zaczynał się już rozrzedzać.

— Faktycznie, nie sądzę — jeszcze raz uniósł swoją butelkę i opróżnił ją. — Jeśli pamiętasz, nie używaliśmy dziś wieczorem prezerwatyw. Nie mógłbym tego zrobić, gdybyś była z innymi facetami.

Chwycił następne piwo i koc opadł z jego ramion, ukazując nagie plecy z mocno zarysowanym każdym mięśniem. Pochyliłam się do przodu i zaczęłam całować go od środka kręgosłupa do szyi.

— Kiedy ostatni raz miałeś dziewczynę? Cecily była twoją dziewczyną?

— Niezupełnie — znowu przysunął się do mnie i przytulił pod kocem. — Odkąd się tu przeprowadziłem, umawiałem się z kilkoma kobietami. Ale od bardzo dawna nikogo nie kochałem, jeśli to masz na myśli.

Skinęłam głową.

— Myślę, że chyba właśnie to mam na myśli.

— Chodziłem przez jakiś czas na poważnie z dziewczyną na uniwerku. Odeszła z moim kolegą. Wyszła za niego. Przez jakiś czas po tym byłem nieźle wkurzony na kobiety. Teraz zdaję sobie sprawę z tego, że związek wymaga dużo pracy, energii i czasu — upił łyk, przełknął. — Nie miałem tego zbyt dużo, próbując stworzyć spółkę i prowadząc ją. Nie mam nic przeciwko byciu z kimś, ale trudno znaleźć w tym mieście drugą połówkę, chociaż może dziwnie to brzmi w miejscu, w którym mieszka osiem milionów ludzi.

Kiedy to powiedział, nie czułam zupełnie nic, żadnego ściśnięcia serca w nadziei, że to byłabym ja, żadnego niepokoju, że Max chciałby znaleźć kogoś innego. Dla kogoś takiego jak ja, kto zawsze przeżywał wszystko raczej intensywnie, to był wstrząs. Niesamowite uczucie pustki zakwitło mi w sercu.

— Prawdopodobnie powinnam już iść — powiedziałam, przeciągając się, aż koc się zsunął.

Max spojrzał na moje nagie ciało, zanim popatrzył mi w oczy.

— Dlaczego zawsze odchodzisz w takim pośpiechu?

— Nie planowaliśmy noclegu — przypomniałam mu.

— Nawet w święto? Mielibyśmy szansę na poranny numerek. Możemy skorzystać z pokoju gościnnego mamy.

— Więc zadzwoń po Willa. On jest słodki.

— Zadzwoniłbym, ale on zawsze chce leżeć z tyłu. To niewygodne — przerwał. — Czekaj. Uważasz, że Will jest słodki?

Śmiałam się, dopijając ostatni łyk piwa i sięgając po ubranie.

— Tak, ale ty jesteś bardziej w moim typie.

— Dystyngowany? Hojnie obdarzony przez naturę? Boski?

Spojrzałam na niego i się zaśmiałam.

— Chciałam powiedzieć, że masz idealnie wulgarne usta.

Oczy mu spochmurniały i nachylił się, by mnie pocałować.

— Zostań. Proszę, kwiatuszku. Chcę pieprzyć cię rano, gdy jesteś rozczochrana i zaspana.

— Nie mogę, Max.

Wpatrywał się we mnie długo, po czym odwrócił wzrok, unosząc butelkę do ust i mamrocząc:

— On naprawdę cię zranił.

Poczułam, jak mój uśmiech przygasa.

— Lepiej nie próbuj znaleźć sensu w kobiecie, która chce tylko seksu za seks. Tak, Andy mnie zranił, ale to nie dlatego nie chcę zostać — patrzyłam na niego przez moment, zanim przypomniałam sobie, by przywołać na twarz uśmiech. — Nie mogę się doczekać, by zobaczyć, co wymyślisz w przyszłym tygodniu.

~

Zanim dotarłam do domu, uniesienie po spotkaniu z Maxem znikło, a zastąpił je dziwny ból pod żebrami. Rzuciłam klucze i torbę na stolik w przedpokoju i oparłam się plecami o ścianę, patrząc w atramentową ciemność pokoju. Moje mieszkanie było niewielkie, ale po kilku krótkich miesiącach spędzonych w Nowym Jorku czułam, że to miejsce należy do mnie bardziej niż okazały dom, który dzieliłam z Andym przez prawie pięć lat.

Ale dziś wieczorem, z echem muzyki, ze wspomnieniem huku sztucznych ogni odbijających się na budynkach, odgłosów śmiechu i zabawy dobiegających z chodników na ulicy, po raz pierwszy od przyjazdu poczułam się w moim małym mieszkaniu samotna.

Nie zapalając światła, rozebrałam się, skierowałam do łazienki i weszłam pod prysznic. Stanęłam pod gorącym strumieniem i zamknęłam oczy, mając nadzieję, że szum wody zagłuszy hałas w mojej głowie.

Nie pomogło. Moje mięśnie były napięte i obolałe, a lekki ból między nogami sprawiał, że moje myśli wciąż wracały do Maxa.

Nigdy nie byłam typem dziewczyny mającej obsesję na punkcie mężczyzny, ale teraz z pewnością tak się stało. Max był nie tylko wspaniały, był też miły. I wiedziałam, że to seks sprawił, że naprawdę się do siebie dopasowaliśmy. Po głowie wciąż krążyły mi myśli o mojej nowo odkrytej chęci, by mnie oglądał on, a może nawet inni ludzie

— ale ta potrzeba nasilała się jak para na mojej skórze: ciepła, ekscytująca i niemożliwa do zignorowania.

A Max zdawał się to akceptować, nawet przyjmować tak łatwo jak wszystko inne.

Podczas gdy mój związek z Andym był tylko na pokaz, Max zdawał się odkrywać we mnie nieznane mi wcześniej pragnienie bycia oglądaną, jednocześnie szanując moją potrzebę prywatności. Chociaż był playboyem i wydawał się nieodpowiedni pod każdym względem, to jednak pozwalał mi doświadczać czegoś, czego nigdy nie próbowałam z Andym, gdyż nie czułam się wystarczająco bezpiecznie. Czy to naprawdę aż tak proste? Czy trzymam Maxa na dystans właśnie dlatego, że jest przeciwieństwem tego wszystkiego, co reprezentował mój były chłopak? Głębia poprzedniego związku była pozorna, brakowało nam iskry. Moje stosunki z Maxem były celowo proste, ale nawet widząc go z daleka, czułam, że w klatce piersiowej zapala mi się pochodnia.

Zakręciłam wodę, która nagle stała się zbyt ciepła. Przez chwilę pożałowałam, że nadal nie jestem z Maxem. Zaprzepaściłam okazję, by dotykać jego skóry, smakować jego usta i przez całą noc czuć jego ciężar na sobie.

Gdy jednak przeszłam do sypialni i przestudiowałam swoje odbicie w lustrze na drzwiach szafy, niespodziewanie odkryłam nową osobę. Stałam bardziej wyprostowana, mniej mrugałam, obserwowałam świat uważniej. Nawet ja widziałam w swoich oczach jakąś mądrość, której wcześniej nie było.

ROZDZIAŁ
DZIESIĄTY

— Nadal nie rozumiem, dlaczego dzisiaj ze mną idziesz.

Stłumiłem uśmiech, widząc rozdrażnioną twarz Willa w lustrach na drzwiach windy, i zignorowałem zaciekawione spojrzenia, którymi obrzuciło nas kilku współpasażerów. Mój wspólnik nacisnął przycisk osiemnastego piętra.

Zatrzymałem spojrzenie na tabliczce obok liczby: RYAN MEDIA GROUP.

— Wiesz, jak bardzo lubię oglądać cię przy pracy. Jak ryba w stawie czy jak tam to się w Ameryce mówi.

— Po pierwsze — Will rozmawiał już nieco ciszej — źle używasz tego wyrażenia, zresztą nikt go już nie używa. Po drugie łżesz jak najęty. W tym tygodniu masz sto innych spotkań i roboty po uszy, to akurat wiem.

Dlaczego wybrałeś się więc tutaj? Przecież nie jesteś mi do niczego potrzebny, Max.

— Masz rację, technicznie nie jestem tam potrzebny, ale znam cię i wiem, jak jest z tobą na takich spotkaniach. Ktoś zaczyna gadkę o neuroprzekaźnikach czy innych rusztowaniach chemicznych i zaczynasz się nakręcać jak po blancie. Chcę tylko dopilnować, żebyś na fali odlotu nie zgodził się na jakiś niedorzeczny budżet i nie wkopał nas wszystkich.

— Nie robię takich rzeczy.

— Oczywiście — zgodziłem się. — A czy to nie ty podkreślałeś wagę nawiązywania dobrych kontaktów? Pogadam sobie przy okazji z Bennettem i upiekę dwie pieczenie na jednym ogniu.

Nawet ja słyszałem, jak kiepsko brzmi moja wymówka; nie byłem przyzwyczajony do tego, że tak niepewnie czuję się przy kobiecie, a z pewnością nie do tego, by jak pryszczaty nastolatek kręcić się w pobliżu w nadziei na kilka minut sam na sam. Sprawa z Sarą miała być w założeniu prosta, lecz teraz niespodziewanie się skomplikowała. Kilka godzin temu wydawało mi się, że wszystko mam zaplanowane: przyłączę się do Willa, pojadę z nim na spotkanie do Ryan Media, wykorzystam Bennetta jako wymówkę w razie pytań Willa, a jeśli los się do mnie uśmiechnie, wpadnę na Sarę i nie będę musiał czekać aż do piątku. Czas spędzony z nią w piątek chyba mnie rozzuchwalił. To walenie konia w taksówce też nie zaszkodziło. Teraz jednak czułem się rozdarty, zastanawiałem się, czy nie proszę się o kłopoty, w ten sposób rozmywając granice.

Drzwi się otworzyły, a Will odwrócił się do mnie.

— Tylko pamiętaj, to mój show. Ty masz tylko siedzieć i wyglądać.

— Panie Sumner, panie Stella — przywitała nas recepcjonistka. — Miło znów panów widzieć.

Poprowadziła nas do dużej sali konferencyjnej z wielkimi ścianami i pocztówkowymi widokami Nowego Jorku. — Pan Ryan już idzie.

— Szkoda trochę spędzać wolne popołudnie w biurze, skoro mógłbyś się spotkać ze swoją tajemniczą seksowną kotką — odezwał się Will, kiedy zostaliśmy sami.

Podszedłem do okna i wyjrzałem na ulicę w dole.

— A dlaczego sądzisz, że ona ma wolne popołudnia?

Will zaczął przeglądać papiery. Usiadłem przy długim stole, myślami wracając do moich ostatnich odwiedzin w tym budynku. Wtedy goniłem za nią i od tego czasu niewiele się zmieniło. Owszem, spędzałem z nią czas, posuwałem ją, smakowałem, dotykałem całego jej ciała, a jednak wcale nie zbliżyłem się do zrozumienia tego, co się kryje w tej ładnej głowie.

Z korytarza dobiegły nas głosy. Uniosłem wzrok; do sali wszedł Bennett.

— Will — odezwał się, wyciągając rękę — dzięki, że przyszedłeś. — Rzucił mi zaciekawiony uśmiech. — Max. Nie spodziewałem się ciebie dzisiaj. Chcesz wziąć udział w naszej dyskusji o biotechnologii?

Nie dało się nie zauważyć zadowolonego uśmieszku, który pojawił się na twarzy Willa. Obaj z Bennettem wiedzieli, że uniknąłem oblania biochemii, flirtując z naszym profesorem, doktorem Williamem Haverstonem. Z lubością przypominali mi o „chłopaku, którego niemal miałem".

— Max to jedna wielka zagadka — stwierdził Will.

— Z pewnością — zgodził się Bennett. Tak naprawdę nie patrzyłem dotąd na sprawę z jego punktu widzenia. Minęło kilka tygodni od imprezy dobroczynnej, ale i tak zastanawiałem się teraz, na ile domyśla się, że pojawiłem się tutaj bardziej dla Sary niż z powodu rozmowy o proteomice.

— Co za palanty — wymamrotałem.

Drzwi otworzyły się i weszła grupa ludzi; na nieszczęście dla mojej próby zachowania twarzy pokerzysty jako ostatnia pojawiła się Sara. Wyglądała zachwycająco; kiedy Bennett przedstawiał przybyłych, powędrowałem spojrzeniem po całym jej ciele. Granatowa spódniczka, słodki różowy sweterek na delikatnym wzniesieniu piersi i szyja, którą mogłem ssać godzinami.

— Sara Dillon, szefowa działu finansów — powiedział Bennett do Willa.

Will zbliżył się do nich.

— Tak, wymieniliśmy e-maile. Bardzo mi miło wreszcie cię poznać, Saro. Na imprezie dobroczynnej w zeszłym miesiącu chyba się minęliśmy.

Przez chwilę rozmawiali, po czym Sara spojrzała w moją stronę. Na sekundę jej oczy otworzyły się szerzej. Podeszła do mnie, wyciągnęła rękę. Nie wydawała się szczególnie zachwycona moją obecnością.

— Jeśli dobrze pamiętam, my poznaliśmy się na imprezie — powiedziała z pełnym napięcia uśmiechem. — Max Stella, prawda?

Podałem jej rękę, a kciukiem przesunąłem po jej nadgarstku.

— Jestem zaszczycony, że mnie pamiętasz, Saro.

Cofnęła dłoń, uśmiechnęła się bez wyrazu i ruszyła na swoje miejsce.

Podszedłem do Chloe, porozmawiałem chwilę i przyjąłem zaproszenie na kolację w bliżej nieokreślonym terminie w ciągu najbliższych kilku tygodni. Rozumiałem, co Bennetta tak w niej zauroczyło: była piękna i bardzo błyskotliwa. Nie umknęły mi jej szybkie spojrzenia rzucane na Ryana i potem na mnie, jakby prowadzili ze sobą niemą rozmowę. W pewnej chwili Ben przewrócił oczami i rozciągnął usta w uśmiechu, jakiego jeszcze u niego nie widziałem. Biedak został usidlony.

Spotkanie już się zaczynało, więc zająłem jedyne wolne miejsce — obok Sary. Sądząc z wyrazu jej twarzy, nie bardzo jej się to spodobało.

Minuty wlokły się niemiłosiernie; to naprawdę było chyba najnudniejsze spotkanie w moim życiu: nauka i strategie związane z nauką. W pewnej chwili mogłem przysiąc, że Will uniósł wzrok do nieba, w taką wpadł ekstazę.

Sara aż kipiała z wściekłości obok mnie, chociaż nie odzywała się ani słowem. Dlaczego tak się spięła? Odczuwałem każdy dzielący nas centymetr. Musiałem świadomie trzymać ręce na kolanach. Czułem wyraźnie każde jej poruszenie, kiedy poprawiała się na krześle lub sięgała po butelkę z wodą. Czułem jej zapach. Nie zdawałem sobie dotąd sprawy z tego, jak trudno mi będzie siedzieć tak blisko, nie mogąc przesuwać dłońmi po jej ciele czy po prostu założyć jej kosmyka włosów za ucho.

Ale dlaczego, do jasnej cholery, nagle zachciało mi się zakładać jej włosy za ucho? Pierwotny plan oficjalnie został uznany za absolutne fiasko.

Natychmiast po prezentacji portfolio Willa Sara przeprosiła i wyszła, zanim zdołałem się do niej odezwać. Kiedy w końcu udało mi się wykręcić z rozmowy o tym, jak najlepiej naświetlić technologię białek w strategii marketingowej firmy, od razu wystrzeliłem w kierunku jej biura.

— Dzień dobry — odezwał się jej asystent, mierząc mnie wzrokiem zza monitora.

— Przyszedłem do panny Dillon — powiedziałem, kierując się prosto do jej gabinetu.

— Powodzenia, bo nie ma jej tam — zawołał za mną. Obróciłem się, ale on już wrócił do swoich arkuszy kalkulacyjnych.

— A gdzie mogłaby być? Wie pan może?

Nie podnosząc wzroku, odparł:

— Pewnie wyszła na spacer. Wpadła tutaj jak bomba, jakby ktoś jej buty podpalił — mrugnął do mnie. — Jak ma ochotę kogoś zamordować, zwykle chodzi do parku.

A niech to szlag trafi.

Pobiegłem do windy, nie zwracając uwagi na ścigające mnie spojrzenia, i liczyłem piętra, zjeżdżając w dół. Co,

do licha, poszło nie tak? Przecież powiedziałem do niej nie
więcej niż dwa słowa. Na ulicy gorące powietrze niemal
zwaliło mnie z nóg, nawet w dusznym cieniu wysoko-
ściowców. Rozejrzałem się wokół, po czym skręciłem do
parku. Chodniki były pełne ludzi spacerujących z psami
i turystów, lecz miałem nadzieję, że w tych obcasach Sara
nie pobiegnie na tyle szybko, żeby mi uciec.

Bardzo dziwnie było nagle znaleźć się parku, w którym zapach asfaltu i spalin zastąpiła woń drzew i liści,
wilgotnej ziemi i wody.

Na końcu ścieżki dojrzałem różowy błysk. Przyspieszyłem.

— Saro! — zawołałem.

Przystanęła na chodniku i odwróciła się do mnie.

— Niech cię cholera, Max. Co ty sobie myślisz?

Stanąłem w miejscu.

— Co?

— Tam! — odparła lekko zdyszana. — Nie wiedziałam, że finansujecie B&T! Na tym etapie nie muszą jeszcze tego ujawniać. Rany, przecież to konflikt interesów!

Podrapałem się po twarzy, żałując, że taki prosty układ
wciąż tak cholernie się komplikuje.

— Ale to chyba nie będzie problem.

— Pozwól, że ci wyjaśnię — powiedziała. — Dyrek-
tor finansów firmy obsługującej marketingowo B&T sypia z dyrektorem firmy kapitałowej płacącej tej właśnie
firmie marketingowej. Nie wydaje ci się, że mamy tu
jednak konflikt? Czy może chciałbyś, żeby twoja nowa
zdobycz miała coś z tego interesu? Albo może chciałbyś

dopilnować, żeby twój nowy projekt dostał najlepszą cenę strategii marketingowej?

Jaja sobie robi? Poczułem, że twarz mi płonie z oburzenia.

— Boże, Saro! Nie sprowadzam wam klientów z troski o ciebie ani nie sypiam z tobą, żeby cię zmotywować do pracy!

Westchnęła i uniosła dłonie w górę.

— Naprawdę tak nie myślę, jednak tak to może wyglądać. Nie wiesz, jak powstają plotki? Dla mnie to nowe stanowisko. To twoja działka, ludzie rzucają się jak harpie na każdy szczegół z twojego życia. Zobacz, jak prasa za tobą łazi, chociaż Cecily wyjechała pięć lat temu.

Sara była przewrażliwiona na punkcie prywatności i plotek. Aż zadziwiająco. Opowiadała bzdury i wiedziała o tym. Odwróciła spojrzenie, skrzyżowała ramiona i się zgarbiła. A ja, szczerze mówiąc, w ogóle nie przejmowałem się tym, kto mnie zobaczy z Sarą. Pięć lat po Cecily uświadomiłem sobie, że nie mam wpływu na to, co ludzie gadają. Sara jednak tego nie zrozumie.

Podszedłem kilka kroków dalej, do wierzby, zanurkowałem pod baldachim gałęzi i usiadłem na trawie, opierając się plecami o pień.

— Chyba zbyt rozdmuchujesz całą sprawę.

Sara podeszła bliżej, ale nadal stała.

— Chodzi mi o to, że musi być jakaś dyskrecja. Niezależnie od konfliktu interesów, nie chciałabym, żeby Bennett posądził mnie o sypianie z klientami.

— Racja, ale nie sądzę, żeby Bennett wyrywał się z krytyką.

Widziałem, jak jej nogi przysuwają się bliżej, zginają, w końcu Sara usiadła obok mnie na ciepłej trawie.

— Nie miałeś powodu przychodzić. Nie oczekiwałam cię tutaj i straciłam kontrolę.

— Do cholery, Saro. Nie miałem zamiaru macać cię pod stołem, chciałem tylko wpaść, zobaczyć cię i się przywitać. Mogłabyś być nieco bardziej elastyczna.

Minęło kilka sekund, nim uświadomiłem sobie, że Sara znów się śmieje: początkowo cicho, potem głośno, trzymając się za brzuch, wreszcie zgięła się wpół i ryczała ze śmiechu.

— Myślisz? — wydusiła z siebie.

Nie miałem pojęcia, czym wywołałem taką reakcję, więc siedziałem bez ruchu, wyobrażając sobie, że kiedy tuż pod bokiem mam kobietę, która prawdopodobnie traci rozum, mniej znaczy więcej.

W końcu Sara uspokoiła się i zaczęła wycierać oczy. Westchnęła.

— Tak, mogłabym być bardziej elastyczna. Uprawianie seksu z facetem w klubie, w sali bankietowej, magazynie, bibliotece…

— Ehm, Saro, nie miałem na myśli…

Uniosła dłoń, uciszając mnie.

— To dla mnie dobra lekcja. Sięganie coraz dalej jest procesem ciągłym. Jak tylko zatrzymuję się i zastanawiam, jak sobie radzę z jedną sprawą, zauważam, jak bardzo usztywniam się w innej.

Zerwałem długie źdźbło trawy i przemyślałem jej słowa.

— Powinienem był napisać.

— Prawdopodobnie.

— Ale wiesz, byłbym zachwycony, gdybyś nagle pojawiła się na spotkaniu w naszej firmie.

— Chcesz również iść ze mną na kolację, położyć mnie spać w pokoju gościnnym matki i może nawet piec ze mną ciasteczka albo coś podobnego.

— Ponieważ nie zależy mi, czy widują nas razem — powiedziałem, czując narastającą frustrację. — Czemu ty się tak bronisz?

— Bo ludzie zaczną się interesować — odparła, odwracając się do mnie. — Zaczną gadać i tworzyć niestworzone historie. Będą się domyślać, sprawdzać, kim jesteśmy i czego chcemy. Związki w świetle reflektorów nie wychodzą najlepiej, a jeśli przyznasz się, że ci zależy, nie dadzą ci spokoju.

— Racja — odparłem i kiwnąłem głową.

Słuchałem szumu wiatru w gałęziach, stłumionego przez liście. Dobrze się czułem w tym cichym schronieniu, daleko od pieszych, ptaków i wszystkich innych stworzeń, które mogłyby podsłuchać naszą rozmowę i moje ciche rozmyślania. Wewnątrz mnie wrzała świadomość, że pragnę Sary, że zawsze jej pragnąłem — od pierwszego dnia, w którym ją ujrzałem. Zaakceptowałem też prawdę, że oczekuję, iż w końcu ona zacznie mieć nadzieję na więcej i wtedy to ja będę ustalał granice, a nie ona.

— Max, mam w głowie zamęt — odezwała się w końcu cicho.

— Powiesz mi chociaż, dlaczego?

— Nie dzisiaj — odparła, spoglądając w górę, na gałęzie.

— Podoba mi się to, co robimy, ale czasem trudno utrzymać dystans.

Roześmiała się cicho, bez wesołości.

— Wiem.

I nagle pochyliła się do mnie i przycisnęła usta do moich.

Oczekiwałem delikatnego muśnięcia, dyskretnego pocałunku, który miał nas uspokoić po tym, jak przyznałem, że powinienem był ją uprzedzić, a ona przyznała, że zareagowała przesadnie. Jednak pocałunek okazał się znacznie głębszy, jej dłonie objęły moją twarz, usta otworzyły się, pragnąc więcej, w końcu Sara usiadła na moich udach.

— Dlaczego jesteś taki miły? — wyszeptała i znów mnie pocałowała, zagłuszając odpowiedź.

Jednak to pytanie wymagało odpowiedzi. Było zbyt ważne, żeby je zignorować i zamiast tego sięgać do jej bielizny czy zacząć ją pieścić pod drzewem. Odsunąłem się.

— Jestem miły, bo szczerze cię lubię.

— Czy ty czasem kłamiesz? — zapytała, szukając wzrokiem mojego spojrzenia.

— Oczywiście. Ale dlaczego miałbym oszukiwać ciebie?

Rozpogodziła się i z zamyśleniem pokiwała głową.

— Muszę wracać — wyszeptała po długiej chwili.

Nastrój momentalnie zmienił mi się z ciepłego i intymnego na zrezygnowany. Interesy jak zawsze. Co za bumerang z tej dziewczyny.

Wstała i otrzepała z trawy kolana i spódnicę.

— Chyba nie powinniśmy wracać razem.

Mogłem tylko kiwnąć głową, gdyż bałem się, że jak się odezwę, strzelę jej kazanie na temat mojej frustracji z powodu tych jej zasad nieujawniania się, zwłaszcza po tym, jak sama weszła mi na kolana pod drzewem.

Rzuciła mi długie spojrzenie, po czym pocałowała mnie raz, ostrożnie, w policzek.

— Też cię lubię.

Obserwowałem, jak się oddala, z głową uniesioną wysoko i wyprostowanymi ramionami. Dla całego świata wyglądała tak, jakby właśnie wracała z przechadzki po parku.

Rozejrzałem się w poszukiwaniu odłamków serca, które niemal rozrzuciłem po trawie.

ROZDZIAŁ
jedenasty

Powiedzieć, że moje spotkanie z Maxem w parku było dziwne, to spore niedopowiedzenie. Zdawałam sobie sprawę z mojej zbyt ostrej reakcji, ale szczerze? On też przesadził. Naprawdę tak się zmartwił moim zachowaniem w sali konferencyjnej? Pobiegł za mną? Co my wyprawiamy?

W poniedziałek wieczorem po powrocie do domu spędziłam dwie godziny, robiąc na kolację aebleskivery — drożdżowe kule smażone w głębokim tłuszczu i posypane cukrem, tradycyjnie podawane na śniadanie, ale niech tam. Musiałam zająć się czymś pracochłonnym. Przepis miałam od babci z Danii, a skupianie się na idealnym wykonaniu słodkości dało mi czas na myślenie.

Ostatnio rzadko zdarzało mi się myśleć.

Jednak gotowanie czegoś tak bardzo związanego z moją rodziną przypomniało mi o tęsknocie za domem, za rodzicami, za bezpieczeństwem i przewidywalnością życia, bez względu na to, czy było przygnębiające lub nieprawdziwe.

Sięgnęłam po telefon, nie zwracając uwagi na brudne ręce. Mama odebrała po siódmym dzwonku. Cała ona.

— Hej, kochanie! — W tle rozległ się odgłos czegoś spadającego na podłogę i zabrzmiało przekleństwo: — Niech to cholera!

— Wszystko dobrze? — zapytałam, uśmiechając się do słuchawki. Zadziwiające, jak te kilka słów sprawiało, że czułam się, jakbym znalazła grunt pod nogami.

— Świetnie, upuściłam tylko iPada. Wszystko dobrze u ciebie, córeczko?

Kiedy zadała to pytanie, przypomniałam sobie, że dzwoniłam do niej rano w drodze do metra.

— Tak, mamo, chciałam cię po prostu usłyszeć.

Zamilkła na chwilę.

— Tęsknisz?

— Trochę.

— Opowiedz — zażądała, a ja natychmiast przypomniałam sobie, jak przy stu innych okazjach mówiła dokładnie to samo, nakłaniając mnie do wyrzucenia z siebie wszystkiego.

— Spotkałam mężczyznę.

— Dzisiaj?

Skrzywiłam się. Od przeprowadzki kilka razy rozmawiałam z rodzicami, ale nigdy nie wspomniałam o Maxie.

O czym miałabym mówić? Nie chcieli słuchać o moim życiu seksualnym, a ja nie chciałam o nim opowiadać.

— Nie. Kilka tygodni temu.

Słyszałam niemal, jak mama opracowuje strategię najlepszej odpowiedzi. Takiej, by wesprzeć, ale i chronić. Jak trzeba się zachować, kiedy córka znów zaczyna spotykać się z mężczyznami po paskudnym zerwaniu w świetle reflektorów?

— Kto to?

— Tutejszy finansista. Lokalny. Zaraz... — pokręciłam głową, żałując, że nie mogę zacząć od początku. — To Brytyjczyk.

— O, cudzoziemiec, wspaniale! — Mama roześmiała się i przybrała głęboki, powolny akcent z południa. I znów zamilkła. — Mówisz mi o tym, bo to coś poważnego?

— Mówię ci o tym, bo nie mam pojęcia.

Uwielbiam śmiech mojej matki. Tęskniłam za nim.

— To najlepszy etap.

— Naprawdę?

— Jasne. Nie próbuj tego zmarnować. I oby twój były palant nie zmarnował ci zabawy.

Westchnęłam.

— Ale to wszystko takie niepewne. A przy Andym zawsze wiedziałam, czego oczekiwać. — Jak tylko wypowiedziałam te słowa, pożałowałam ich, a jej milczenie niosło zapowiedź burzy.

— Na pewno?

Tak dobrze mnie zna. Niemal widzę, jak stoi z założonymi rękami i żądzą mordu wypisaną na twarzy.

— Nie. Nieprawda.

— Masz wrażenie, że poznałaś tego faceta?

— To jest właśnie dziwne. Czuję się, jakbym go znała.

Nieważne, ile o tym myślałam, jak mało spałam tej nocy, mogę chyba powiedzieć, że nie miałam pojęcia, co się dzieje w głowie Maxa po tym, co się zdarzyło w poniedziałek. Najwyraźniej działało to trochę inaczej, niż założyłam: to on miał skakać z kwiatka na kwiatek, ja zaś byłam specjalistką od zobowiązań.

Podobno oboje chcieliśmy tylko seksu. A jednak nigdy nie chodziło tylko o seks. Od samego początku gnała nas chęć poznania się nawzajem, wiedziałam zresztą, że niezależnie od tego, jak bardzo chciałam zaszufladkować naszą relację pod hasłem „tylko seks", tak naprawdę nigdy nie będę osobą do tego zdolną. Przypomniałam sobie panikę na jego twarzy, kiedy mnie dogonił, i poczułam ukłucie winy.

„Saro, jeśli chodzi o skakanie po łóżkach dla początkujących, jesteś kompletnie do niczego".

W środę Max przesłał mi zdjęcie z naszego wieczoru w bibliotece. Przedstawiało brzeg mojej sukienki podciągnięty na plecy. Ujęcie proste, a brak ostrości wskazywał, że mój kochanek zrobił je pod koniec, kiedy czytałam już zupełnie niewyraźnie, a on doszedł zaraz po mnie, tłumiąc swoje stęknięcia w moim karku.

W czwartek dostałam zdjęcie, które oglądaliśmy razem na jego telefonie czwartego lipca — moje ręce rozpinające jego dżinsy. Odsunęłam materiał spodni na tyle, że widać było szare bokserki unoszące się na wzwodzie i lekki zarys penisa.

Oba zdjęcia dostałam tuż przed przerwą obiadową, a odebrałam je, pracując nad finalizacją dwóch dużych kontraktów. Usiłowałam przekonać samą siebie, że radosny zawrót głowy wynikał właśnie z tych umów, a nie z perspektywy zobaczenia go ponownie.

„Co za żałosna kłamczucha".

— Pytanie — odezwał się George, wchodząc bez pukania do mojego biura. — Czy mamy sto procent pewności, że Max Stella nie jest gejem? Zastanawiam się nad tym od czasu jego poniedziałkowej wizyty.

Zamrugałam, starając się przypomnieć sobie, czy może wypowiedziałam to imię na głos, czy George właśnie postępuje jak Chloe od spotkania z firmą Stella & Sumner, czyli rzuca w przelocie niedbałe aluzje i sprawdza moją reakcję.

— To prawie pewne.

— Może to bi?

Podniosłam na niego wzrok i upuściłam czerwony długopis na leżącą przede mną grubą teczkę.

— Szczerze? Naprawdę wątpię.

George z ciekawością uniósł brwi.

— Dowiedziałaś się o tym osobiście?

Rzuciłam mu moje najgroźniejsze spojrzenie, które wcale nie było groźne. Dzisiaj nie pozwolę George'owi na gierki.

— Zdobyłeś podpisy Millera i Corteza na umowie z Agent Provocateur?

Asystent spojrzał na mnie zmrużonymi oczami.

— No dobrze. Nie będzie więcej pytań. Ale proszę pamiętać, że panią podejrzewam, szanowna pani. Bardzo podejrzewam. Kiedy go zobaczyłaś w poniedziałek, wpadłaś tu, jakby ci majtki podpalili. I owszem, mam podpisy.

— Dobrze. — W tej chwili telefon na moim biurku zabrzęczał. Szybko obróciłam go ekranem w dół, po raz kolejny przypominając sobie, żeby zmienić ustawienia podglądu wiadomości na wypadek, gdyby Max przesłał mi kolejne zdjęcie.

Wyraz twarzy George'a był bezcenny; powściągnięcie ciekawości wydawało się sprawiać mu wręcz fizyczny ból.

— Jesteś słodki, ale idź już — powiedziałam mu.

— Kto do ciebie pisze?

— Dopóki się ze mną nie ożenisz i nie zaczniesz płacić moich rachunków, nie wypada ci zadawać tego pytania. Zresztą nawet wtedy raczej nie otrzymasz odpowiedzi.

— No dobrze — unosząc długi palec środkowy, wymaszerował z mojego biura i zasiadł za biurkiem.

Wstrzymując oddech, rzuciłam okiem na ekran. SMS był faktycznie od Maxa; krew niemal rozsadziła mi żyły.

„W weekend mam malowanie i wymianę wykładziny w biurze. W piątek po pracy muszę się pakować, więc chyba tu utknę".

„Więc zobaczę cię dopiero w przyszłym tygodniu?" — odpisałam szybko.

Natychmiast po naciśnięciu klawisza „Wyślij" zorientowałam się, jak bardzo desperacko to zabrzmiało. „No cóż, Saro. W rzeczy samej jesteś zdesperowana".

Po kilku minutach dostałam odpowiedź.

„Zapewne pamiętasz, gdzie mieści się moje biuro? Do zobaczenia o szóstej, kwiatuszku".

~

Jak wiele pięter w naszym budynku w piątek o osiemnastej biuro firmy Stella & Sumner niemal zupełnie opustoszało. Przy biurku na recepcji nie było już matki Maxa, a w boksach pozostało zaledwie kilka osób, które widziałam, idąc korytarzami do jego gabinetu.

Zapukałam cicho do drzwi. Głęboki głos zaprosił mnie do środka.

„Naprawdę utkwił mi w głowie ten facet" — uświadomiłam sobie na widok Maxa siedzącego za biurkiem, z zawiniętymi rękawami, w okularach w grubej oprawce. Na widok jego skupionej twarzy niemal zaparło mi dech.

Zauważyłam, że mina Maxa skoncentrowanego na pracy bardzo przypomina tę, którą przybierał, kiedy koncentrował się na obdarowywaniu Sary orgazmem.

— Bądź tak uprzejma i zamknij drzwi na klucz — mruknął, nie odwracając wzroku od monitora.

Obróciłam się, przekręciłam klucz i znów rozejrzałam się po pomieszczeniu. Jak długo tu posiedzimy? Kiedy na mnie spojrzy i powie, że wyglądam pięknie? Bardzo się przyzwyczaiłam do naszych małych rytuałów.

Jego biuro w żaden sposób nie wyglądało tak, jakby czekał je remont. Max dopiero zaczął chować swoje rzeczy; pod jedną ze ścian leżały stosy książek i papierów, a w kącie piętrzyło się co najmniej dwadzieścia pustych kartonów czekających na napełnienie.

— Na pewno będzie ci tu ze mną nudno, jestem egoistą, że cię o to poprosiłem, ale proszę, zdejmij ubranie.

Poczułam, że szczęka mi opada, i wytrzeszczyłam oczy.

— Co takiego?

— Ubranie. Zdejmij je — powtórzył i zsunąwszy okulary na czubek nosa, wreszcie spojrzał na mnie. — Spodziewałaś się, że pozwolę ci zostać w ciuchach? — pokręcił głową, nasunął okulary z powrotem wyżej i odwrócił się do komputera. — Cholera, nie cierpię pakowania. Widok ciebie nagiej będzie jedynym jasnym punktem dzisiejszego wieczoru.

— Hm — odparłam, starając się wymyślić odpowiedź. Poprzednia Sara na pewno nigdy nie spodziewałaby się, że będzie w stanie swobodnie siedzieć nago w obecności drugiej osoby. I właśnie dlatego chciałam to zrobić. Podeszłam do kanapy i zdjęłam przez głowę mój kaszmirowy sweter z krótkimi rękawami, zsunęłam z nóg baleriny z wyhaftowaną flagą brytyjską i wydobyłam się z ciasnych ciemnych dżinsów, mrucząc:

— Nawet nie zauważyłeś moich butów.

— Oczywiście, że zauważyłem. Boże, chroń królową — powiedział sarkastycznie, mrugając do mnie. — Jeśli chodzi o ciebie, Saro, to nic mi nie umyka.

— Czyżby?

— Pytaj.

— Gdzie mam znamię?

— Po prawej stronie pod ostatnim żebrem.

— Które moje piegi lubisz najbardziej?

„Podchwytliwe" — pomyślałam, gdyż piegów mam raczej niewiele.

— Te na nadgarstku.

Spojrzałam na mój nadgarstek. Byłam pod wrażeniem.

— Co mówię, kiedy dochodzę?

— Kiedy dochodzisz, wydajesz tylko nieartykułowane dźwięki. Ale jak już jesteś blisko, szepczesz „proszę", wiele razy, jakbym mógł ci tego odmówić.

— Jak smakuje moja cipka? — zapytałam. Jego spojrzenie przeskoczyło z ekranu na mnie. Stłumiłam szeroki uśmiech, zsunęłam z nóg bieliznę i wyszłam z niej.

— Niektóre smakują normalnie. Twoja smakuje jak dobra cipka — wstał i podszedł do mnie. — Połóż się na kanapie z głową tutaj — ułożył mi ją na oparciu skórzanej kanapy, która była zaskakująco wygodna. — Kolana w górę, nogi rozłożone.

Otworzyłam szerzej oczy, lecz zrobiłam, co powiedział. Uśmiechnęłam się, kiedy odsunął mi włosy z czoła i poprawił, jakbym była dziełem sztuki wiszącym na ścianie.

— „Narysuj mnie, jak jedną ze swoich francuskich dziewczyn, Jack" — zacytowałam, spoglądając na niego.

— Co za tupet — uszczypnął mnie w pośladek.

Na próbę zsunęłam nieco kolana, kiedy odwrócił się, by odejść.

— Szerzej! — zawołał przez ramię.

Roześmiałam się i wróciłam do poprzedniej ustawionej przez niego pozycji.

Max wrócił z książką, którą mi wręczył.

— Możesz się tym zająć, podczas gdy ja będę pracował.

— A ty się nie rozbierzesz?

— Zwariowałaś? — uśmiechnął się szeroko. — Muszę się pakować.

Spojrzałam na książkę w moich rękach. Na okładce widniał mężczyzna z nagim torsem, kotem i półnagą kobietą u stóp. *Kocie pazury.*

— Wygląda… interesująco — odezwałam się, przerzucając strony w poszukiwaniu streszczenia. — Facet ma dwoje partnerów. Jeden to człowiek o imieniu Kot. Ona z kolei ma kotołaka — uniosłam na niego wzrok. — Jako zwierzę domowe. Z którym oboje uprawiają seks.

— Brzmi interesująco.

— Kupiłeś to na wyprzedaży, prawda?

— Owszem. Wygląda na oszałamiająco prymitywne, więc wiedziałem, że ci się spodoba — odwrócił się i zaczął zbierać przedmioty z biurka. — A teraz cisza, kwiatuszku. Jestem bardzo zajęty.

Początkowo nie bardzo mogłam się skupić na książce, lecz z upływem minut, kiedy Max pogrążył się w pakowaniu, powoli zapominałam, że siedzę na jego kanapie. Sama.

Nagusieńka.

Książka, którą mi dał, była niedorzecznie nieprzyzwoita, jak również pełna pustosłowia. Napisano ją fatalnie, ale zapewne nie chodziło w niej o doskonałość stylu.

Przewijali się liczni mężczyźni i kobiety, zbyt wiele dywagacji, żeby nadążyć za wątkiem — ale przecież to nie było istotne. Liczył się seks i jego opisy. Części ciała, które u każdego bohatera były twarde lub ociekające. Lub jedno i drugie. Ludzie wrzeszczeli albo — czasami dosłownie — wbijali pazury, w co się dało.

A bohater siedział w kącie i się przyglądał.

— Rumienisz się. — Max odłożył stos książek i pochylił się przez biurko, żeby mnie lepiej widzieć. — Od piętnastu minut czytasz i coś, co właśnie przeczytałaś, przyprawiło cię o mocny rumieniec.

Spojrzałam na niego i skrzywiłam się.

— To tylko pewne słowo na „p". Trochę mnie oszołomiło.

— Pizda?

Kiwnęłam głową, z zaskoczeniem stwierdzając, że wypowiedziane przez niego z akcentem wulgarne słowo mnie podnieca. Prawie nie wymawiał „d", przez co je zmiękczył, uczynił znacznie bardziej seksownym.

— Uwielbiam to słowo, jest soczyście wulgarne. Pizda. Brzmi nieprzyzwoicie, prawda? — podrapał się po brodzie z namysłem i spojrzał na mnie. — Przeczytaj mi tę linijkę.

— Ja nie…

— Saro.

O ile to możliwe, zaczerwieniłam się jeszcze ogniściej.

— „Chwycił ją za nogi, rozsunął i wbił wzrok w jej wilgotną, zaczerwienioną… pizdę".

— No, no — roześmiał się. — Naprawdę brzmi nieźle — wrócił do biurka i zaczął porządkować papiery. — Przy kolacji opowiesz mi o fragmentach, które najbardziej ci się spodobały — zaczęłam protestować, ale on uciszył mnie, przykładając palec do swoich ust. — Czytaj.

Gapiłam się na stronę, a litery rozpływały mi się przed oczami. Jaka kobieta robi tyle problemów z powodu kolacji?

„Kobieta — pomyślałam — która wie, że kolacja prowadzi do wspólnej nocy, a to z kolei do kolejnej wspólnej nocy… każdej nocy razem".

A potem są klucze do mieszkania i wspólne mieszkanie. A potem pojawiają się wymówki, seks bez polotu, później w ogóle brak seksu i brak rozmowy, i nadzieja, że pojawi się jakieś wyjście na imprezę w świetle reflektorów, co dałoby możliwość spędzenia czasu razem.

A jednak żałowałam, że nie zostałam u Maxa czwartego lipca. W ciągu tygodnia też zaczynało mi go brakować.

„Cholera".

Zakaszlałam i zamknęłam oczy.

— Wszystko w porządku? — wymruczał Max z przeciwnej strony pokoju.

— Tak.

Po dwudziestu minutach, kiedy przeczytałam jakieś kolejne siedemnaście scen, Max podszedł do mnie, przesunął dłonią od mojego obojczyka do kolana i wyszeptał:

— Zamknij oczy. Nie otwieraj ich, dopóki ci nie powiem.

— Strasznie się dzisiaj rządzisz — stwierdziłam, upuszczając książkę na podłogę i robiąc, o co poprosił.

Niemal natychmiast słuch tak mi się wyostrzył, że pokój zaczął niemal wibrować. Usłyszałam szczęk rozpinanego paska, zgrzyt zamka i ciche westchnienie.

Czyżby on...

Słyszałam delikatne pocieranie dłoni o skórę, najpierw powolne, potem coraz gwałtowniejsze i mocniejsze. Oddychał szybko, z wysiłkiem.

— Chcę popatrzeć — wyszeptałam.

— Nie — odparł ze ściśniętym gardłem. — To ja na ciebie patrzę.

Nigdy dotąd nie widziałam, jak ktoś się masturbuje, i trzymanie oczu zamkniętych okazało się torturą. Dźwięki drażniły, tak jak jego ciche stęknięcia i polecenia, żebym szerzej rozłożyła nogi lub dotknęła piersi.

— Przy książce zrobiłaś się mokra — zauważył i usłyszałam, jak jego dłoń na penisie przyspiesza. — Jak bardzo?

Sięgnęłam w dół, nie otwierając oczu, i sprawdziłam. Nie musiałam nawet nic mówić; jęknął i zaklął znajomym, głębokim głosem, dochodząc do końca.

Chciałam zobaczyć jego twarz, lecz wciąż miałam zaciśnięte powieki, a serce waliło mi mocno.

Nagle w pokoju zapadła cisza, przerywana tylko naszymi ciężkimi oddechami. Poczułam podmuch z klimatyzacji, biegnący nad moją głową, i strumień chłodnego powietrza owiewający moją rozpaloną skórę.

Wreszcie Max zapiął spodnie.

— Zaraz wracam, muszę się umyć.

Jego kroki oddaliły się, rozległ się dźwięk otwieranych drzwi i jego cichy śmiech.

— Możesz już otworzyć oczy — powiedział, wychodząc.

Miałam wrażenie, że w ciągu ostatnich dziesięciu minut w pokoju zapadła ciemność. Dłoń wciąż trzymałam między nogami, a w uszach jeszcze rozbrzmiewał mi odgłos jego orgazmu. Pogłaskałam się na próbę i zdałam sobie sprawę z tego, że szybko mogłabym skończyć. Krócej niż w minutę. Na pewno przed jego powrotem.

Nie wahając się dłużej, wygięłam ciało w łuk, przypominając sobie odgłos jego dłoni, szybkość poruszeń, jego ciche stęknięcia i polecenia. Z jaką łatwością mówił mi o tym, czego potrzebuje.

Tak dobrze się rozumieliśmy i zachowywaliśmy doskonałą równowagę.

To takie proste.

Przy tej myśli po udach przebiegł mi dreszcz orgazmu, pobiegł w górę, rozpalając gwiazdy pod powiekami i sprawiając, że straciłam dech.

Drzwi się otworzyły. Natychmiast położyłam rękę na szyi, na pulsującej gwałtownie tętnicy. Na próżno starałam się wyrównać oddech i ukryć dyszenie. Nie wiem, dlaczego po tym, co przed chwilą zrobił Max, czułam się tak, jakby przyłapał mnie na wykradaniu ciasteczek. A jednak tak się czułam.

Max uśmiechnął się, podszedł do mnie i usiadł na kanapie przy moich biodrach. Przesunęłam się, robiąc mu miejsce. Oparł dłoń na oparciu, pochylił się i oderwał mi palce od ust.

— Udany masaż, kwiatuszku?

— Gdybyś został i popatrzył, nie musiałbyś pytać — odparłam, walcząc z rumieńcem wypełzającym mi na szyję.

— To nic — wymruczał, ssąc moją szyję. — Później obejrzę film — wstał, podszedł do otwartej szafki i wcisnął guzik w aparacie, którego nawet nie zauważyłam.

— Coś ty zrobił?

Odwrócił się z szatańskim uśmieszkiem.

— Nagrałeś to? — zapytałam. Nigdy jeszcze nie czułam się tak rozdarta. Nakryto mnie — to przerażające. Obserwowano mnie — wspaniałe.

— Owszem.

— Max, moja twarz…

Zmarszczył brwi.

— Wycelowałem obiektyw niżej i ułożyłem cię dokładnie w miejscu, w którym miałaś leżeć. Twoja twarz się nie nagrała. — Podszedł do mnie i klęknął obok kanapy. — Szkoda zresztą, gdyż uwielbiam obserwować, jak odlatujesz.

Koniuszkiem palca przeciągnął po moim policzku, przez chwilę przyglądał się mojej twarzy, w końcu chyba wrócił do rzeczywistości.

— Na kolację chciałem coś tajskiego, ale masz alergię na orzeszki ziemne, a w mojej ulubionej knajpce dodają je do wszystkiego. Może kuchnia etiopska? Nie przeszkadza ci jedzenie rękami? — uśmiechnął się szeroko.

— Zapewniam cię, że nikt nie ma tam pojęcia, kim jestem.

Gapiłam się na niego oszołomiona, całkowicie zapomniawszy, że miałam się sprzeciwić wyjściu na kolację.

— Skąd wiesz, że mam alergię na orzeszki?

— Nosisz bransoletkę alergików.

— Przeczytałeś, co jest na niej napisane?

Wydawał się szczerze zdziwiony.

— Nosisz ją po to, żeby nikt nie wiedział?

Pokręciłam głową, usiadłam i przesunęłam dłońmi po włosach. Mój ukochany ledwie mnie zauważał, podczas gdy mężczyzna, od którego chciałam tylko seksu, nie przepuścił najmniejszego szczegółu.

— Etiopska kuchnia brzmi doskonale — wyszeptałam ku własnemu zaskoczeniu.

~

Max wyprowadził mnie na tył budynku do czarnego samochodu stojącego w uliczce nieopodal.

— Naprawdę? — zapytałam, kiedy otwierał przede mną drzwi. — Paparazzi jeżdżą za tobą do domu?

Roześmiał się i delikatnie popchnął mnie na tylne siedzenie.

— Nie, kwiatuszku. Aż tak sławny nie jestem. Czają się na mnie tylko na imprezach lub czasami na ulicy. Dyskrecja to twoja paranoja, nie moja.

— Królowa Saby. Piekielna Kuchnia — powiedział do kierowcy i odwrócił się do mnie. — Dzięki za dotrzymanie towarzystwa przy pakowaniu. To straszna nuda, a dzięki tobie zrobiło się bardzo sympatycznie.

— Ale niewiele zdziałałeś. To nie był twój wieczór na pracę, co? — Pochyliłam się do przodu i uniosłam brwi, robiąc najbardziej sceptyczną minę, na jaką było mnie stać.

Max uśmiechnął się i zapatrzył w moje usta.

— Złapałaś mnie. Ściągnąłem cię do biura, żeby zapamiętać cię nagą na mojej kanapie. Jutro przyjdzie wynajęta ekipa spakować wszystko przed przyjazdem malarzy — przysunął się do mnie i pocałował delikatnie. — Czasami w pracy chciałbym cię widzieć częściej. Podobałaś mi się w tym miejscu.

Poprawiłam się na siedzeniu, czując, jakby świat stanął na głowie.

— Naprawdę nie wierzyłam, że istnieją tacy mężczyźni jak ty — powiedziałam bez namysłu. — Uczciwi. Bezkonfliktowi — spojrzałam na niego.

— Mówiłem ci już. Lubię cię.

Wyciągnął rękę, przysunął mnie bliżej i przez resztę drogi nie odrywał warg od moich ust. Trwało to może minutę, może godzinę, a może tydzień, nie mam pojęcia. Jednak kiedy dotarliśmy do Piekielnej Kuchni, nie miałam ochoty wysiadać i nie przejmowałam się tym, że mam coraz większą nadzieję na to, że Max mnie poprosi o wspólne spędzenie nocy.

~

Kelnerka postawiła przed nami duży półmisek z kawałkami warzyw rozłożonymi wokół brzegu.

— Bierze się chlebek *injera* i zbiera nim jedzenie — powiedział Max, oderwał kawałek i pokazał, jak się to robi.

Przyglądałam się, jak oblizuje palce, przeżuwa i uśmiecha się do mnie.

— Co? — zapytał.

— Eee... — zająknęłam się — twoje usta.

— Podobają ci się? — znów wysunął język, przesunął nim po kącikach ust, po czym uniósł kieliszek i upił porządny łyk wina.

Poczułam się jak pijana, a na pewno byłam zdezorientowana i kompletnie niepohamowana. Pod stołem zacisnęłam pięści, kiedy przez głowę przebiegły mi myśli, by poprosić go, żeby zabrał mnie do domu i podotykał.

Pomijając pocałunki w samochodzie, prawie mnie dzisiaj nie tknął. Czy to było celowe? Próbuje doprowadzić mnie do szału? Jeśli tak, to gratulacje, cel osiągnięty.

Zamrugałam i spojrzałam na półmisek, po czym powtórzyłam jego czynności: oderwałam kawałek chleba, zebrałam w niego soczewicę i ugryzłam. Jedzenie było ostre, ciepłe i doskonałe. Przymknęłam oczy i zamruczałam:

— Pyszne...

Czułam, jak mi się przygląda, a kiedy na niego spojrzałam, uśmiechnął się.

— Co? — zapytałam.

— Wiesz, na czym polega moja praca, wiesz, że moja mama pracuje u mnie w firmie i że mam przynajmniej jedną siostrę. Wiesz o Cecily. A ja wiem o tobie — oprócz tego, że jesteś fantastyczna w łóżku — jedynie to, że trochę ponad miesiąc temu przeniosłaś się tutaj z Chicago, zostawiłaś tam niezłego palanta oraz że pracujesz z Benem i jego narzeczoną.

Poczułam niepokój w żołądku i wmusiłam w siebie kęs jedzenia.

— Cóż, chyba jednak wiesz nieco więcej niż na początku.

— O, moje obserwacje wypełniłyby tomy. Ale mówię o tym, co wiem.

— Wiesz, gdzie mieszkam, gdzie pracuję, wiesz o moim uczuleniu na orzeszki.

— Saro, minęło kilka tygodni. Dziwne, że wciąż trzymasz mnie na taki dystans — zamrugał. — Nie jestem pewien, czy na zawsze uda nam się zostać nieznajomymi.

— Ale dobrze nam idzie bycie nieznajomymi — zażartowałam, jednak kiedy twarz mu się wydłużyła, zmiękłam. — Co chcesz wiedzieć?

Przyjrzał mi się; gęste ciemne rzęsy opadły mu na policzki, kiedy zastanawiając się, przymknął oczy. Był olśniewający; w głowie mi huczało jak od młota pneumatycznego.

Uniósł powieki.

— Miałaś kiedyś psa? — zapytał.

Roześmiałam się.

— Tak. Tata zawsze wolał dalmatyńczyki, ale mama ostatnio ma obsesję na punkcie labradoodla.

— Słucham?

— Skrzyżowania labradora i pudla.

Pokręcił głową i uśmiechnął się.

— Wy, Amerykanie, zawsze musicie schrzanić nasze kanoniczne rasy. Dlaczego tak się boisz być z kimś? — zapytał.

Wydobyłam z siebie kilka nieartykułowanych dźwięków, uniosłam kieliszek wina do ust i upiłam. Max roześmiał się i machnął ręką.

— Tylko sprawdzam, jak daleko mogę się posunąć. Masz rodzeństwo?

Z ulgą pokręciłam głową.

— Jestem jedynaczką. Moi rodzice to wariaci, więc dzięki Bogu nie mają więcej dzieci, to by ich zabiło.

— Dlaczego?

— Oboje są… ekscentryczni — wyjaśniłam, uśmiechając się na samą myśl o nich.

„Ekscentryczni" to za słabe określenie. Wyobraziłam sobie mamę w jednej z peruk z piórami i w tej jej całej biżuterii; tatę w grubych okularach, eleganckich koszulach z krótkimi rękawami i muszkach. To ludzie nie z tych czasów — niemal nie z tej planety — ale dzięki ich dziwactwom jeszcze łatwiej jest ich kochać.

— Tata zawsze dużo pracował, a w wolnym czasie ma swoje pasje, które zmieniają się co chwila. Mama lubi się czymś zajmować, ale tata nigdy nie chciał, żeby pracowała poza domem. Ona wychowała się w Teksasie i poznała mego ojca na studiach. Studiowała matematykę, ale po ślubie sprzedawała kosmetyki, pracując w domu, a potem handlowała jakimiś zwariowanymi ubraniami z niegniotącej się bawełny. Ostatnio sprzedaje preparaty do pielęgnacji skóry.

— A co dokładnie robi twój tata?

Zawahałam się chwilę. Jak może o to pytać? Naprawdę nic o mnie nie wie?

— Moje nazwisko brzmi Dillon, prawda?

Z ciekawością kiwnął głową.

Max to Brytyjczyk. Zapewne nigdy nie słyszał o Dillonach.

Mówiąc mu o tym, czułam, jakbym zdejmowała z siebie ciężkie żelazne łańcuchy. Ulga. Łatwiej zostawić je tam, gdzie są, niż się z nimi szarpać. Przez całe życie ludzie zaczynali patrzeć na mnie inaczej, kiedy już dowiedzieli się, kim jest moja rodzina; zastanawiałam się, czy Max zareaguje tak samo.

Wzięłam głęboki oddech i spojrzałam na niego.

— Moja rodzina posiada sieć domów handlowych. Działają na skalę regionalną, na Środkowym Zachodzie, ale naprawdę dobrze tam sobie radzą.

Zamilkł i zmrużył oczy.

— Chwila. Dillon? Sieć Dillon — Kochaj Życie?

Kiwnęłam głową.

— Aha. Okej. Twoja rodzina to właściciele tych sklepów. No dobrze.

Max przesunął dłonią po twarzy i roześmiał się sam do siebie, kręcąc głową.

— Cholera, Saro. Nie... nie miałem pojęcia. Czuję się jak idiota.

— A mnie się podoba, że nie zdawałeś sobie sprawy z tego, kim jestem — poczułam ciężar w żołądku, kiedy uświadomiłam sobie, że teraz, wiedząc, że jestem kimś, zapewne wrzuci mnie w wyszukiwarkę. Dowie się o Andym i o tym, jaką byłam idiotką, nie domyślając się tego, co było tajemnicą poliszynela.

Max dowie się, że zanim zostałam jego tajemniczą nieznajomą, służyłam komuś za wycieraczkę do butów.

Odwróciłam wzrok, czując, jak dobry nastrój ulatuje. Nie miałam ochoty omawiać naszego życia, przeszłości czy historii rodzinnych. Rozpaczliwie szukałam innego tematu.

Jednak Max odezwał się pierwszy.

— Wiesz, co mnie w tobie fascynuje? — zapytał, nalewając mi kolejny kieliszek wina miodowego.

— Co?

— To, co pozwalałaś mi robić pierwszej nocy, kiedy się poznaliśmy, i tamtego pierwszego wieczoru w magazynie na Brooklynie. A dzisiaj zaczerwieniłaś się na dźwięk słowa „pizda".

— No co! — roześmiałam się, upijając łyk alkoholu.

— Podoba mi się to. Podoba mi się ten twój wewnętrzny konflikt i twoja słodycz. Podoba mi się, że mimo obłędnie bogatej rodziny potrafisz włożyć tę samą sukienkę na kilka imprez — oblizał usta i rzucił mi drapieżny uśmiech. — A najbardziej podoba mi się to, że widać, jak dobrym jesteś człowiekiem, a jednak pozwalasz mi, żebym robił ci takie złe rzeczy.

— Według mnie nie są złe.

— Właśnie o to chodzi. W opinii większości ludzi popełniłaś szaleństwo, przyjeżdżając do mnie do magazynu. Amerykańska dziedziczka fortuny pozwala zboczonemu Brytyjczykowi fotografować się nago. Dzisiaj wieczorem w moim biurze pozwoliłaś się nagrać w czasie masturbacji, dla samego dreszczyku emocji towarzyszącego świadomości, że będę to oglądał. Ale sama mnie o to prosiłaś.

Odchylił się na krześle, nie spuszczając ze mnie wzroku. Wydawał się poważny, niemal zakłopotany.

— Jestem facetem, więc nie powiem: nie. Ale nie wierzyłem, że istnieją kobiety takie jak ty. Tak naiwne w sprawach oczywistych, a tak seksualnie wyzwolone, że przyjacielski, czuły numerek w łóżku nigdy im nie wystarczy.

Uniosłam kieliszek i napiłam się, podczas gdy on obserwował moje usta. Oblizałam je i uśmiechnęłam się do niego.

— Jak się zdaje, większości kobiet nie wystarcza tylko przyjacielski, czuły numerek w łóżku.

Roześmiał się.

— Punkt dla ciebie — mruknął.

— I dlatego właśnie gonią za tobą fotografowie i kobiety — dodałam, spoglądając na niego znad kieliszka.

— Chodzi o coś więcej niż o tę historię z Cecily, gdyż wtedy straciliby zainteresowanie po kilku tygodniach. Ale ty jesteś facetem z gazet, który co chwila pojawia się z inną kobietą, a żadna nie może go usidlić. Jesteś facetem, który wie, jak postępować z kobietami.

Max otworzył szerzej oczy, a jego źrenice przybrały kolor nocnego nieba.

— Ostatnio nie sypiam co wieczór z inną.

Nie zwracając na niego uwagi, dokończyłam myśl.

— Kobiety nie zawsze chcą być traktowane jak delikatne, rzadkie lub drogocenne istoty. Chcemy być pożądane. Chcemy seksu tak samo ostrego jak wy. A ty o tym wiesz.

Max oparł się na łokciach i przyjrzał mi się uważnie.

— Ale dlaczego czuję, że to ty dajesz mi coś wyjątkowego? Coś, czego nigdy dotąd nikomu nie dałaś?

— Bo taka jestem.

Otworzył usta, żeby coś powiedzieć, ale w tej chwili mój telefon zadzwonił na stole. Spojrzeliśmy oboje na wyświetlacz, ja ze świadomością, że Max doskonale widzi, kto dzwoni.

Andy.

ROZDZIAŁ
DWUNASTY

Odprowadziłem Sarę do taksówki i patrzyłem, jak tylne światła samochodu nikną w ciemności.

Cholera.

Przy kolacji zignorowała telefon, spojrzała tylko na wyświetlacz i wyciszyła dźwięk, więc jej komórka tylko wibrowała na stole. Zdążyłem jednak zauważyć, kto dzwoni, i zauważyłem także reakcję Sary.

Andy.

Nigdy jeszcze nie widziałem, żeby ktoś tak nagle zamknął się w sobie; jakby nagle przekręcono wyłącznik i światło w jej twarzy zgasło. Zaczęła grzebać w talerzu i zrobiła się małomówna, wycofana, przez resztę posiłku odpowiadała monosylabami. Starałem się ożywić nastrój, opowiedziałem kilka dowcipów i bezwstydnie z nią flirtowałem, ale… nic. Po dziesięciu minutach Sara położyła kres naszej wspólnej męczarni, udając, że boli ją głowa, i upierając się, że weźmie taksówkę do domu. Sama.

Cholera.

Gapiłem się na pustą ulicę, podczas gdy do krawężnika podjechał mój samochód i stał cicho na jałowym biegu. Machnięciem dłoni powstrzymałem kierowcę, sam otworzyłem drzwi i wsiadłem.

— Dokąd, proszę pana?

— Do domu, Scott — odparłem, opadając na oparcie.

Ruszyliśmy, obserwowałem miasto, które coraz szybciej przepływało za oknami, a z każdą mijaną przecznicą nastrój pogarszał mi się coraz bardziej.

A już tak dobrze szło. Wreszcie Sara zaczynała się otwierać i wpuszczać mnie do skarbca swojego umysłu. Wciąż nie mogłem dojść do siebie po odkryciu, że jej rodzice są właścicielami jednej z największych sieci luksusowych sklepów w kraju. I jeszcze ten Andy. Niech szlag trafi jego i jego komórkę.

Poczułem gniew i przez moment zastanawiałem się, jak często rozmawiają. Sześć lat to kawał czasu, mają wspólną przeszłość, którą trudno zamieść pod dywan; nie wiem, czemu założyłem, że gość całkowicie zniknął z jej życia. Rozumiem, że Sara nie chce kolejnego związku, lecz jej narzucony dystans wydawał się świadczyć o czymś więcej.

Może facet chce, żeby do niego wróciła.

Zmarszczyłem się, kiedy ta myśl pojawiła mi się w głowie. Okropne uczucie.

Oczywiście, że chce, żeby do niego wróciła, jakżeby inaczej? Po raz setny zacząłem się zastanawiać, co właściwie zaszło między nimi i dlaczego tak bardzo wzbraniała się mi o tym opowiedzieć.

Jechaliśmy przez centrum i niemal już dotarliśmy do mojego apartamentu, kiedy telefon zawibrował mi w kieszeni.

„Wróciłam bezpiecznie. Dzięki za kolację. XX"

No to wieczór do luftu.

Ponownie przeczytałem wiadomość i zastanowiłem się, czy nie zadzwonić, wiedząc, że sprawa jest z góry przegrana. Cholerna uparciucha z tej Sary. Napisałem przynajmniej dziesięć różnych odpowiedzi i wszystkie skasowałem przed wysłaniem.

Problem w tym, że ja chciałem o tym porozmawiać, a ona nie. Drugi polegał na tym, że przestawiłem sobie jaja i kręgosłup.

— Scott, czy mógłbyś pojeździć trochę w kółko? — zapytałem. Kierowca kiwnął głową i z parku skręcił na północ. Przerzuciłem kontakty i nacisnąłem klawisz przy imieniu Willa. Odebrał po drugim sygnale.

— Cześć. Co tam?

— Masz chwilę? — zapytałem, spoglądając na ulicę.

— Jasne, sekunda… — Rozległo się szuranie, potem szczęk zamykanych drzwi. Po chwili Will znów się odezwał. — Wszystko dobrze?

Położyłem głowę na oparciu, niepewny, od czego zacząć. Wiedziałem tylko, że muszę obgadać moją dezorien-
tację z drugą osobą i niestety na nieszczęście dla Willa
wybrałem jego.

— Nie mam pojęcia.

— Trochę to enigmatyczne. Nie dostałem e-maila
o pożarze w firmie, więc zakładam, że nie chodzi o pracę.

— Niestety nie.

— No dobra... a czy przypadkiem nie miałeś na dzisiaj wieczór jakichś planów?

— Właśnie chyba dlatego dzwonię — przyznałem
i podrapałem się po szczęce. — Jezu, nie wierzę, że ze-
brało mi się na coś takiego. Potrzebuję tylko chyba...
żeby ktoś mnie wysłuchał. Może wypowiedziane na głos
nabierze to sensu.

— Zapowiada się nieźle — stwierdził mój kumpel,
chichocząc do telefonu. — Zaraz, tylko się rozsiądę wy-
godnie.

— Wiesz, że spotykam się z kobietą.

— Posuwasz. Posuwasz kobietę.

Zamknąłem oczy.

— Will.

— Tak, Max, kojarzę twoją superlaskę. Tajemniczy
związek oparty tylko na seksie z kobietą, która sprzeciwia
się zdjęciom i który na pewno nie skończy się zbyt szybko.

Westchnąłem.

— No to... — wymamrotałem. — Znaczy... to zostanie między nami, prawda?

— Oczywiście — odparł z wyraźną urazą. — Może jestem dupkiem, ale dupkiem godnym zaufania. Poza tym może powinieneś jednak być tutaj, żebyśmy, hm, nie wiem, na przykład mogli malować sobie nawzajem paznokcie, jak będziemy omawiać swoje uczucia?

— To Sara Dillon.

Milczenie.

„No to go uciszyłem".

— Will?

— Cholera jasna.

— Właśnie — powiedziałem, masując sobie skroń.

— Sara Dillon. Sara Dillon z Ryan Media Group.

— Ta sama. To się zaczęło, zanim jeszcze się dowiedziałem, że pracuje z Benem.

— Niech to. Z pewnością jest atrakcyjna, oczywiście, ale wydaje się... zdystansowana. Kto by ją o to posądzał. Miłe.

A ponieważ wypowiedzenie prawdy na głos sprawiło mi ulgę, mówiłem dalej.

— Zaczęło się jak przygoda na krótko. Wiem, że ona mnie wykorzystuje, żeby się zabawić i próbować czegoś nowego.

— Nowego?

Podrapałem się po policzku i skrzywiłem nieco.

— Lubi uprawiać seks w miejscach publicznych — przyznałem.

— No co ty! — roześmiał się Will. — To w ogóle niepodobne do tej Sary Dillon, którą znam.

— Pozwala mi też robić sobie zdjęcia.

— Zaraz... co takiego?

— Zdjęcia, a czasami więcej. Nas razem.

— Ciebie...

— Jak ją posuwam.

Milczenie przeciągnęło się przez kilka chwil; przysiągłbym, że Will mruga z prędkością światła, jak zwykle. Chrząknął.

— No dobra, seks w miejscach publicznych brzmi świetnie, ale zdjęcia w czasie seksu robił sobie każdy znany mi facet.

— Do czego zmierzasz, palancie?

— Nie nadążasz za trendami, dupku.

— Will, mówię cholernie poważnie.

— W porządku. No to w czym problem?

— Problem w tym, że dzisiaj po raz pierwszy udało mi się ściągnąć ją do restauracji. Jak się dowiedziałem, jej rodzice są właścicielami cholernej sieci Dillon, Will. Znasz te sklepy, prawda? Do wczoraj nawet tego nie wiedziałem.

Przez moment Will się nie odzywał, a potem zaśmiał się cicho.

— Nieźle.

— No więc wreszcie zaczęliśmy sobie normalnie rozmawiać, kiedy nagle dzwoni ten jej były palant.

— Aha.

— Jest oczywiste, że to on wyciął jej paskudny numer, ale ona od razu zamknęła się w sobie i jak najszybciej uciekła. Może się ze mną pieprzyć do utraty tchu, ale nie chce mi powiedzieć, dlaczego przez ponad miesiąc nie chciała pójść ze mną na zwykłą kolację.

— Hm. Hmmm.

— Jej rodzice posiadają sieć sklepów, wychowała się w Chicago. I tyle. Tak naprawdę nic o niej nie wiem.

— No.

— Will, czy ty w ogóle mnie słuchasz?

— Oczywiście, że słucham. Nic o niej nie wiesz.

— Właśnie.

— A... wrzuciłeś ją w Google? — zapytał.

— Jasne, że nie — odparłem.

— Dlaczego?

Jęknąłem.

— Przecież już o tym gadaliśmy po awanturze z Cecily. Wyszukiwanie znajomych w Google nie przynosi niczego dobrego.

— No dobrze, ale kiedy pracujesz z kimś nowym, wrzucasz jego nazwisko w wyszukiwarkę, prawda?

— Oczywiście.

— Toteż Sarę wyszukałem od razu, jak tylko dowiedziałem się, że będzie jedną z moich osób kontaktowych w RMG. Faktycznie dowiedziałem się ciekawych rzeczy.

Gardło mi się ścisnęło; na próżno szarpałem za kołnierzyk.

— Opowiedz mi, czego się dowiedziałeś, Will.

Roześmiał się.

— Nie ma mowy. Wykaż się jajami i sam to zrób, tylko podwiąż je sobie, jak ci się będzie laptop otwierał. A teraz, cóż, miło się gawędziło, ale muszę iść. Mam gości.

~

Poleciłem Scotty'emu, aby wracał pod moje mieszkanie. W domu w ciągu pięciu minut znalazłem się przy komputerze i wpisałem w wyszukiwarkę nazwisko Sary Dillon. A niech to jasna cholera.

To nie była jedna czy dwie wzmianki; wyskoczyło mi wiele stron wyników, chyba więcej niż o mnie samym. Wziąłem głęboki oddech i zacząłem od grafiki. Przerzuciłem zdjęcia przynajmniej z ostatnich dziesięciu lat jej życia. Na niektórych była jeszcze młodziutka, jasne włosy miała zaczesane gładko, na innych były w artystycznym nieładzie. Na wszystkich fotografiach jej uśmiech był szczery i naiwny.

A nie była to tylko kolekcja fotek rodzinnych czy robionych z ręki; były to zdjęcia paparazzich wykonane drogim teleobiektywem, o wysokiej rozdzielczości, kupowane i sprzedawane gazetom i magazynom opatrującym tytuły wieloma wykrzyknikami; natknąłem się nawet na nagrania wideo i archiwa wiadomości. Imprezy, wesela, bale charytatywne, wakacje — prawie zawsze z tym samym mężczyzną u boku.

Był od niej zaledwie kilkanaście centymetrów wyższy, czarnowłosy, o ostrych, rzymskich rysach. Jego olśniewający uśmiech odsłaniający białe zęby był mniej więcej tak szczery, jak oczekiwałem — czyli absolutnie udawany.

A więc to jest Andy. Znany światu jako Andrew Morton. Kongresmen demokratów z siódmego okręgu w Illinois.

Nagle wiele elementów łamigłówki zaczęło się układać.

Ze zrezygnowanym westchnieniem kliknąłem na zdjęcie wyglądające na dość niedawne; Sara miała na nim bardzo podobną fryzurę do tej, w której ją teraz widziałem, a w tle stała choinka. Przeczytałem podpis pod zdjęciem:

Sara Dillon i Andrew Morton na dorocznej imprezie „Chicago Sun Times", na której kongresmen Morton ujawnił swój zamiar kandydowania do Senatu Stanów Zjednoczonych jesienią.

Kliknąłem na link i przeczytałem cały artykuł; jak się spodziewałem, pochodził z poprzedniej zimy, czyli kongresmen właśnie jest w trakcie kampanii w Illinois. Wróciłem do strony ze zdjęciem i przewinąłem ją na górę, gdzie znalazłem kilka innych zdjęć; na jednym Sara przedzierała się przez tłum paparazzich, zasłaniając głowę połą płaszcza. Początkowo nie zwróciłem na nie uwagi, gdyż nie widać było twarzy dziewczyny. Kliknąłem link przy zdjęciu pochodzącym zaledwie sprzed kilku tygodni przed naszym poznaniem i otworzyłem artykuł w „Chicago Tribune".

Demokratyczny kongresmen Andrew Morton widziany wczoraj w niedwuznacznej sytuacji z kobietą, która nie jest jego narzeczoną, Sarą Dillon. Brunetka, zidentyfikowana jako Melissa Marino, jest młodszą asystentką w jego biurze w Chicago.

W połowie artykułu umieszczono omawiane zdjęcie, przedstawiające Andy'ego namiętnie całującego kobietę, która nie była Sarą.

Dillon i Morton pokazują się razem od 2007 roku, a w grudniu zeszłego roku para, będąca ulubieńcami chicagowskiej socjety, zaręczyła się krótko po tym, jak Morton ogłosił swój zamiar kandydowania do Senatu. Sara Dillon, szefowa finansów w firmie handlowej Nieman & Shimazawa, jest jedynym dzieckiem Rogera i Samanthy Dillon, założycieli dobrze znanej sieci sklepów działającej w siedemnastu stanach, którzy hojnie łożą na kampanię Mortona.

Nie udało się nam dotrzeć do rzecznika prasowego rodziny Dillonów, lecz rzecznik kampanii Mortona odpowiedział na pytanie „Tribune" jedynie słowami: „Życie prywatne pana Mortona nigdy nie było przedmiotem omówień publicznych".

Niestety znany playboy i polityk chyba zmienił zasady gry i ujawnił się ze swoimi zainteresowaniami nadprogramowymi.

„Znany playboy". Cholerny palant.

Odchyliłem się na oparcie krzesła, spoglądając na zdjęcie Sary z Andym. Czułem narastający gniew. Z taką kobietą jak ona mężczyzna może się umówić na drinka po dniach starań; może marzyć o tym, że ją lepiej pozna, że będzie ją chronił, bił się w jej obronie lub wyciągnie spod nadjeżdżającego autobusu. Obejrzałem wszystkie zdjęcia, jakie znalazłem. Dziewczyna uśmiechała się promiennie na wszystkich robionych przed kwietniem tego roku. Przed obiektywem wyglądała naturalnie, a z upływem lat jej uśmiech nie stracił nic ze swego młodzieńczego uroku.

A ten palant ją zdradził — i to nie raz, jeśli wierzyć autorowi artykułu.

Owszem, wyglądał nieźle, jak mi się wydaje, chociaż był wyraźnie od niej starszy. Przejrzałem kolejny artykuł, w którym napisano, że Morton ma trzydzieści siedem lat, czyli dziesięć więcej niż Sara.

Według jednego z reporterów fakt, że Andy w ciągu ostatniego roku kilkakrotnie zdradził Sarę, był jedną z najgorzej strzeżonych tajemnic świata, poza tym coraz powszechniej narastało przekonanie, że kongresmen wykorzystuje ją i jej nazwisko, jak również pieniądze Dillonów oraz upodobanie prasy do ich romansu z wyższych sfer zawsze, kiedy tylko trzeba poprawić sobie reputację.

Przejrzałem kilka kolejnych zdjęć i z niesmakiem odsunąłem krzesło od biurka. Ten dupek ją wykorzystał. Oświadczył się, ale i tak pieprzył wszystko w zasięgu fiuta. Boże, nic dziwnego, że Sara ma zahamowania. Nic też dziwnego, że tak bardzo boi się paparazzich.

Kiedy wyłączyłem komputer i wychynąłem ze swojej jaskini, w mieszkaniu panowała już ciemność. Poszedłem do barku, po drodze zapalając lampy, i nalałem sobie szkockiej. Drink wypalił mi gardło i rozlał się ciepłem po żyłach.

Nie pomogło, ale i tak dopiłem do końca.

Nalałem sobie kolejną szklaneczkę, zastanawiając się, co Sara teraz robi. Jest w domu? Czy oddzwoniła do tego parszywego zdrajcy? Po przejrzeniu setek zdjęć mogłem sobie odtworzyć ich historię. Czy zadzwonił z przeprosinami? A jeśli Sara siedzi teraz w samolocie do Chicago? Powiedziałaby mi o tym? Zerknąłem na zegarek i wyobraziłem sobie, jak ją tropię, znajduję, przerzucam sobie przez ramię i przynoszę tutaj, po czym rzucam na materac i posuwam tak mocno i długo, aż zapomni o wszystkich innych mężczyznach na świecie.

Najwyraźniej potrzebowałem czegoś, co odwróci moje myśli od Sary, a picie nie wystarczało.

W ciągu pięciu minut przebrałem się z garnituru w szorty i adidasy. Zjechałem windą do siłowni na dwudziestym piętrze i wszedłem na bieżnię. Jak zwykle o tej porze była cudownie pusta.

Biegłem, aż w płucach poczułem ogień, a nogi mi zdrętwiały. Biegłem, dopóki nie pozbyłem się wszystkich myśli z głowy z wyjątkiem jednej: jeśli ona do niego wróci, załamię się.

Poszedłem do szatni, zrzuciłem przepocone ubranie i padłem na ławkę, opierając głowę na dłoniach. Ciszę przerwało dzwonienie telefonu w szafce. Poderwałem głowę; kto mógł teraz dzwonić? Przeszedłem przez pomieszczenie i zamarłem na widok zdjęcia Sary — na którym uchwyciłem jej dłoń na szyi, kosmyk karmelowych włosów na kremowej skórze — wyświetlonego na ekranie telefonu.

— Sara?

— Hej.

— Wszystko w porządku? — zapytałem.

Gdzieś w tle rozległ się klakson; Sara odchrząknęła.

— Tak, dobrze. Słuchaj, jesteś zajęty? Mogłabym…

— Nie, nie, właśnie skończyłem biegać. Gdzie jesteś?

— Właściwie — roześmiała się cicho — pod drzwiami twojej klatki.

Zamrugałem.

— Gdzie?

— Naprawdę. Mogę wejść?

— Oczywiście. Daj mi kilka minut, zjadę…

— Nie. Mogłabym wjechać do ciebie? Ja… trochę się boję, że stracę odwagę, jeśli będę musiała czekać.

Dziwne. Poczułem, jak żołądek mi się ściska.

— Tak, oczywiście, kwiatuszku. Poczekaj, zadzwonię do ochrony.

Kilka minut później Sara ukazała się w drzwiach szatni i zastała mnie jedynie w ręczniku na biodrach. Wyglądała na zmęczoną, oczy miała zaczerwienione, a dolną wargę spierzchniętą i obrzmiałą. To była bardziej miękka, młodsza wersja Sary, ta, którą dzisiaj widziałem na zdjęciach. Uśmiechnęła się lekko i machnęła ręką, kiedy zamknęły się za nią drzwi windy.

— Cześć — powiedziałem, przechodząc przez pokój. Ugiąłem lekko kolana, żeby nasze oczy znalazły się na jednym poziomie. — Dobrze się czujesz? Co się stało?

Westchnęła, pokręciła głową i jej twarz przybrała zwykły wyraz.

— Chciałam cię zobaczyć.

Wiedziałem, że unika odpowiedzi na pytanie, ale czułem, jak kąciki moich ust unoszą się w uśmiechu, zanim zdołałem się powstrzymać. Nie mogłem utrzymać rąk przy sobie; ująłem w nie jej twarz i przesunąłem kciukami po jej policzkach.

— To na pewno usprawiedliwia wycieczkę do męskiej szatni.

— Jesteś sam, prawda?

— Całkowicie.

— Wcześniej nie skończyliśmy — powiedziała, popychając mnie w kierunku pryszniców.

Poczułem, jak serce bije mi szybciej, kiedy poczułem ją znów w ramionach. W uszach zaczęło mi szumieć. Sara wspięła się na palce i pocałowała mnie, sięgając do ręcznika na moich biodrach.

— Hm — odezwałem się prosto w jej usta.

Poczułem, jak sięga dłonią za moje plecy i odkręca kran, usłyszałem szum wody i poczułem ciepły strumień na plecach.

— Chcesz to robić tutaj?

Odpowiedziała bez słów, zsuwając bluzkę przez głowę i wychodząc z dżinsów.

Jak się zdaje, to oznacza „tak".

— Mieszkam nieco niżej… — zacząłem w nadziei spowolnienia jej. Już sobie wyobrażałem, jak to będzie posuwać ją tutaj, słyszeć jej krzyki odbijające się od wykafelkowanych ścian, lecz tym razem najbardziej pragnąłem zobaczyć ją nagą na moim łóżku, z kołdrą zrzuconą na podłogę. Może jeszcze związałbym jej ręce nad głową i przywiązał je do zagłówka.

Nie zwróciła na mnie uwagi, ujęła w dłonie mojego fiuta i schyliwszy się, ugryzła mnie w ramię. Starałem się rozjaśnić sobie w głowie, przypomniałem sobie wyraz jej twarzy, kiedy wchodziła przez drzwi. Unikanie odpowiedzi na moje pytania nie było w jej stylu, lecz dzisiaj nie wyglądała na zadziorną ani pełną pożądania; wyglądała na pełną emocji z całkiem niewłaściwych powodów. Oczy miała zbyt szczere, twarz ściągniętą. Przyszła tu, by zapomnieć.

Nagle zaschło mi w ustach; przesunąłem językiem po wargach, czując smak jej wiśniowego błyszczyka.

Byłem zaskoczony, gdyż podświadomie zdążyłem już skatalogować zachowania Sary. Znałem wyraz jej twarzy w chwili, kiedy dochodziła, sposób, w jaki twardniały jej sutki, a powieki zamykały się szczelnie w ostatniej sekundzie, jakby chciała obserwować każdą chwilę, aż wreszcie nagle robiło się ich za dużo. Znałem uczucie, jakie wywoływała jej ręka w moim pasie, paznokcie wbijające się w moje plecy i drapiące mnie po bokach. Znałem dźwięki, jakie wydawała, i sposób, w jaki łapała oddech, kiedy przesuwałem palce akurat tak, jak lubiła.

Zdarzały się też rzeczy nowe, które dopiero zacząłem zauważać, a teraz chciałem widzieć coraz częściej. Lekki uśmiech, z jakim stwierdzała, że właśnie powiedziała coś zabawnego, i czekała, aż zareaguję. Najbardziej delikatne gesty, jak lekkie skrzywienie kącików ust i oczu. Wyzwanie.

Sposób, w jaki zagryzała dolną wargę, czytając.

I to, jak całowała mnie wtedy na dachu, delikatnie, leniwie, jakby nie istniało żadne inne miejsce poza tym, w którym właśnie się znajdowaliśmy.

Ale tej Sary nie znałem. Zawsze podejrzewałem, że jej zadziorność, którą tak polubiłem, była rodzajem samoobrony. Nigdy jednak nie przypuszczałem, jak się poczuję, widząc, jak zadziorność znika; to było jak cios w żołądek, który wycisnął mi z płuc całe powietrze.

Ująłem ją za ręce i odsunąłem się o krok.

— Co się dzieje? — zapytałem, przyglądając się jej twarzy. — Porozmawiaj ze mną.

Znów oparła się o mnie.

— Nie chcę rozmawiać.

— Saro, nie przeszkadza mi, że przyszłaś do mnie się rozerwać, ale przynajmniej bądź ze mną szczera. Coś się stało.

— Wszystko w porządku. — Ale nie było. Gdyby nic się nie działo, nie przyszłaby tutaj.

— Bzdura. Przychodząc tutaj, łamiesz własne zasady. Tak jest lepiej — prawdziwie — ale też inaczej, a ja chcę wiedzieć dlaczego.

Odsunęła się i spojrzała na mnie.

— Dzwonił Andy.

— Wiem — odparłem, zaciskając zęby.

Uśmiechnęła się przepraszająco.

— Chce, żebym wróciła. Mówił mi wszystko, co chciałam kiedyś od niego usłyszeć, o tym, jak się zmienił, jak to wszystko zepsuł i że już nigdy mnie nie skrzywdzi.

Przyglądałem się jej i czekałem. Przycisnęła twarz do mojej mokrej szyi, zbierając się na odwagę.

— Po prostu boi się o swoją kampanię. Cały nasz związek był jednym wielkim kłamstwem.

— Tak mi przykro, Saro.

— Sprawdziłam Cecily.

Zamrugałem zdezorientowany.

— Tak?

— Jej imię coś mi przypomniało, a po tym, jak mi o niej opowiedziałeś, chciałam sprawdzić, jak wygląda — odsunęła się i spojrzała na mnie. — Nazwisko brzmiało znajomo, ale do dzisiejszego wieczoru nie kojarzyłam, kto to. Przy Andym poznawałam mnóstwo ludzi, zwykle po dwóch sekundach od przywitania zapominałam ich twarze... ale ją zapamiętałam.

Kiwnąłem głową, czując ciepło w żołądku, lecz nie przerywałem jej.

— Poszłam do domu, znów ją wyszukałam, potem oddzwoniłam do niego — przerwała, głos jej lekko drżał.

— Przez pół godziny gadał o tym, że przeprasza i że to był tylko jeden raz, że nigdy sobie nie wybaczy. Więc zapytałam go o Cecily. Wiesz, co mi odpowiedział?

— Cecily... co?

— Powiedział: „Cholera, Saro, musimy teraz o tym mówić? To przeszłość". On ją zerżnął, Max. To o Andym pisała w liście. Andrew Morton, dziwkarz i kongresmen, który sypia, z kim popadnie w siódmym okręgu. Tego wieczora, kiedy ją poznałam, pieprzyli się na imprezie wyborczej dla Schumera.

Jęknąłem. Byłem na tej imprezie, nie towarzyszyłem jednak Cecily, która cały wieczór była na mnie zła i wyszła rozgniewana, chociaż nie wiedziałem dlaczego.

Sara skuliła się w moich ramionach.

— Pamiętam, jak złapałam go wtedy wychodzącego z łazienki. Zaczęliśmy rozmawiać, próbował mnie stamtąd

odciągnąć, ale kazałam mu zaczekać, bo chciałam skorzystać z toalety. Wtedy ona wyszła z męskiej kabiny, spojrzała na niego, potem na mnie. To był naprawdę nie-
zręczny moment; nie miałam pojęcia, dlaczego Cecily
odeszła bardzo rozgniewana. Ale była tam z nim.

Objąłem ją; woda spływała po naszych ciałach, otacza-
jąc nas dźwiękoszczelną barierą. To był najmniejszy świat,
mniejszy nawet niż wtedy, kiedy zobaczyłem ją grającą na
fliperze czy kiedy po południu wciągnęła mnie do taksówki. To był świat, w którym lata temu Cecily uprawiała
seks z facetem Sary, gdyż była zła na mnie. Nie żałowałem,
że trzymam Sarę w ramionach; nie żałowałem, że zrezy-
gnowałem ze związku z Cecily. Jednak czułem się nieco
winny i nie mogłem nic na to poradzić.

— Przepraszam — wyszeptałem znów.

— Nie, nie rozumiesz — uniosła na mnie wzrok, po
jej twarzy spływały krople wody; w ogóle nie zwracała
na nie uwagi. — Wtedy byliśmy razem dopiero od kilku
miesięcy. Cały ten czas, do samego końca, zakładałam, że
wtedy jeszcze mnie nie zdradzał. Myślałam, że zaczął niedawno. Jak się okazuje, nigdy nie był mi wierny. Nigdy.

Objąłem ją mocniej i wyszeptałem w jej włosy:

— Wiesz, że to nie przez ciebie, prawda? To tylko
udowadnia, co z niego za człowiek. Nie każdy mężczyzna
jest taki paskudny.

Sara wyprostowała się i spojrzała na mnie; widziałem,
że powstrzymuje uśmiech. Oczy wciąż lśniły jej od łez,
lecz ujrzałem w nich szczerą wdzięczność. Coś mnie ujęło
w tym jej spojrzeniu, gdyż nieokiełznany seks i związek

bez zobowiązań, na jaki się zgodziliśmy, był świetny — nawet zadziwiający — lecz to było coś zupełnie nowego.

— Byłam z nim naprawdę długi czas. Chwilami zastanawiałam się, czy może zdarzył mu się jeden skok w bok, a ja jestem dla niego niesprawiedliwa. Ale teraz cieszę się, bo widzę, że miałam rację, odchodząc. Tylko... teraz oczekuję czegoś lepszego — powiedziała.

Przełknąłem nowe uczucia i spróbowałem je uporządkować, pamiętając, że emocje i przywiązanie miały nie wchodzić w zakres naszej umowy. Starałem się skupić na chwili obecnej, na jej nagim ciele przyciśniętym do mojego.

— Mnóstwo mężczyzn zabiłoby za kobietę taką jak ty — powiedziałem, próbując utrzymać równy ton głosu, chociaż całkowicie przygniotło mnie uczucie pustki i dojmującego chłodu na samo wyobrażenie Sary z kimś innym. Nagle otrzeźwiony sięgnąłem za siebie i zakręciłem kran, chwytając wiszący obok ręcznik.

— Wytrzemy cię, bardzo tu zimno.

— Ale... nie chciałbyś...

— Masz za sobą ciężki dzień — powiedziałem, przygładzając jej włosy. — Dzisiaj będę dżentelmenem, a skalam cię następnym razem. — Chciałem poprosić, żeby została, lecz nie byłem pewien, jak zniosę odmowę.

— Dobrze się czujesz?

Kiwnęła głową, przytulając twarz do mojej piersi.

— Chyba muszę się przespać.

— Poproszę Scotta, żeby cię odwiózł.

Ubraliśmy się w milczeniu, przyglądając się sobie otwarcie. Przypominało to uwodzenie na odwrót — patrzyłem, jak naciąga dżinsy, zapina stanik, zakrywa piersi bluzką. Chyba jednak nigdy dotąd nie pragnąłem jej tak bardzo, jak w tej chwili, patrząc, jak zbiera się w garść.

Zakochałem się w niej. I kompletnie mi odbiło.

~

W sobotę rano przynajmniej dwadzieścia razy wybierałem numer Sary, lecz rozłączałem się, jak tylko usłyszałem sygnał. Rozsądek nakazywał dać jej trochę czasu. Ale niech to szlag, chciałem ją zobaczyć. Zachowywałem się jak napalony nastolatek.

„Zadzwoń do niej, palancie. Zaproś ją na dzisiaj. Nie pozwól się jej wykręcić".

Tym razem naprawdę odpuściłem, gdyż mężczyzna posługujący się takimi komunałami nie zasługuje na to, by dzwonić do jakiejkolwiek kobiety.

Przez resztę poranka wymyślałem wymówki i wmawiałem sobie, że pewnie jest zajęta. Cholera, nawet nie wiedziałem, czy Sara ma przyjaciół poza Chloe i Bennettem. Chyba nie mogę jej o to zapytać, prawda? Cholera, nie. Wbiłaby mi obcas w oko. Co jednak porabia, kiedy nie pracuje? Ja grywam w rugby, piję piwo, biegam, chodzę na wystawy sztuki. Wszystko, co o niej wiem, łączy się z seksem lub życiem, które zostawiła za sobą. Bardzo niewiele wiem o jej życiu, które zaczęła budować tutaj. Może chętnie spędziłaby ze mną wieczór po fatalnym dniu wczorajszym.

„Stella, czas pokazać jaja".

Wreszcie przypomniałem sobie, że jestem facetem, i odważyłem się zadzwonić.

— Halo? — Sara wydawała się zaskoczona.

„Pewnie, że jest zaskoczona, idioto. Przecież nigdy do niej nie dzwoniłeś".

Zaczerpnąłem powietrza i wydobyłem z siebie najbardziej niezborną przemowę w całym moim życiu:

— No dobra, słuchaj, zanim coś powiesz, wiem, że nie mamy być parą ani niczym innym, a po wędrującym penisie kongresmena Mortona całkowicie rozumiem twoją awersję do zobowiązań, ale wczoraj wieczorem przyszłaś i wydawałaś się trochę nie w sosie, a jakbyś miała ochotę dzisiaj coś zrobić — nie żebyś musiała coś robić, a nawet jakbyś musiała, wcale nie twierdzę, że nie masz innych możliwości, ale gdybyś chciała, mogłabyś przyjść na mój mecz rugby — przerwałem, nasłuchując oznak życia w słuchawce. — Nic tak nie rozjaśnia w głowie jak przyglądanie się ubłoconym, spoconym Brytyjczykom, którzy kopią się nawzajem po goleniach.

Roześmiała się.

— Co takiego?

— Rugby. Przyjdź dzisiaj na mój mecz. Albo jeśli wolisz, wpadnij do Maddie w Harlemie na drinka po meczu.

Milczała chyba przez jakiś tydzień.

— Saro?

— Myślę.

Przeszedłem przez pokój i zacząłem bawić się żalu-
zjami w oknie wychodzącym na park.

— To myśl na głos.

— Po południu idę z koleżanką do kina — zaczęła;
poczułem w żołądku rozluźniający się supeł na wzmiankę
o koleżance. — Ale później chętnie wpadnę na drinka.
O której skończycie?

Jak jeszcze większy idiota machnąłem pięścią w powietrzu na znak zwycięstwa i natychmiast miałem ochotę
się kopnąć.

— Mecz będzie trwał mniej więcej do trzeciej. Możemy się spotkać u Maddie około czwartej.

— Dobrze — odparła. — Ale Max…

— Hm?

— Myślisz, że twoja drużyna wygra? Nie mam ochoty
pić z gromadą przygnębionych, ubłoconych Brytyjczy-
ków.

Ze śmiechem zapewniłem ją, że zmiażdżymy przeciwników.

～

Roznieśliśmy ich w proch. Rzadko współczuję drużynie
przeciwników — większość z nich to Amerykanie i chociaż to nie ich wina, że nie mają rugby we krwi, cieszyłem

się, że ich pokonujemy. To jednak był mecz wyjątkowy. W połowie gry nasz zespół przestał starać się o kolejne punkty. Częściowo przypisałem moją wielkoduszność temu, że Sara miała spotkać się z nami na drinku, lecz tylko częściowo. Zanim mecz się skończył, miałem poczucie, jakbym wbijał w błoto dziesięciolatka, i czułem się winny.

Z wrzaskiem wpadliśmy do baru, niosąc na ramionach Robbiego i wyjąc nieprzyzwoitą wersję *Alouette*. Barmanka i właścicielka, Madeline, pomachała na nasz widok, ustawiła rządkiem dwanaście kufli i zaczęła je napełniać.

— Hej! — zawołał Robbie do żony. — Whisky, panienko!

Maddie uniosła palce na znak zwycięstwa, po czym chwyciła garść kieliszków, mamrocząc coś o tym, że brudny i pijany Robbie będzie tej nocy spał sam.

Przejrzałem bar w poszukiwaniu Sary, lecz nigdzie jej nie zobaczyłem. Przełknąłem rozczarowanie, odwróciłem się do lady i łyknąłem porządnie piwa. Mecz się zaczął z opóźnieniem, dochodziła już piąta, a Sary nie było. Czyżbym był naprawdę zaskoczony? Nagle przyszła mi do głowy przerażająca myśl: a może już tu była, czekała i poszła sobie?

— Cholera — wymamrotałem.

Maddie przysunęła mi kieliszek whisky; uniosłem go i wychyliłem do dna, krzywiąc się i przeklinając.

— Co się dzieje? — zapytał z tyłu znajomy niski głos.

— Chyba wygraliście?

Zakręciłem się na stołku i na jej widok uśmiechnąłem szeroko. W jasnożółtej sukience i małej zielonej spince we włosach wyglądała jak figurka na torcie.

— Wyglądasz pięknie. Przepraszam za spóźnienie — mruknąłem.

Zamknęła na chwilę oczy i zachwiała się odrobinę na nogach.

— Miałam czas na kilka drinków.

Od nocy w klubie nie widziałem jej pijanej, lecz rozpoznałem znajomy figlarny wyraz oczu. Myśl o powrocie tamtej Sary była cholernie fantastyczna.

— Jesteś wcięta?

Na moment ściągnęła brwi, po czym uśmiechnęła się.

— Brytyjskie słowo na wstawiona? Tak, jestem wstawiona — wspięła się na palce i... pocałowała mnie.

„Ożeż. Jasna. Cholera".

Richie, stojący obok, wtrącił się.

— Co do... Max, masz dziewczynę na twarzy.

Sara odsunęła się i otworzyła szerzej oczy.

— O, nie...

— Uspokój się — powiedziałem do niej cicho. — Nikogo tu nie obchodzi, kim jesteśmy. Co tydzień z trudem przypominają sobie, jak ja mam na imię.

— Absolutna prawda — poświadczył Richie. — Masz na imię palant.

Przechyliłem głowę w jego stronę i uśmiechnąłem się do Sary.

— A nie mówiłem?

Sara wyciągnęła rękę i obdarzyła Richiego swoim niewinnym uśmiechem.

— Jestem Sara.

Ujął jej dłoń i potrząsnął. Widziałem, że w tej chwili naprawdę ją zauważył i zarejestrował jej niesamowitą urodę. Natychmiast też otaksował wzrokiem jej biust.

— Richie — wymamrotał.

— Miło mi cię poznać, Richie.

Spojrzał na mnie zmrużonymi oczami.

— Jak ci się udało ją zdobyć?

— Nie mam pojęcia — przyciągnąłem dziewczynę do siebie, nie zważając na jej słabe protesty, że ubrudzi sobie sukienkę. Sara jednak wywinęła mi się i odwróciła do Dereka po mojej drugiej stronie.

— Jestem Sara.

Derek odstawił kufel i wytarł usta ubłoconą dłonią.

— Jak cholera.

— Ona jest ze mną — mruknąłem.

W ten sposób wcięta Sara przeszła wzdłuż baru, przedstawiając się każdemu z moich kumpli. W tej chwili zobaczyłem w niej żonę polityka, którą niemal została, lecz co ważniejsze — przekonałem się, jak w gruncie rzeczy miłą jest osobą.

Kiedy wróciła do mnie, cmoknęła mnie w policzek i wyszeptała:

— Miłych masz kolegów. Dziękuję za zaproszenie.

— Nie ma sprawy — straciłem zdolność formułowania myśli. Chyba nic w życiu nie sprawiało, że czułem się tak jak przy niej — tak doskonale. Nie mam skłonności do samobiczowania, ale byłem niezłym sukinsynem. Pracuję przecież w inwestycjach, nie oszukujmy się — polega to na tym, że jedni tracą pieniądze, a inni je zyskują, i od przyjazdu nawiązałem tylko kilka głębszych relacji. Moim najbliższym przyjacielem był Will, a większość czasu spędzaliśmy, przezywając się nawzajem wszelkimi odmianami słowa „cipa".

„Powiedz jej, kretynie. Zaciągnij ją w ustronny kąt, pocałuj porządnie i powiedz, że ją kochasz".

— Zmień tego cholernego bluesa, Maddie! — wrzasnął Derek przez bar.

W chwili kiedy miałem wziąć Sarę za łokieć i poprosić, żeby ze mną porozmawiała, ona wyprostowała się.

— To nie blues — stwierdziła.

Derek obrócił się i uniósł brwi.

— To nie blues, tylko Eddie Cochran. Rockabilly — powiedziała, lecz pod jego długim spojrzeniem skurczyła się odrobinę. — To zupełnie inna bajka.

— Wiesz, jak się to badziewie tańczy? — zapytał, mierząc ją wzrokiem.

Ku mojemu zaskoczeniu Sara roześmiała się.

— Prosisz mnie do tańca?

— Szlag, nie, ja…

Ale zanim zdołał dokończyć zdanie, Sara poderwała go na nogi, po czym z całą siłą swoich pięćdziesięciu kilogramów zaczęła ciągnąć wielkoluda na parkiet.

— Moja mama pochodzi z Teksasu — oznajmiła z błyszczącymi oczami. — Spróbuj nadążać.

— Żartujesz — powiedział Derek niepewnie, oglądając się na nas. Wypełniający bar Brytyjczycy przestali rozmawiać i zaczęli się im przyglądać z ciekawością.

— Dawaj! — wrzasnąłem.

— Nie bądź mięczak, Der! — zawołała Maddie; obecni zaczęli klaskać. Maddie podkręciła muzykę. — Pokażcie, na co was stać.

Sara uśmiechnęła się szerzej, położyła sobie rękę towarzysza na ramieniu, uciszając jego protesty.

— To tradycja. Kładziesz mi rękę na plecach, a drugą na ramieniu.

Pod naszymi spojrzeniami Sara pokazała Dużemu Derekowi, jak się tańczy: dwa kroki szybkie, dwa wolne. Pokazała mu, jak ma ją szybko okręcić w lewo i przetańczyć tak wokół pomieszczenia. W ciągu jednej piosenki nabrali wprawy, a w połowie drugiej oboje się już rozkręcili i tańczyli, jakby robili to razem od lat.

Może o to właśnie w niej chodziło. Każdy, kto ją spotkał, chciał ją poznać bliżej. Nie tylko wobec mnie była nieodparcie słodka dzięki niewinności przebijającej nawet przez jej najśmielsze fantazje. Nikt nie umiał się jej oprzeć.

W tej chwili byłem gotów przywalić Andy'emu prosto w uśmiechniętą gębę. Zmarnował swój czas z Sarą, zmarnował ją.

Wstałem, wszedłem na parkiet i zatrzymałem ich.

— Moja kolej.

Jej ciemnobrązowe oczy ściemniały; zamiast układać sobie moje ręce na ramieniu jak Dereka, owinęła się moimi ramionami, wspięła na palce, pocałowała w policzek i szepnęła:

— Na pewno zawsze jest twoja kolej.

— A myślałem, że to się tańczy w nieco większym oddaleniu — uśmiechnąłem się i schyliłem, żeby ją pocałować.

— Nie z tobą.

— I dobrze.

Uśmiechnęła się pijanym, frywolnym uśmiechem.

— Ale padam z głodu. Chcę hamburgera wielkości mojej głowy.

Z gardła wyrwał mi się śmiech; pochyliłem się i pocałowałem ją w czoło.

— Niedaleko ciebie jest idealne miejsce. Prześlę ci adres SMS-em. Skoczę do domu, wezmę prysznic, spotkamy się tam za godzinę?

— Kolacja dwa dni z rzędu? — zapytała z większą chęcią niż zwykle, chociaż ostrożnie. Gdzie podziała się nieufna, zdystansowana kobieta sprzed zaledwie kilku dni? Wyparowała. Jak podejrzewałem, zdystansowana Sara zawsze należała do świata iluzji.

Jej, nie moich.

Pokiwałem głową, czując, jak na usta wymyka mi się uśmiech. Skończyło się udawanie między nami. Żadnych granic. Jedyne słowo wyszło dość chrapliwie:

— Tak.

Sara zagryzła wargę, by ukryć uśmiech, lecz i tak go zauważyłem.

ROZDZIAŁ
trzynasty

Po dwóch miesiącach życia w Nowym Jorku właściwie trudno mi było powiedzieć, co robię poza pracą. Biegałam. Miałam kilka koleżanek na wyjście do kina, kawę czy drinka. Kilka razy w tygodniu rozmawiałam z rodzicami. Nie czułam się samotna; z pewnością prowadziłam życie bogatsze niż przed wyprowadzką z Chicago. Jednak najważniejszy w życiu poza pracą stał się Max.

Jak do tego doszło, do licha?

„Seks bez zobowiązań: nie wychodzi ci to" — pomyślałam.

Max nigdy nie wydawał się zaskoczony tym, co się działo między nami. Ani wtedy, kiedy uwiodłam go w barze, ani kiedy przyszłam do jego biura, oferując seks, nawet wtedy, kiedy wpadłam mu do mieszkania tylko po to, żeby załamać się pod prysznicem, błagać go, żeby mnie wziął i sprawił, że zapomnę o całym świecie.

Nawet jego koledzy byli zadziwiający. Derek to chyba największy człowiek, jakiego spotkałam, nie był też najlżejszym i najlepszym tancerzem, a jednak od dawna tak dobrze się nie bawiłam… Oprócz spotkań z Maxem oczywiście.

Pomachałam Derekowi na pożegnanie; mrugnął do mnie i kiwnął głową w stronę Maxa siedzącego przy barze, przypominając: „To niezły palant".

Pod pojedynczym reflektorem na parkiecie Derek wydawał się nawet bardziej ubłocony niż wtedy, kiedy się mu przedstawiłam. Spojrzałam na swoją sukienkę i przy ramieniu zauważyłam kilka śladów palców.

— Jest niezły.

Derek ze śmiechem pogłaskał mnie po głowie.

— Najgorszy, bo jest zawsze miły dla wszystkich i niczego nie spieprzy. Zawsze wspiera kumpli i nigdy nie zachowuje się jak palant — puścił oko. — Jakiś koszmar.

Podziękowaliśmy Maddie i wyszliśmy, zostawiając za sobą bar pełen rozśpiewanych i pijanych zawodników. Max zatrzymał taksówkę i przytrzymał mi drzwi, kiedy wsiadałam.

— Do zobaczenia niedługo — powiedział, po czym zamknął drzwi i pomachał mi, kiedy samochód ruszał.

Obejrzałam się przez tylną szybę. Max stał nieruchomo, patrząc, jak moja taksówka znika w ulicy Lenox.

~

Na kolację wybraliśmy coś prostego — hamburgery w małym, spokojnym barze w East Village.

Spokój się przyda. Spokój pomoże mi uporządkować bałagan w głowie. Mój plan dzikiej zabawy, dobrego spędzania czasu i braku zobowiązań całkiem się posypał.

Poszłam do domu, zmyłam z siebie błoto pozostałe po tańcu z Derekiem i Maxem i włożyłam prostą sukienkę z niebieskiego dżerseju. W uszach rozbrzmiewały mi jeszcze echa piosenek z baru; wyobraziłam sobie jego kolegów; jakby to było przytulić się z Maxem na kanapie u jego znajomego i oglądać razem film albo obserwować z trybun mecz rugby z kubkiem parującej kawy w dłoniach. To były bardzo przyjemne fantazje, lecz w końcu zmusiłam się, żeby przestać o nich myśleć, kiedy mój umysł zaczął analizować, martwić się i grać rolę adwokata diabła.

Wyszłam na klatkę i przekręciłam klucz w drzwiach mieszkania, mówiąc sobie: „Jedna rzecz naraz. Nikt cię do niczego nie zmusza".

Nawet w sobotę wieczorem, gdy ludzie cieszyli się wolnym czasem o zachodzie słońca, tutaj panował mniejszy tłok niż w centrum. Kiedy zaczęłam się tu czuć jak w domu? Max wybrał restaurację o parę minut piechotą od mojego mieszkania; już nie musiałam spoglądać na tabliczki z nazwami ulic, żeby ją odnaleźć.

Nad wejściem wisiały sznury drobnych żółtych światełek dających ciepły blask, a kiedy otworzyłam drzwi, zadźwięczał mały dzwonek. Max już był, odświeżony siedział na tyłach, czytając „Timesa". Skorzystałam z tej chwili, żeby ukradkiem mu się przyjrzeć: bordowy T-shirt, znoszone dżinsy rozdarte na udzie. Jasnobrązowe włosy, w świetle niemal złote. Wymyślne adidasy w brytyjskim stylu. Na stole obok łokcia leżały okulary słoneczne.

„Taki przeciętny boski kumpel do łóżka, siedzący w burgerowni i czekający na ciebie".

Przymknęłam oczy, wzięłam głęboki oddech i podeszłam do niego.

Granice się zatarły. Od dzisiaj nie mogłam już udawać, że chcę od niego tylko orgazmów. Nie mogłam udawać, że na jego widok serce nie podskakuje mi radośnie, a przy pożegnaniu nie ściska się boleśnie. Nie mogłam udawać, że nic do niego nie czuję.

Zastanawiałam się, czy już za późno na ucieczkę.

Dopiero na dźwięk jego śmiechu zorientowałam się, że gapię się na niego z lekko otwartymi ustami, a on przygląda mi się od… nie mam pojęcia, od jak dawna. Połowę ust uniósł w uśmiechu.

— Wyglądasz na bardzo napaloną na to piwo — przesunął kufel w moją stronę i uniósł swój. — Pozwoliłem sobie zamówić burgera wielkości twojej głowy i frytki — uśmiechnął się szeroko.

— Doskonale. Dzięki — położyłam torebkę na wolnym krześle i usiadłam naprzeciwko Maxa.

Jego oczy się uśmiechały, a spojrzenie powędrowało do moich ust.

— No to... — odezwałam się, popijając piwo i mierząc go wzrokiem znad kufla.

— No to...

Wydawał się mocno ubawiony rozwojem wydarzeń. Nie mam obsesji na punkcie kontrolowania mojego życia, lecz przywykłam do przewidywalności, a w ciągu ostatnich dwóch miesięcy nie byłam w stanie przewidzieć niczego, co mnie spotykało.

— Dzięki za zaproszenie.

Pokiwał głową i podrapał się w kark.

— Dzięki, że przyszłaś.

— Masz sympatycznych kolegów.

— Stado palantów.

Roześmiałam się, czując, jak ramiona powoli mi się rozluźniają.

— Zabawne. To samo mówili o tobie.

Oparł łokieć na stole i pochylił się do przodu.

— Mam pytanie.

— Tak?

— Czy jesteśmy na randce?

Niemal zadławiłam się piwem, które właśnie piłam.

— Na miłość boską, kobieto, nie wpadaj w panikę. Zastanawiam się tylko, czy nie dałoby się zmienić zasad. Czy możemy o tym porozmawiać?

Pokiwałam głową, przycisnęłam do ust serwetkę i wymamrotałam:

— Jasne.

On odstawił piwo i zaczął odliczać zasady na długich palcach.

— Jeden wieczór w tygodniu, wierność, seks najlepiej w miejscach publicznych, w żadnym wypadku u mnie w łóżku, zdjęcia mile widziane, ale bez twarzy, zero wystąpień publicznych — uniósł kufel, pociągnął duży łyk i pochylił się do mnie. — I nic więcej między nami, tylko seks — wyszeptał. — Żadnych głębszych związków. Czy dobrze podsumowałem?

— Brzmi dobrze. — Serce zabiło mi mocniej pod żebrami, kiedy uświadomiłam sobie, jak daleko odeszliśmy od tych zasad zaledwie w jeden dzień.

Dzieciak w wieku gimnazjalnym podał nam dwa koszyki z burgerami największymi, jakie widziałam w życiu, obok postawił górę frytek.

— Jasna cholera — powiedziałam, wpatrując się w nie. — To…

— Właśnie tego chciałaś? — zapytał Max w odpowiedzi, sięgając po butelkę z octem.

— Tak, ale to znacznie więcej, niż zdołam zjeść.

— Hm, to może trochę to ubarwimy? — zaproponował. — Ten, kto zje więcej, może ustanowić nowe zasady.

Z uśmiechem zakręcił ocet i postawił na stole. Oboje wiedzieliśmy, że waży prawie dwa razy tyle co ja. Nie jest możliwe, żebym zjadła więcej od niego.

Ale czy na pewno jest głodny? Może opił się piwem i wie, że zdołam zmieścić większą porcję? Czy też może to on chce teraz ustanawiać zasady?

— Boże, kobieto, nie myśl już — powiedział, uniósł swojego hamburgera i odgryzł olbrzymi kęs.

— Świetnie, umowa stoi — odparłam, nagle płonąc z ciekawości, jak też będą wyglądały zasady Maxa.

∾

Gapiłam się na Maxa, który wytarł dłonie w serwetkę, zwinął ją w kulkę i rzucił do pustego kosza.

— To było dobre — wymamrotał, wreszcie unosząc wzrok na mnie. Wybuchnął śmiechem na widok moich żałosnych postępów. Udało mi się zjeść zaledwie jedną czwartą mojego hamburgera, a frytki wyglądały na nietknięte.

Wrzuciłam bułkę z powrotem do koszyka.

— Ale się objadłam! — jęknęłam.

— Wygrałem.

— To było pewne od początku.

— No to czemu się zgodziłaś na zakład? — zapytał, odsuwając krzesło od stołu. — Mogłaś odmówić.

Wzruszyłam ramionami i wstałam, żeby odejść, zanim mnie przyciśnie, domagając się odpowiedzi. Owszem, ciekawiły mnie jego oczekiwania wobec tego, co między nami, ale nie byłam pewna, czy chcę się do tego przyznawać.

Moje upojenie wywołane piwem już się powoli ulatniało, a przytłoczona ciężarem hamburgera w żołądku najchętniej zwinęłabym się na chodniku i zasnęła. Jednak było dopiero wpół do dziewiątej i jeszcze nie chciałam kończyć wieczoru. Perspektywa czekania aż do piątku na kolejne spotkanie wydawała się nie do zniesienia... chyba że on zmieni tę zasadę.

East Village zaludniali teraz dwudziestokilkulatkowie, którzy zamierzali spędzić sobotni wieczór na muzyce i piciu. Max ujął mnie za rękę, splótł palce z moimi i ścisnął. Z przyzwyczajenia zaczęłam protestować, że nie pójdziemy po ulicy w ten sposób, ale zaskoczył mnie, wciągając do pogrążonego w półmroku baru zaraz obok.

— Wiem, że się najadłaś, ale usiądź tutaj, wypij drinka, obudzisz się. Jeszcze daleko do końca.

Boże, jak mi się to spodobało.

Siedzieliśmy przyciśnięci ciasno do siebie w boksie w ciemnym kącie; ja popijałam wódkę z tonikiem, Max zamówił kilka piw, przy których opowiedział mi o swoim dorastaniu w Leeds z rodzicami, irlandzkimi katolikami. Był środkowy, miał siedem sióstr i trzech braci. Mieszkali po troje w pokoju; jego dzieciństwo tak bardzo różniło się od mojego, że wstrzymywałam oddech, słuchając opowieści o tym, jak postanowili założyć rodzinną orkiestrę dętą, lub o tym, jak jego najstarszą siostrę Lizzy w wieku osiemnastu lat przyłapano na uprawianiu seksu w samochodzie z miejscowym księdzem. Najstarszy brat Maxa, Daniel, po szkole średniej wyjechał na misję katolicką do Birmy i wrócił jako wyznawca buddyzmu therawada. Najmłodsza siostra Rebecca wyszła za mąż zaraz po szkole i w wieku dwudziestu siedmiu lat miała już sześcioro dzieci. Inni mieli równie osobliwe życiorysy: brat urodzony zaledwie dziesięć miesięcy po Maxie, Niall, był zastępcą szefa londyńskiego metra, jedna z środkowych sióstr została profesorem chemii w Cambridge i miała pięcioro dzieci, samych chłopców.

Jak przyznał Max, czasami czuł się średniakiem w porównaniu z resztą rodzeństwa.

— Studiowałem sztukę na uniwerku, potem zrobiłem dyplom z finansów, żeby móc tę sztukę sprzedawać. W oczach ojca byłem żałosnym przegranym, zarówno pod względem wyboru kariery, jak i dlatego, że przed trzydziestką nie dorobiłem się jeszcze małych katolików.

Jednak przy tych słowach roześmiał się, jakby przegrana kariera tak naprawdę w ostatecznym rachunku w ogóle nie liczyła się dla jego rodziców. Ojciec, nałogowy palacz, zmarł na raka płuc tydzień po tym, jak Max zrobił dyplom, a mama uznała, że potrzebuje odmiany, więc przeniosła się za nim do Stanów.

— Żadne z nas nie znało tu nikogo. Ja miałem tu kilka dość dalekich kontaktów z czasów studiów i z czasów stażu w firmie — znajomi znajomych z Wall Street — ale wiedziałem, że chcę się zaangażować w handel sztuką w Nowym Jorku i wejść w spółkę z kimś, kto zna się na nauce i technologii. I tak poznałem Willa.

Oparł się wygodniej i dokończył piwo. Gość naprawdę miał mocną głowę. Straciłam rachubę, ile już wypił, a w ogóle nie było tego po nim widać.

— Owszem, poznaliśmy się w barze, ale od razu przypadliśmy sobie do gustu i już następnego dnia zaczęliśmy nasz projekt. Kilka lat później wciągnęliśmy Jamesa, żeby zajął się technologią, bo Will nie dawał już rady przerzucać się między biotechnologią a informatyką.

— Jakim cudem nie masz jeszcze mięśnia piwnego? — zapytałam ze śmiechem. To jawna niesprawiedliwość. Miał ciało, które Julia opisałaby jako „suche", a na torsie mięśnie, o których istnieniu nawet nie wiedziałam.

Przez moment wydawał się zdezorientowany, po czym spojrzał na pusty kufel.

— Czyżbyś robiła sobie ze mnie jaja?

— No jasne — powiedziałam, czując efekty wypitej wódki z tonikiem. Policzki mnie paliły, a uśmiech się poszerzał. — Oczywiście, że robię sobie jaja.

— Taa… — stwierdził, kręcąc głową — to wyrażenie tak naprawdę słabiej działa wypowiedziane z amerykańskim akcentem.

— Podoba ci się akcent amerykański czy nie? Bo te brytyjskie rzeczy, które wciąż mi pokazujesz, sprawiają, że mam ochotę robić bardzo niegrzeczne rzeczy z twoimi ustami.

Szybko oblizał wargi i odniosłam wrażenie, że wręcz się zarumienił.

— Akcent amerykański nie jest zbyt seksowny, ale twój chicagowski brzmi słodko. Zwłaszcza jak jesteś wcięta. Jest taki równy i jak… — wydał z siebie przerażający dźwięk, absolutnie niepodobny do żadnych dźwięków, które kiedykolwiek wydałam.

Skuliłam się i roześmiałam.

— Na pewno nie robię nic takiego.

— No dobrze, może odrobinę przesadziłem — przyznał. — Ale tak naprawdę pociąga mnie twój umysł, twoje wielkie brązowe oczy, pełne usta, dźwięki, które wydajesz, dochodząc do końca, i twoje gwiazdorskie piersi i uda.

Chrząknęłam, czując, jak od piersi do końców palców, po całym ciele, oblewa mnie fala gorąca.

— Moje uda?

— Tak. Chyba już ci wspomniałem, że masz zadziwiającą skórę. Na udach jest gładka jak cholera. Może nie słyszałaś? Chyba że nikt ci tego nie powiedział? Chyba niewielu ludzi całowało cię tak bardzo jak ja.

Zamrugałam, ogłuszona jego słowami. Wiedział, że byłam tylko z Andym, lecz miał więcej racji, niż przypuszczał. Andy bardzo rzadko całował mnie poniżej piersi.

— Jakie są nowe zasady? — zapytałam, czując lekki zawrót głowy. Nie byłam pewna, czy z powodu alkoholu, czy mężczyzny.

Max uśmiechnął się drapieżnie.

— Już się bałem, że nie zapytasz.

— Powinnam się bać?

— Pewnie.

Zadrżałam, lecz bardziej od narastającego gorąca w żołądku niż rzeczywistego strachu. Przecież zawsze mogę się nie zgodzić na jego propozycję.

Wiedziałam jednak, że tego nie zrobię.

— Zasada numer jeden: zatrzymujemy piątkowe wieczory na stałe, ale kiedy tylko mamy ochotę, widzimy się częściej. Możesz się nie zgodzić, ale wtedy nie będę się czuł

jak dupek, jeśli zapytam. Poza tym — dodał, odsuwając
mi włosy z czoła — ty też możesz zaproponować spotkanie. Możesz przyznać, że masz ochotę częściej mnie wi-
dywać. Nie musisz przepraszać, jeśli do mnie przyjdziesz
w dołku. Wiesz, seks to nie wszystko.

Wypuściłam trzymane powietrze i trzęsąc się, kiwnęłam głową.

— Dobrze...

— Zasada numer dwa: pozwolisz mi zabrać się do
łóżka. Ogromnego łóżka z zagłówkiem, do którego mogę
cię przywiązać lub oprzeć o nie. Może nawet wbić cię
w materac, kiedy będziesz trzymała na moich ramionach
nogi w tych superbutach. Nie musi to być u mnie i nie
musi być teraz. Uwielbiam posuwać cię w miejscach publicznych — wrócimy do tego niedługo — ale czasami
chciałbym cię mieć dla siebie. Nie spieszyć się.

Czekał na moją odpowiedź, w końcu znów pokiwałam głową.

— Obiecuję nadal robić ci zdjęcia, bo oboje nas to
kręci. Nie poproszę cię o towarzyszenie mi na imprezach
publicznych, dopóki nie będziesz na to gotowa — nie
przeszkadza mi to. A jeśli nigdy tego nie zechcesz, też tak
może być. Ale fascynujesz mnie, Saro, jak również twoja
potrzeba prywatności i potrzeba bycia oglądaną. Teraz
chyba już to rozumiem. I, do cholery, uwielbiam to. Chcę
się tym jeszcze pobawić, odkryć to, co oboje lubimy.

Rozłożył ręce, wzruszył ramionami, po czym przesunął
się i szybko pocałował mnie raz w usta.

— Dobrze?

— To wszystko?

Roześmiał się.

— A czego oczekiwałaś?

— Nie wiem — podniosłam kieliszek i kilkoma długimi łykami skończyłam drinka. Wódka spłynęła mi do brzucha, jeszcze bardziej rozgrzewając i napełniając energią kończyny. — Ale... chyba podobają mi się te zasady.

— Tak podejrzewałem.

— Niezły z ciebie zawadiaka, wiesz?

— Jestem raczej bystry — poprawił mnie ze śmiechem. — I Saro...

Podniosłam wzrok i spojrzałam mu w oczy.

— Tak?

— Dziękuję, że mi zaufałaś przy podjęciu swojej pierwszej szalonej decyzji.

Wpatrzyłam się w niego, obserwując, jak wyraz jego twarzy zmienia się z rozbawionego w zaciekawiony, a potem lekko zaniepokojony. Może to ta mina, może to cicha, pulsująca muzyka. A może to fakt, że widziałam Maxa w nowy sposób — pogłębiony o wiedzę na temat jego przeszłości, ludzi, których kochał i o których pamiętał na co dzień, którzy byli mu bliscy — też zapragnęłam się do niego zbliżyć. Nie tylko w sensie dosłownym.

Położyłam sobie na twarzy jego dłonie, pochyliłam się i powiedziałam:

— Poprawka mojego poprzedniego stwierdzenia: jesteś raczej zadziwiający.

Uśmiechnął się i pokręcił lekko głową.

— A ty jesteś raczej podpita.

— Może i tak, ale to nie wpływa na moją ocenę, że jesteś zadziwiający — pocałowałam go w usta. — Tylko pozwala mi na większą wylewność. — Possałam jego dolną wargę, smakując ją. Niech mnie szlag, na ogół prędzej napiłabym się teraz benzyny niż piwa, lecz na jego ustach piwo smakowało fantastycznie.

— Saro… — wymamrotał.

— Powiedz to jeszcze raz. Cholera, uwielbiam, jak wypowiadasz moje imię. Saaaaraaa.

— Saro — powtórzył posłusznie i odsunął się. — Kochanie, ale zdajesz sobie sprawę z tego, że ktoś może nas tu zobaczyć?

Niedbale machnęłam ręką.

— Nie obchodzi mnie to.

— Ale zacznie cię obchodzić jutro, jak będziesz nieco mniej… wylewna.

— Nie jestem aż tak pijana. I naprawdę nie zważam na to. Wczoraj wieczorem uświadomiłam sobie, że dawałam się fotografować po całym kraju z mężczyzną, któremu nie zależało absolutnie na niczym więcej niż moje nazwisko. A ty jesteś miły, chcesz się ze mną spotykać, zmieniasz moje głupie zasady…

— Saro…

Położyłam mu palec na ustach.

— Nie przerywaj mi, rozpędziłam się.

— Widzę — uśmiechnął się pod moim palcem.

— Zatem: jesteś zadziwiający i chcę cię pocałować w barze. Nie interesuje mnie, że ktoś nas zobaczy i powie:

„O rany! Ta kobieta chce zostać panią Stella, żałosne! Czy w ogóle wie o tym, że ten facet ma co noc inną kobietę?".

— Nieprawda.

— Ale oni tego nie wiedzą, a mnie — zaczerpnęłam powietrza, położyłam dłoń na jego piersi i spojrzałam w rozbawione oczy — nie interesuje, co sobie teraz myślą. Zmęczyło mnie przejmowanie się tym, co ludzie myślą. Lubię cię.

— Ja też cię lubię. Bardzo. Właściwie…

Pochyliłam się i pocałowałam go. Z rękami w jego włosach niemal wchodziłam mu na kolana w tym głupim barze, ale nie obchodziło mnie to. Niezłe przedstawienie. „Nie obchodzi mnie to". Jego dłonie uniosły się do mojej twarzy, a oczy — kiedy w nie spojrzałam na moment — były otwarte. Zobaczyłam w nich błaganie i coś jeszcze, coś, czego nie mogłam do końca określić.

— Słodka Sara — wymruczał pod moimi żarliwymi pocałunkami. — Dopiero uczysz się chodzić. Zabierzmy cię do domu.

~

Dobrze, że głowa przestała mnie boleć do poniedziałku rano, bo czekało mnie dużo pracy. Po pierwsze — strategia cenowa dla nowej linii Provocateur. Po drugie — przekazanie wszystkich zadań związanych z B&T Biotech Samancie. Na liście moich zadań na pewno nie znalazły się

obsesyjne myśli o Maxie i o tym, jak w ciągu trzydziestu
sześciu godzin zmienił się charakter naszego związku.

Najpierw praca. Później będzie mnóstwo czasu na panikę.

Tak mi się przynajmniej wydawało.

— Saaaraaa! — zawołał George, jakimś cudem rozcią-
gając moje imię na siedemnaście sylab. Zatrzymałam się
tuż przed drzwiami biura, upuściłam teczkę z laptopem
na krzesło i przyjrzałam się scenie przed moimi oczami:
George na moim krześle, z nogami na biurku i gazetą
rozłożoną na kolanach.

— Dlaczego siedzisz przy moim biurku?

— Uznałem, że lepiej będzie przejrzeć z tobą strony
plotkarskie tutaj niż w kantynie. Gotowa?

Żołądek uciekł mi w pięty.

— Na co? — zapytałam. Na litość boską, jest poniedziałek, wpół do ósmej. Ledwie byłam w stanie myśleć.

George odwrócił gazetę w moją stronę. Na wielkiej
stronie widniało czarno-białe zdjęcie połowy twarzy
Maxa. Drugą połowę zasłaniała moja głowa. *Déjà vu?*

— Co to jest?

— Gazeta, kochanie — zaśpiewał George, szeleszcząc
papierem; słowo „kochanie" wywołało ostry ból w moim
podbrzuszu. Przez cały poprzedni dzień obracałam je w myślach, przypominając sobie, jak brzmiało w ustach Maxa.

— „Zdjęcie Maxa całującego"… ooch… „tajemniczą kobietę". — Mój asystent odwrócił gazetę do siebie, tak by móc
przeczytać podpis pod zdjęciem. — „Milioner i playboy
Max Stella widziany na drinku z tajemniczą blondynką"…

— Nie jestem blondynką! — syknęłam.

George spojrzał na mnie rozbawiony.

— Dzięki za potwierdzenie! Zgadzam się. Jesteś raczej jasną szatynką. Ale niech dokończę: „Para rozpoczęła wieczór uśmiechami i przekomarzaniem się, a zakończyła gorącą akcją w zacisznym kącie. Jak się wydaje, patronem tego tygodnia jest tygrys!".

George wybuchnął śmiechem, podał mi gazetę i spoważniał.

— Szefowo, nie musiałaś kłamać o sobie i Maxie. Czuję się zraniony.

— To nie twoja sprawa — powiedziałam, wyrywając mu gazetę z ręki i przeglądając artykuł. Zdjęcie na pewno ukazywało Maxa, lecz ponieważ uchwycono tylko tył mojej głowy i rękę, właściwie nie dało się mnie rozpoznać, chyba że ktoś już mnie znał.

— To twoja bransoletka alergików i twoje piękne włosy — zaśpiewał George. — Od jak dawna?

— Nie twój interes.

— Jest świetny w łóżku? Na pewno, prawda? O Boże, nie mów mi jeszcze, niech się porządnie nastawię — zamknął oczy i zaczął nucić.

— Nie twój interes — powtórzyłam, przykładając rękę do czoła. Cholera jasna. Bennett i Chloe zobaczą to zdjęcie. Także moi współpracownicy. Ktoś mógł to wysłać moim rodzicom. — O Boże.

— To wy tego… razem? — zapytał George z rozpaczą, klepiąc dłonią w moje biurko.

— Chryste! Nie twój interes! Wypad z mojego biura, skoczku!

Wstał, rzucił mi krzywe spojrzenie, mniej więcej tak szczere jak uśmiech polityka. Wydawał się przede wszystkim rozemocjonowany. Może nawet nieco podkręcony.

— Świetnie — wymamrotał. — Ale jak się uspokoisz, masz mi opowiedzieć wszystko ze szczegółami!

— Nie ma mowy. Spadaj.

— A przy okazji, to naprawdę świetnie — powiedział, poważniejąc. — Zasługujesz na takie superciacho.

Na moment przestałam panikować i spojrzałam na niego. On był spokojny. Nie zakładał najgorszego. Świntuszył na całego i bawił się każdą minutą mojej męki, lecz jednocześnie zakładał, że jestem szczęśliwa i też dobrze się bawię jako dwudziestokilkuletnia singielka. Był odzwierciedleniem moich sobotnich myśli: „on jest dla ciebie dobry, Saro" — tych samych, których tak kurczowo się trzymałam.

Jednak w świetle poniedziałkowego dnia znacznie trudniej przychodziło mi być młodą, szaloną i pewną, że nie pakuję się w kolejną katastrofę.

— Dzięki, George.

— Nie ma za co. Jednak widzę w korytarzu Chloe, więc lepiej przygotuj się na zwierzenia.

Moja przyjaciółka była nawet bliżej, niż się spodziewałam. Z rozbawioną miną odsunęła mojego asystenta, po czym weszła do mojego biura i z trzaskiem zamknęła za sobą drzwi.

— Max?!

— Wiem, wiem…

— Tajemniczy facet to Max?

— Chloe, przepraszam, ja nie…

Podniesieniem ręki zatrzymała moje wyjaśnienia w pół słowa.

— Pytałam, czy to Max. Skłamałaś bardzo przekonująco, zaprzeczyłaś. Nie jestem pewna, czy powinnam się wkurzać, czy cieszyć.

— Cieszyć? — podsunęłam z przepraszającym uśmiechem.

— Boże, nie próbuj kokietować — podeszła do kanapy pod oknem i usiadła. — Gadaj.

Przeszłam przez pokój i usiadłam obok, zaczerpnęłam powietrza i opowiedziałam jej o wszystkim: o spotkaniu z Maxem w klubie, o tym, co zrobiliśmy. Opowiedziałam jej o chińskiej restauracji. O tym, jak próbowałam powiedzieć mu, żeby mnie nie szukał, lecz zamiast tego dałam mu się uwieść. Przyznałam, że to z nim byłam na imprezie dobroczynnej i to on mi uświadomił, że poznanie mojej nowej natury poszukiwaczki przygód ze specjalistą od przelotnych związków może mi dostarczyć upragnionej rozrywki.

— Ale to coś więcej — przerwała mi przyjaciółka. — W ciągu ostatnich, zaraz… dwóch miesięcy?… przerodziło się w coś innego.

— Dla mnie tak. Dla niego chyba też. Może.

— BB zobaczył zdjęcia dzisiaj rano — powiedziała Chloe z grymasem. — Spanikowałam, bo chciałam je ukryć, lecz on zobaczył „Post" przed stacją metra.

— No nie…

Uśmiechnęła się lekko.

— Szczerze mówiąc, bardziej się zmartwił moją re-
akcją. Powiedział, że zna Maxa: jeśli obiecał być tylko
z tobą, to tak zrobi. To dobrze, bo jeśli cię skrzywdzi,
będzie miał o jeden wyrostek na ciele mniej, jeśli wiesz,
o co mi chodzi.

— To nie problem — odparłam. — Co brzmi jak iro-
nia, gdyż… — wskazałam na siebie — od sześciu lat facet
mnie kantował na całego. Bardziej martwi mnie to, że nikogo nie chciałam. To miało być coś dla mnie. A może Max
mnie polubił ze względu na to, czego od niego nie chcę?
Dałam mu cel: ma sprawić, żebym go pragnęła. Chyba
nigdy tego nie przyzna, nawet może sobie tego nie uświa-
damia, ale martwię się, że nie jest przyzwyczajony do sta-
wiania mu granic. Może właśnie to go zwabiło: wyzwanie.

Chloe wzruszyła ramionami i położyła ręce przed sobą.

— Jako pierwsza powiem ci, że kiedyś musi przyjść
ten pierwszy raz na wszystko i dla wszystkich. Powiedziałaś mu, co czujesz?

W biurze na zewnątrz rozległ się huk, po którym zabrzmiał pełen paniki krzyk George'a:

— Idzie tu!

Przez drzwi wpadł Max, z moim asystentem depczą-
cym mu po piętach.

— Czy on w ogóle słucha? — zapytał mnie George.

— Zwykle nie — odparł Max, który stanął jak wryty
na widok gazety w moim ręku. — Widziałaś.

— Tak — odparłam, rzucając ją na biurko.

Z ponurą miną mężczyzna przeszedł przez pokój.

— Słuchaj, to kiepskie zdjęcie. Wątpię...

— W porządku — odparłam, wsuwając włosy za ucho. — Ja...

— A ja bym tak nie powiedziała — przerwała nam Chloe, obchodząc biurko. Założyła ręce i stanęła między nami. — Fakt, zdjęcie nie jest najlepsze, ale ja cię rozpoznałam. Bennett też.

— Ja też — wtrącił George, podnosząc rękę.

— A ty co tu jeszcze robisz? — warknęłam do niego. — Wracaj do pracy.

— Jaka drażliwa! — odparł, odsuwając się od ściany.

— Co my tu mamy? — Na ten głos wszystkie głowy w pokoju odwróciły się w stronę drzwi. — Cieszę się, że wszystkich zastałem — powiedział Bennett, wchodząc z miną zwycięzcy największego, najbardziej niedorzecznego zakładu wszech czasów. — Niezła fotka, Stella. Ale w barze...?

Otworzyłam szerzej oczy i odparowałam:

— A co, schody na osiemnastym piętrze to lepszy pomysł?

Ryan gwałtownie odwrócił się do Chloe.

— Poważnie, Chlo? Powiedziałaś jej?

— No pewnie — zbyła go niecierpliwym machnięciem ręki. Stojący obok niej Max roześmiał się.

— Naprawdę, Ben? Gziłeś się ze stażystką w pracy?

— Kilka razy — odparła Chloe scenicznym szeptem.

Max zatarł dłonie, najwyraźniej zachwycony przebiegiem wydarzeń.

— Jakże to interesujące — powiedział, mierząc wzrokiem Bennetta. — Ciekawe, jakoś nic o tym nie wspomniałeś, kiedy niemal nazwałeś mnie dziwkarzem parę dni temu.

— Hm, przyganiał... Kocioł, garnek, poznajcie się — odparła Chloe i gestem wskazała obu mężczyzn, jakby ich sobie przedstawiała.

— Już tu skończyłem — mruknął Bennett. — Max, wpadnij do mnie przed wyjściem — musnął wargami usta Chloe i wyszedł z mojego biura.

Moja przyjaciółka zwróciła się do Maxa:

— Chciałabym wiedzieć, jak to jest pracować z mamą, kiedy takie wiadomości przeciekają do prasy. Wkurzyła się?

Max wzruszył ramionami.

— Ona udaje, że nie mam libido. Tak jest lepiej.

— O czym my w ogóle gadamy? — jęknęłam.

— Chloe, kocham cię, ale idź stąd już. George! — wrzasnęłam.

Ten prawie natychmiast wsadził głowę w drzwi.

— Nie podsłuchuj. Zabierz Chloe do kantyny i kup jej czekoladę — wreszcie spojrzałam Maxowi w oczy. — Muszę porozmawiać z panem Stellą.

Chloe i George wyszli, Max zamknął drzwi i przekręcił klucz.

— Jesteś wściekła? — zapytał, krzywiąc się.

— Co? Nie — westchnęłam, opadając na krzesło.

— O ile dobrze pamiętam, to ja się na ciebie rzuciłam. Zdaje się, nawet mnie przed tym ostrzegałeś.

— Racja — odparł, ukazując dołeczek w policzku, kiedy z uśmiechem podniósł zdjęcie. — Ale ja też nieźle na tym wyszedłem. Tył tej głowy może należeć tylko do niesłychanie wysportowanej kobiety.

Bezskutecznie próbowałam stłumić śmiech. Max pochylił się tak, że patrzyliśmy sobie z bliska w oczy.

— Dużo przebywamy razem, Saro. To tylko kwestia czasu, kiedy ktoś nas sfotografuje.

Kiwnęłam głową.

— Wiem.

Wyprostował się i z dramatycznym westchnieniem wyjrzał przez okno.

— Chyba będziemy teraz musieli ograniczyć nasze uniesienia do sypialni i samochodów.

Miał na ustach uśmieszek, lecz ja poczułam ciężar w żołądku, bynajmniej nie dlatego, że nie podobał mi się pomysł wylądowania z Maxem w łóżku. Po prostu jeszcze się nie nasyciłam tym, że miewałam go w każdym innym miejscu.

Chciałam jeszcze trochę pobyć nową Sarą.

— Nie wyglądasz na zadowoloną — zauważył.

— Podoba mi się to, co robimy.

Twarz mu lekko spochmurniała.

— Nieprzewidywalność miejsc?

Kiwnęłam głową.

— To uczucie, że przy tobie mogę robić wszystko, na co mam ochotę.

Przerwał na chwilę, zastanawiając się nad czymś.

— Nie musimy tego zmieniać, Saro. Niezależnie od tego, gdzie będę cię niecnie wykorzystywał.

Uśmiechnęłam się.

— Wiem.

— Ale zdajesz sobie sprawę z tego, że jeśli będziemy to ciągnąć, a nie mam nic przeciwko, to w końcu nas przyłapią.

Miał rację, a prawdziwość jego stwierdzenia sprawiła, że moje nadzieje nieco zbladły.

— Coś wymyślimy — powiedziałam, ale nawet ja usłyszałam brak przekonania w moim głosie.

— Saro, można się dobrze bawić nawet w bardziej konwencjonalnym związku.

Znów kiwnęłam głową i obdarzyłam mężczyznę najbardziej przekonującym uśmiechem, na jaki mogłam się zdobyć.

— Wiem.

Jednak naprawdę nie wiedziałam. Wiedziałam jedynie, że nie chcę, by to, co łączy mnie z Maxem, w najmniejszym stopniu przypominało moje poprzednie życie.

ROZDZIAŁ
CZTERNASTY

O trzeciej nad ranem obudziłem się z pomysłem tak absurdalnym, że powinienem był jedynie wstać, nalać sobie whisky i zasnąć.

Jednak nie wstałem, nie nalałem sobie whisky i z pewnością nie zasnąłem.

Pół nocy nie spałem, zastanawiając się nad tym, co począć z paradoksalną potrzebą Sary, by pozostać w ukryciu, a jednocześnie jak dać jej możliwość wspólnego odkrywania szalonej części jej natury. Zdjęcia w „Post" przyjęła z większym spokojem, niż oczekiwałem, lecz mieliśmy sporo szczęścia, gdyż nie było widać jej twarzy ani innych szczegółów umożliwiających identyfikację. Cokolwiek bardziej wyraźnego mogłoby wywołać u Sary chęć

ucieczki, a może już się tak czuła. Widziałem, że darzy
mnie uczuciem wykraczającym poza przeżywanie orgazmów w miejscach publicznych i łączące nas skłonności
do ekshibicjonizmu, lecz ono nie miało nic wspólnego
z bardziej trwałym związkiem i diametralnie różniło się
od tego, co ja do niej czułem.

Usiadłem, nagle uderzony pewnym pomysłem, zastanawiając się, czy szaleństwem będzie go wypróbować.
Z drugiej strony rozwiązanie wydawało się idealne. Sarę
najwyraźniej kręciło bycie obserwowaną, świadomość, że
ktoś widzi jej orgazm. Spróbuję jej pokazać, że seks może
łączyć dobrą zabawę, szaleństwo i energię ze związkiem,
który rozwija się w coś głębszego. Ona jednak chciała pozostać anonimowa, ja zaś na pewno nie miałem ochoty
skończyć ze spodniami spuszczonymi — dosłownie
— w metrze, kinie czy taksówce. Sara tym razem przeszła
do porządku dziennego nad zdjęciem, lecz nękała mnie
świadomość, że jeśli się to powtórzy, to ona nie przyjmie
tego z takim spokojem.

Spojrzałem na zegarek; już chyba mogłem zadzwonić. O ile go znam, Johnny French jeszcze nie poszedł
spać.

Już po pierwszym dzwonku odezwał się schrypnię-
tym głosem:

— Max — powiedział tylko.

— Panie French, mam nadzieję, że nie jest za wcześnie.

Zaśmiał się grzmiąco.

— Jeszcze się nie położyłem. Co mogę dla pana zrobić?

Odetchnąłem, czując ulgę wywołaną nagłą świadomością, że to naprawdę może być najlepsze rozwiązanie.

— Mam problem i chyba potrzebuję pana pomocy.

~

Kiedy Sara odebrała telefon, wyczułem uśmiech w jej głosie.

— Jest środa — powiedziała. — Nie ma jeszcze ósmej. Chyba podobają mi się te nowe zasady.

— Chyba oboje się oszukujemy, wierząc, że obowiązują nas jakiekolwiek zasady — odparłem.

Minęła długa chwila, zanim odpowiedziała.

— Pewnie masz rację — wymruczała w końcu.

— Wciąż nie denerwujesz się zdjęciami w „Post"?

Nastąpiła krótka przerwa.

— Właściwie nie.

— Wczoraj cały dzień o tobie myślałem.

Znów zamilkła; zastanawiałem się, czy nie posunąłem się za daleko.

— Ja też tak mam od jakiegoś czasu — powiedziała w końcu.

Roześmiałem się. Święta prawda.

— Tak jak ja.

Zapadła cisza; przygotowałem się na możliwość od-
mowy.

— Saro, powinniśmy być bardziej ostrożni w naszym
wyborze miejsc na intymne spotkania. Dotąd uważaliśmy,
ale przede wszystkim sprzyjało nam szczęście. Teraz bardziej mi zależy na uniknięciu skandalu.

— Wiem, mnie też.

— A jednocześnie...

— Też nie chcę rezygnować — roześmiała się.

— Ufasz mi?

— Oczywiście. Przyszłam do ciebie do magazynu...

— Mam na myśli prawdziwe zaufanie, Saro. Planuję
zabrać cię w zupełnie inne miejsce.

Tym razem odparła bez wahania.

— Tak.

~

Uznałem, że środa to dobry dzień na rozpoczęcie. Johnny
bez wątpienia ma klientów co wieczór, ostrzegł jednak,
że piątki i soboty mogą nas nieco przytłoczyć, a środy są
najspokojniejsze.

W SMS-ie zawiadomiłem Sarę, że przyjadę po nią
do domu, jak przebierze się po pracy i zje kolację. Czy
okazałem się tchórzem, bo nie zaprosiłem jej na kolację
z obawy, że zacznie się zastanawiać i rozmyśli, jeśli dam
jej za dużo czasu?

Cholera, tak.

Z budynku, w którym mieszkała Sara, wyszła brunetka; ze schyloną głową grzebała w małej torebce. Od jakiegoś czasu nie widziałem świata poza panną Dillon, ale nawet ja musiałem się obejrzeć za tą pięknością. Kobieta miała na sobie ciemną bluzkę, spódnicę i wysokie obcasy. Jej atramentowe włosy lśniły w świetle latarni; były przycięte krótko, ledwie do podbródka. Odwróciła głowę w prawo; dojrzałem długą, delikatną szyję, gładką skórę i idealny biust. Znałem tę szyję, te krągłości.

— Sara? — zawołałem. Odwróciła się, a mnie opadła szczęka. Niech to jasna cholera.

Uśmiechnęła się, widząc mnie opartego o samochód. Machnięciem ręki zatrzymałem Scotty'ego, który już wysiadał, by otworzyć jej drzwi, i sam wpuściłem ją do środka.

Podłożyła palec z lśniącym czerwonym paznokciem pod moją brodę i zamknęła mi szczękę.

— Jak rozumiem, podoba ci się — stwierdziła z uśmiechem, wsiadając do tyłu.

— To za mało powiedziane — odparłem, wsuwając się za nią i od razu wyciągając rękę, żeby odsunąć z jej twarzy kosmyk ciemnych włosów. — Wyglądasz cudownie jak cholera.

— Super, prawda? — zapytała, lekko potrząsając głową. — Uznałam, że skoro mamy poważnie traktować to ukrywanie, to możemy się przy tym dobrze bawić — zsunęła buty i podwinęła nogi pod siebie. — To jak, powiesz mi, o co chodzi?

Wreszcie doszedłem do siebie, pochyliłem się i pocałowałem ją w usta.

— Pojedziemy kawałek. Po drodze wszystko ci wyjaśnię.

Utkwiła we mnie cierpliwe spojrzenie; z trudem się powstrzymałem, żeby nie wziąć jej natychmiast w samochodzie. Muszę ją trochę przetrzymać. Ciemne kluby taneczne to jedna sprawa, wtedy zresztą Sara była podpita; teraz jednak jedziemy w zupełnie inne miejsce.

— Jeden z moich najwcześniejszych klientów nazywa się Johnny French. Jestem niemal pewny, że to ksywa, gdyż facet wygląda na takiego, który posługuje się różnymi nazwiskami, jeśli wiesz, o co mi chodzi. Poprosił mnie o pomoc w otwarciu klubu nocnego w dość zniszczonym budynku. Już to wcześniej robił, dobrze mu szło, lecz chciał spróbować współpracy z firmą kapitałową, która ma nieco bardziej oficjalne kontakty w świecie marketingu.

— Jak się nazywa ten klub?

— Silver — odparłem. — Wciąż działa i całkiem nieźle sobie radzi. Szczerze mówiąc, na współpracy z nim zarobiliśmy całkiem spore pieniądze. W każdym razie Johnny bardzo przestrzega swoich zasad, lecz w trakcie tworzenia analizy „due diligence" wyjaśnił, że potrzebuje większej, dobrze prosperującej firmy do wsparcia pomniejszych interesów.

Sara poprawiła się na siedzeniu; chyba domyślała się, że docieram do sedna sprawy.

— Johnny posiada kilka podobnych lokali. Jeden z nich to bardzo popularny kabaret na Brooklynie.

— Beat Snap?

Lekko zaskoczony pokiwałem głową.

— Słyszałaś o nim?

— Wszyscy słyszeli. W zeszłym tygodniu była tam Dita Von Teese, wybrałyśmy się z Julią.

— No właśnie. Johnny jest także właścicielem mniej znanych lokali. Dzisiaj jedziemy do bardzo tajemniczego, mocno chronionego klubu zwanego Red Moon.

Pokręciła głową. Nawet gdyby urodziła się w Nowym Jorku, wątpię, czy rozpoznałaby tę nazwę. Sięgnąłem do marynarki i z wewnętrznej kieszeni wyjąłem małą torebkę. Spojrzenie Sary wędrowało za moimi dłońmi, kiedy odwiązywałem sznurek i wyjmowałem niebieską maskę z piórami.

Pochyliłem się i nałożyłem maskę na twarz dziewczyny, po czym sięgnąłem za jej głowę i zawiązałem sznurek. Spojrzałem na Sarę i niemal złamałem swoje postanowienie, żeby jej nie dotykać. Widziałem jej oczy, lecz twarz miała w połowie zakrytą; pod moim spojrzeniem jej pełne czerwone usta uniosły się w lekkim uśmiechu. Maska ozdobiona była kryształkami, a spod niej brązowe oczy wydawały się świecić własnym blaskiem.

— To rzeczywiście tajemnicze — wyszeptała.

Jęknąłem.

— Wyglądasz jak postać z bardzo kosmatego snu.

— Uśmiechnęła się szerzej, a ja mówiłem dalej: — Red Moon to seksklub.

W przyćmionym świetle zauważyłem, jak zadrżała. Przypomniałem sobie jedną z naszych pierwszych nocy i pospieszyłem z uspokojeniem.

— Nie ma kajdanek ani batów... a przynajmniej nie stanowią one głównej atrakcji klubu. To miejsce dla podglądaczy z wyższych sfer. Ludzi, którzy lubią się przyglądać, jak inni uprawiają seks. Byłem tam tylko raz, w czasie tworzenia analizy, i zobowiązano mnie do zachowania całkowitej poufności. Na głównym piętrze Johnny ma olśniewające tancerki, które wykonują piękną, skomplikowaną choreografię. Reszta klubu to mniejsze pokoje, w których przez okna lub lustra można sobie pooglądać różne rzeczy.

Odchrząknąłem i spojrzałem jej w oczy.

— Johnny zaproponował nam pokój do zabawy na dzisiejszą noc, jeśli chcesz.

～

Na zewnątrz był to byle jaki, zniszczony budynek mieszczący kilka firm, łącznie z włoską restauracją, salonem fryzjerskim i zabitym deskami ryneczkiem azjatyckim. Przy mojej poprzedniej i jedynej wizycie Johnny wprowadził mnie tylnym wyjściem. Dzisiaj mieliśmy zapewne skorzystać z wejścia głównego, czyli niepozornych podniszczonych drzwi ze stali w bocznej uliczce, otwieranych kluczem dostarczonym mi przez posłańca do biura po południu.

— Ile osób ma klucz? — zapytałem go przez telefon.

— Cztery — odparł. — Jesteś piąty. W ten sposób pilnujemy liczby wchodzących. Nie dostanie się tu przypadkowy człowiek z ulicy. Na każdy wieczór mamy listę. Goście dzwonią do Lisbeth w recepcji, a ona posyła po nich ochroniarza — przerwał na chwilę. — Masz szczęście, że jesteś moim ulubieńcem, Max, bo inaczej czekałbyś miesiącami.

— Doceniam to, John. A jeśli dzisiaj pójdzie dobrze, na pewno pozwolisz mi przyprowadzać ją co środę.

Wyjmując klucz i zderzając się z realnością całej sytuacji, poczułem narastające podniecenie. Poprowadziłem Sarę uliczką; jej dłoń spoczywała bezwładnie w mojej.

— Możemy w każdej chwili wyjść — przypomniałem jej po raz dziesiąty w ciągu ostatnich dziesięciu minut.

— Jestem zdenerwowana, ale to raczej ekscytacja — zapewniła. — Nie boję się.

Pociągnęła mnie za ramię tak, bym stanął twarzą do niej, wspięła się na palce i przesunęła ustami po moich wargach, lekko ssąc i liżąc.

— Jestem prawie pijana z podniecenia.

Pocałowałem ją ostatni raz i odsunąłem się, inaczej byłbym gotów wziąć ją tu, w ciemnej uliczce — a Johnny zapewnił, że za coś takiego trafiłbym na jego czarną listę dożywotnio. Włożyłem klucz w zamek.

— Chciałem wspomnieć jeszcze o jednym. Picie. Najwyżej dwa drinki. Wszystko ma być na spokojnie, bezpiecznie i bez przymusu.

— Nie jestem pewna, czy mogę obiecać spokój. Przy tobie zaczynam lekko szaleć.

Uśmiechnąłem się do niej.

— Chyba chodzi o stosunki między klientami. Występ tancerek na pewno nie zapowiada się spokojnie.

Zamek w drzwiach szczęknął cicho, pchnąłem skrzydło i weszliśmy do środka. Zgodnie z instrukcjami Johnny'ego zaledwie po dziesięciu krokach przeszliśmy przez kolejne drzwi, potem zeszliśmy długimi schodami do windy towarowej. Drzwi otworzyły się natychmiast po naciśnięciu guzika, a kiedy na podświetlonej klawiaturze wpisałem podany mi kod, zjechaliśmy jeszcze dwa piętra, głęboko w trzewia Nowego Jorku.

Starałem się wyjaśnić Sarze, co zobaczy — stoły w półkolu na otwartej przestrzeni, ludzi rozmawiających i poznających się ze sobą jak w każdym barze — lecz wiedziałem, że mój opis nie odda rzeczywistości. Szczerze mówiąc, przy pierwszej wizycie, gdy przyszedłem tu z Johnnym, to miejsce tak mnie zafascynowało, że tylko moja etyka partnera w interesach powstrzymała mnie przed dalszym odkrywaniem klubu. Nie wróciłem tam więcej, chociaż bardzo chciałem.

Jednak teraz Sara na stałe zagościła w moim życiu, wydawało się, że tego właśnie potrzebuje, ja zaś coraz bardziej chciałem jej dawać wszystko, czego zechce

— dlatego w końcu zmieniłem zdanie na temat trzymania się z daleka od klubu.

Drzwi windy rozsunęły się i wyszliśmy na mały korytarz. Wypełniało go ciepłe światło, a za biurkiem siedziała piękna rudowłosa kobieta, stukająca w błyszczącą czarną klawiaturę komputera.

— Pan Stella — odezwała się i wstała na powitanie.

— Pan French uprzedził mnie, że pan dzisiaj przyjdzie. Mam na imię Lisbeth. — Kiwnąłem głową na powitanie, a kobieta gestem kazała nam iść za sobą. — Proszę za mną.

Odwróciła się i poprowadziła nas krótkim korytarzem, w ogóle nie kwestionując maski Sary ani nie pytając o jej imię. Wsunęła klucz w ciężkie metalowe drzwi, otworzyła je i ramieniem zaprosiła do środka.

— Proszę pamiętać, panie Stella, że zezwalamy na maksymalnie dwa drinki, nie wolno używać nazwisk, a zaraz za drzwiami pokojów stoi ochrona, gdyby ktoś potrzebował pomocy. — Na dowód prawdziwości tych słów zza jej pleców wychynął zwalisty mężczyzna.

Lisbeth zwróciła się do Sary i wreszcie do niej odezwała.

— Czy jest tu pani z własnej woli?

Sara kiwnęła głową, a kiedy Lisbeth wydawała się wciąż czekać na odpowiedź, dodała:

— Jak najbardziej.

Lisbeth puściła do nas oko.

— Życzę państwu dobrej zabawy. Johnny powiedział, że w środy pokój numer sześć jest do państwa dyspozycji na tak długo, jak państwo zechcą.

Tak długo, jak zechcemy? Obróciłem się i poprowadziłem Sarę do klubu, czując zamęt w głowie. Przy poprzedniej wizycie widziałem tylko parę pomieszczeń. Większość wieczoru spędziłem wtedy w barze głównym, popijając whisky i przyglądając się, jak dwie kobiety kochają się na stole obok, podczas gdy Johnny krążył i witał się z klientami. Przeszliśmy się korytarzem wzdłuż kilku pokojów, lecz czułem się dziwnie, oglądając je z kontrahentem i w dodatku mężczyzną. Wykręciłem się zmęczeniem, a potem żałowałem, że nie przyjrzałem się bliżej atrakcjom poszczególnych pomieszczeń.

— Co to jest pokój numer sześć? — zapytała Sara, dłońmi chwytając mnie za ramię, kiedy szliśmy do baru.

— Nie mam pojęcia — przyznałem. — Ale jeśli dobrze pamiętam, Johnny chyba przydzielił go nam z tego powodu, że jest na końcu korytarza.

Bar mieścił się w przestronnym, otwartym pomieszczeniu o pięknym, choć prostym wystroju: niskie lampy dające ciepłe światło, stoliki dla dwóch lub czterech osób, sofy, otomany i leżanki gustownie porozstawiane wokół. Z sufitu zwisały ciężkie pluszowe zasłony, a ściany pokrywała błyszcząca czarna tapeta mieniąca się delikatnie, ukazująca ledwie widoczne wzory w migotliwym świetle świec.

Było wcześnie; przy stolikach siedziało kilku innych klientów, rozmawiając cicho i oglądając kobietę i mężczyznę tańczących na środku sali. Kiedy szliśmy w stronę baru, mężczyzna ściągnął kobiecie bluzkę przez głowę i materiałem unieruchomiwszy ramię partnerki, zaczął z nią wirować po podłodze. W świetle lamp lśniły cekiny w pierścionkach na sutkach tancerki.

Sara przyglądała się im, a kiedy ją na tym przyłapałem, zamrugała i odwróciła spojrzenie. Założyła kosmyk ciemnych włosów za ucho gestem, który — jak zdążyłem się nauczyć — zdradzał zdenerwowanie; wyobraziłem sobie, jak się rumieni pod maską.

— Tutaj można się przyglądać — przypomniałem jej cicho. — Kiedy zrobi się naprawdę interesująco, nikt nie będzie w stanie oderwać wzroku, zobaczysz.

Zamówiłem jej wódkę, a dla siebie szkocką, po czym ruszyliśmy do małego stolika w kącie. Zapatrzyłem się na Sarę, kiedy rozglądała się po sali. Popijała drinka i bez pośpiechu oglądała wszystko wokół. Zastanawiałem się, czy zdaje sobie sprawę z tego, jak bardzo sama ściąga uwagę klientów.

Widziałem pulsujące tętno na jej szyi. Zapatrzyłem się na bladą skórę; miałem ochotę pochylić się i ustami wyssać na niej malinkę. Przesunąłem się na krześle i poprawiłem spodnie, wyobrażając sobie, jak by to było doprowadzić ją do końca ręką w pomieszczeniu pełnym przyglądających się ludzi.

„Niech cię szlag, Max. Ale wpadłeś".

— O czym myślisz? — zapytałem.

Uniosła brodę, wskazując całującą się na parkiecie parę. Tamci odsunęli się od siebie i znów przysunęli.

— Oni będą tu uprawiać seks?

— Najprawdopodobniej, w takiej czy innej formie.

— Dlaczego oni nie mają swoich pokojów?

— Dla odmiany. Jeśli się nie mylę, w pokojach akcja jest ostrzejsza, poza tym jest bardziej prywatnie.

Kiwnęła głową, uniosła drinka i napiła się, przyglądając mi się uważnie.

— Nikt tutaj nie wie, kim jestem, ale jako jedyna mam perukę i maskę.

— O ile pamiętam, to ty zawsze chciałaś pozostać w ukryciu — zauważyłem z uśmiechem.

— Zrobiłbyś to dla mnie? Pozwolił innym się przyglądać?

— Zrobiłbym dla ciebie prawie wszystko — przyznałem. Po czym nie widząc w ciemnym kącie, jak moje słowa wpłynęły na nią, dodałem: — Myśl o tym nakręca mnie chyba tak samo jak ciebie.

Położyła mi rękę na udzie pod stołem.

— Jednak ludzie znają cię tutaj. Rozpoznają twoją twarz.

— Wielu gości jest znacznie bardziej znanych ode mnie. Tamten mężczyzna w kącie to piłkarz jakiejś drużyny, o której wciąż wysłuchuję od Willa. A tamta kobieta? — dyskretnie wskazałem stolik niedaleko baru. — Telewizja.

Sara otworzyła szerzej oczy na widok znanej aktorki, laureatki nagrody Emmy.

— Ale nie zamierzają uprawiać seksu w pokoju numer sześć — zauważyła.

— Nie, jednak się przyglądają. Nikt nie będzie mnie oceniał tylko dlatego, że przyszedłem tu z tobą. A co ważniejsze, wszyscy wiedzą, że z zasadą poufności Johnny'ego Frencha nie ma żartów. Facet ma haka na każdego gościa, a jeśli nawet nie, to potrafi go znaleźć.

— Och.

— Wszystko zostaje w tych ścianach, S… — zacząłem, lecz ona położyła mi palec na ustach.

— Bez imion, nieznajomy — przypomniała mi.

Uśmiechnąłem się i pocałowałem koniuszek jej palca.

— Wszystko zostaje w tych ścianach, kwiatuszku. Zapewniam.

— Pierwsza zasada podziemnego kręgu? — zapytała z uśmiechem.

— Właśnie tak — uniosłem szklankę i łyknąłem.

— Powiedz mi, o czym jeszcze myślisz.

Nachyliła się, żeby mnie pocałować, ale się odsunąłem.

— Czy mogę cię dotykać tutaj?

Pokręciłem głową.

— Niestety to kolejna zasada. Zakaz kontaktów seksualnych dla wszystkich oprócz wykonawców.

— A pokój numer sześć?

— Tam można.

— Cholera — poprawiła się na krześle i przez chwilę dalej obserwowała tancerzy. Zrzucili już z siebie ubrania, a mężczyzna właśnie poprawiał uprząż opuszczoną z sufitu, by partnerka mogła w nią wejść. Po chwili kobieta rozłożyła szeroko nogi, a ktoś z góry podciągnął ją wyżej, tak że jej biodra znalazły się na wysokości głowy mężczyzny, który zaczął nią obracać do rytmu muzyki, obchodząc ją szerokim łukiem. Kobieta wirowała z odrzuconą do tyłu głową.

— Która godzina? — zapytała Sara po kilku minutach, nie odrywając wzroku od pokazu. Mężczyzna zatrzymał nagle kobietę i otwarte usta wcisnął między jej nogi.

— Za piętnaście dziesiąta.

Westchnęła. Nie wiedziałem, czy była tak niespokojna jak ja. Męki zadawane przez klub polegały na tym, że jeśli chciałem jej dotknąć, mogłem to uczynić tylko na widoku innych gości, którzy wykorzystywali nas do spełnienia swoich potrzeb, tak samo jak my wykorzystywaliśmy ich. Najbardziej na świecie pragnąłem robić z nią to, co mężczyzna na parkiecie ze swoją partnerką: smakować, drażnić, pieprzyć ją palcami.

Kiedy mężczyzna znów zaczął kręcić tancerką, do naszego stolika podszedł kelner.

— Dobry wieczór, proszę pana. — Nalewał wody z kryształowego dzbanka, zaczynając blisko krawędzi szklanki, potem podnosząc go nad głowę i ani na moment nie zakłócając strumienia wody. — Właściciel wspomniał, że pan tu był, lecz pańska towarzyszka jest nowa. Czy mam jej opowiedzieć o klubie, żeby wiedziała, czego może oczekiwać?

— Byłoby świetnie — odparłem.

Kelner zwrócił się do Sary.

— Klub zmienia wystrój co dwa tygodnie. Naszym celem jest odświeżanie wyglądu dla klientów. Idąc do pokojów, zobaczą państwo różne sceny.

Zerknąłem na Sarę, zastanawiając się, jak to wszystko przyjmuje dziewczyna ze Środkowego Zachodu kryjąca się pod maską.

— Występy zaczynają się o dwudziestej drugiej — ciągnął nasz gospodarz — i trwają do północy. Podobno mają państwo pokój numer sześć. Ponieważ to pani pierwsza wizyta, proszę swobodnie się rozejrzeć, zanim pani zdecyduje, czy chce pani w czymś uczestniczyć — uśmiechnął się. — Powiedziano mi, że właściciel chciałby dodać akcent intymności i szczerości do zwykłego występu. Nigdy nie mieliśmy pary gości, która patrzyłaby na siebie tak jak państwo.

Poczułem, jak oczy mi się otwierają, a Sara przysunęła się bliżej mnie. Poczułem ciepło jej ciała stykającego się z moim udem. Chęć dotykania jej niemal mnie rozsadzała.

Kelner ukłonił się lekko.

— Ale proszę nie czuć żadnej presji.

~

O dwudziestej drugiej światła w korytarzu rozjaśniły się do ciepłego złota. Goście zaczęli się ruszać, kończyć drinki, powoli wstawać. Jednak Sara złapała mnie za rękę i gwałtownie pociągnęła z krzesła.

Korytarz miał przynajmniej sześć metrów szerokości, stały w nim siedzenia i stoliki przy oknach, przez które można było zajrzeć do pokojów. W pokoju numer jeden, pierwszym po lewej, w kącie stał młody umięśniony mężczyzna w dżinsach i bez koszuli. Na podłodze klęczał na czworakach drugi, ciemnowłosy z końskim ogonem, którego końcówkę miał wetkniętą w odbyt. Mężczyzna w kącie uniósł bicz i strzelił nim głośno w powietrzu.

Sara gwałtownie zasłoniła dłonią usta, ale ja pociągnąłem ją dalej korytarzem, mrucząc:

— Zabawa w konika, kochanie, nie dla wszystkich.

W pokoju numer dwa na kanapie siedziała piękna naga kobieta, która właśnie zaczynała się masturbować przy filmach pornograficznych wyświetlanych na szerokiej ścianie naprzeciw niej.

W pokoju numer trzy olbrzymi blady mężczyzna w masce tragicznej Melpomeny przygotowywał się do wzięcia zakneblowanej kobiety od tyłu. Poczułem, jak Sara obok mnie się spina.

— To wygląda… — nieokreślonym ruchem ręki wskazała dziwnie fascynującą scenę.

— Trochę niecodziennie? — podsunąłem. — Musisz zrozumieć, że ludzie słono płacą za wstęp. Nie chcą oglądać tego, co mogą zobaczyć w telewizji — położyłem dłoń na jej plecach i przypomniałem: — Poza tym w telewizji nie zobaczysz także prawdziwej bliskości.

Uniosła na mnie spojrzenie, po czym jej uwagę przyciągnęły moje usta.

— Myślisz, że jesteśmy naprawdę blisko?

— A ty jak myślisz?

Pokiwała głową.

— Kiedy to się stało?

— A czy kiedykolwiek nie było między nami blisko-ści? Ty tylko próbowałaś to ignorować.

Zamrugała, lecz oparła się na mnie i poszliśmy razem.

W pokoju numer cztery trzy kobiety całowały się i śmiały, rozbierając się nawzajem w ogromnym białym łożu.

W pokoju numer pięć mężczyzna wiązał kobietę sznu-rem, podczas gdy związany i zakneblowany mężczyzna — zapewne zdradzany mąż — obserwował ich z kąta.

— Wydamy się przy nich nudni — wyszeptała z sze-roko otwartymi oczami.

— Naprawdę tak sądzisz?

Nie odpowiedziała, gdyż dotarliśmy do pokoju nu-mer sześć, który był pusty. Nawet na mnie nie patrząc, Sara prześlizgnęła się do końca korytarza, gdzie mogliśmy wejść do pokojów tylnymi drzwiami.

Klamka przekręciła się bez oporu i Sara przekroczyła próg.

Po kilku minutach oczy przyzwyczaiły się nam do półmroku. Zacząłem rozróżniać barek w kącie i wielką skórzaną kanapę z niską ławą z przodu. Nawet w ciem-ności pokój niezwykle przypominał kąt mojego własnego salonu; z nagłym wstrząsem uświadomiłem sobie, że to dokładna kopia mojego mieszkania.

Nie pytając Sary o pozwolenie, zapaliłem światło. Miałem rację. Kremowe ściany z głębokim orzechowym wykończeniem, szeroka czarna kanapa i ten sam puszysty dywan, który wybrałem w Dubaju. Lampy od Tiffany'ego

298 Christina Lauren

ozdabiały dwa mniejsze stoliki. Pokój był znacznie mniejszy od mojego salonu, którego używałem w czasie większych imprez, lecz bez wątpienia bardzo podobny. Olbrzymie okno, przez które mogli nam się przyglądać ludzie, otaczały udrapowane zasłonki takie jak u mnie w domu, lecz z naszego miejsca okno wydawało się jedynie wychodzić na ciemność i pustkę.

Johnny był u mnie tylko raz, lecz w jedno popołudnie przeobraził pokój w klubie specjalnie dla mnie, na pewno z założeniem, iż oboje rozpoznamy wystrój i może poczujemy się w nim swobodniej. Nie miał pojęcia, że Sara tak naprawdę nigdy nie była u mnie w mieszkaniu.

— Coś się stało? — zapytała, przysuwając się do mnie; uświadomiwszy sobie, że tutaj może mnie dotknąć, otoczyła mnie ramionami w pasie.

— Skopiował dla nas mój salon.

— To... — rozejrzała się dookoła szeroko otwartymi oczami — to szaleństwo.

— Szaleństwem jest to, że po raz pierwszy widzisz moje mieszkanie w taki sposób. W seksklubie.

Absurdalność sytuacji uderzyła nas jednocześnie; Sara zaczęła chichotać, ukrywszy twarz w mojej piersi.

— To najdziwniejsza rzecz, jaką ktokolwiek zrobił. Kiedykolwiek.

— Możemy iść...

— Nie. To pierwsze miejsce, w którym będziemy uprawiać seks tam, gdzie powinniśmy — powiedziała, uśmiechając się szeroko. — Myślisz, że przepuszczę taką okazję?

Cholera. Ta kobieta mogłaby mi kazać klęknąć i całować swoje stopy, a ja bym to zrobił.

O mało nie powiedziałem: „Kocham cię". Słowa podeszły mi do gardła tak wysoko, że szybko się odwróciłem i podszedłem do baru po drinka.

Sara jednak ruszyła za mną.

— Pewnie za późno o to pytać, ale co my tu robimy?

— Chyba staramy się znaleźć sposób na cieszenie się tym aspektem naszego związku bez narażania twojej i mojej kariery lub znalezienia się na pierwszej stronie blogu Pereza Hiltona.

Bez słowa pytająco uniosłem butelkę szkockiej. Sara pokręciła głową, szeroko otwartymi oczami śledząc moje ruchy, kiedy nalewałem sobie drinka.

— Trzy palce — wyszeptała. Usłyszałem uśmiech w jej głosie.

— Na razie jeden wystarczy.

Kiedy przełknąłem, podeszła blisko i wyprostowawszy się, pocałowała mnie, ssąc mój język.

Cholera, jak ona smakuje…

Pióra jej maski musnęły mnie w policzek.

— Trzy — powtórzyła.

Pocałunkami szła w dół mojej szyi, dłoń z rozczapierzonymi palcami położyła na moich spodniach, głaszcząc i ugniatając; przez ramię spojrzałem w ciemne okno. Być może siedziała tam już widownia, ciekawa, co teraz nastąpi. A może w tym pokoju na końcu korytarza byliśmy sami. Jednak świadomość, że może ktoś się przygląda, sama możliwość obserwacji tego, jak ona mnie dotyka…

Po raz pierwszy zrozumiałem, jak takie igraszki ze mną
niemal na oczach ludzkich pozwalały Sarze stać się do-
wolną osobą. Mogła się wtedy bawić. Mogła szaleć, szukać
przygód i podejmować ryzyko.

Ja też. Tutaj mogłem być mężczyzną po raz pierwszy
w życiu śmiertelnie zakochanym.

— Naprawdę chcesz się tutaj pobawić? — zapytałem,
krzywiąc się wewnętrznie na bezpośredniość mojego pytania.

Ale ona pokiwała głową.

— Tylko nieco się denerwuję. Co jest lekko niedo-
rzeczne, biorąc pod uwagę nasze spotkania.

Roześmiała się i sięgnęła dłonią, by podrapać mnie
lekko w podbrzusze. Niech to szlag. Nigdy nie czułem tak
nieznośnej mieszanki opiekuńczości, uwielbienia i ośle-
piającej potrzeby całkowitego fizycznego posiadania drugiej osoby. Była tak piękna, cholernie ufna — i cała moja.

Pochyliłem się, pocałowałem ją w brodę i rozpiąłem
kilka guzików jej bluzki.

— Co sobie wyobrażasz, kiedy myślisz, że nas obserwują?

Zawahała się, bawiąc się rąbkiem mojej koszuli.

— Wyobrażam sobie kogoś, kto widzi twoją twarz
i to, jak na mnie patrzysz.

— Tak? — ssałem jej szyję. — Co jeszcze?

— Wyobrażam sobie kobietę, która przyglądając się
nam, fantazjuje o tobie. Widzi, że mnie pragniesz.

Mruczałem z ustami przy jej skórze, zsuwając jej koszulę z ramion i sięgając do haftki stanika.

— Co więcej?

Całując ją w szyję, poczułem, jak przełyka. Kiedy się odezwała, jej głos był znacznie cichszy.

— Wyobrażam sobie człowieka bez twarzy, który widział, jak Andy mną poniewiera. Wyobrażam sobie, jak kobieta, z którą go przyłapano, widzi twój wzrok, kiedy na mnie spoglądasz.

Wreszcie.

— I co jeszcze?

— I jego. Widzi, jaka jestem szczęśliwa — pokręciła głową, złapała moją koszulę w garście i przyciągnęła mnie do siebie, jakby bała się, że się oddalę. — Pewnie mi to przejdzie, ale nie podoba mi się, że mam w sobie aż tyle gniewu — odchyliła się i spojrzała na mnie. — Przy tobie jednak czuję się zadziwiająca, pożądana... Tak, chwilami wciąż mam ochotę rzucić mu to wszystko w twarz.

Nie zdołałem powstrzymać uśmiechu. Cholernie podobał mi się pomysł, że ten padalec miałby widzieć, jak posuwam Sarę do utraty zmysłów. Przecież jego największemu błędowi życiowemu, czyli niewierności, zawdzięczałem najwspanialsze chwile w życiu.

— Ja też. Z przyjemnością zobaczyłbym jego minę, kiedy przygląda się, jak dochodzisz. Na pewno nieczęsto to widział.

Roześmiała się i przejechała językiem po mojej szyi.

— Nie.

Po raz pierwszy w życiu chciałem być dla kogoś tym jedynym.

Poprowadziłem ją do kanapy i uklęknąłem na podłodze między jej nogami.

Wplotła palce w moje włosy.

— Czego chcesz? Co mam zrobić? — zapytała, patrząc
na mnie z góry, zawsze tak chętna, by dać mi wszystko,
o co poproszę.

Czego chcę? Zastanawiałem się nad odpowiedzią, nagle przytłoczony ogromem tego pytania.

Ciebie nade mną.

Ciebie pode mną.

Twojego śmiechu w moich uszach.

Twojego głosu w mojej piersi.

Twojej wilgoci na moich palcach.

Twojego smaku na języku.

Chyba chcę wiedzieć, że czujesz to samo, co ja.

— Chcę po prostu, żebyś dobrze się dzisiaj bawiła.

Pochyliłem się i przycisnąłem usta do jej krocza. Pach-
niała oszałamiająco, smakowała zbyt dobrze, wyglądała
zbyt pięknie. Wydawała z siebie ciche dźwięki, jakby
stworzone tylko dla mojego ucha. Palcami przebiegła mi
po głowie, lekko drapiąc, po czym puściła mnie i uniosła
nogi wyżej, rozsunęła je szerzej, bym mógł lepiej sięgnąć.
W jej ruchach nie było przesadzonej seksualności; prze-
suwała się powoli i spokojnie, lecz z łatwością zdobyłaby
tytuł najbardziej niezamierzenie zmysłowej kobiety w historii.

Skupiając się na dostarczaniu jej rozkoszy, wyobrażałem sobie, jak wygląda obserwowana z innego pokoju,
z moimi palcami w niej i moimi żarłocznymi ustami,

wygięta na kanapie. Przyzwyczaiłem się już do maski, która nie zaskakiwała ani nie stwarzała dystansu; spojrzenie Sary spod niej było dla mnie niczym cały świat. Jedwabista czarna peruka okalała twarz, dodając bladości skórze i czerwieni ustom, które rozchyliły się, kiedy Sara zaczęła błagać cicho, żebym przyspieszył, nie przestawał jej ssać, żebym mocniej posuwał ją palcami.

Kiedy zaczęła spadać, uniosła dłoń do tułowia, przesunęła nią po piersiach, od szyi do twarzy, i zsunęła maskę, odsłaniając ostatni fragment skóry.

Jej wielkie brązowe oczy były utkwione we mnie, usta wciąż lekko rozchylone w lekkiej zadyszce.

Dochodząc, nie odwróciła wzroku, nawet nie zamrugała, w ogóle nie zainteresowała się oknami za mną.

Za szybą ktoś stał. Czułem to. Jednak nawet u mnie w domu nie bylibyśmy bardziej sami. Nie istniało dla mnie nic poza nią, kiedy przycisnęła się do moich ust i z krzykiem doszła.

Po chwili westchnęła, potargała mnie za włosy i roześmiała się.

— Ożeż jasna cholera.

Może właściwie nie dam w mordę Andy'emu, jeśli go kiedyś spotkam. Może nawet podam mu rękę. W końcu przez to, że wyciął Sarze taki numer, skłonił ją do przeprowadzki do Nowego Jorku. Dzięki temu moja dziewczyna zamieniła się z kobiety spełniającej oczekiwania innych w kobietę robiącą to, czego sama chce.

Pocałunkami powędrowałem w górę jej tułowia, pozwoliłem spijać jej smak z moich ust, języka i policzków.

Leżała pode mną ciepła i rozleniwiona; otoczyła mnie ramionami, stłumiła śmiech w moim barku.

— Chyba nigdy się tak dobrze nie bawiłam — wyszeptała.

Coraz bardziej podejrzewałem, że zrobię wszystko, by resztę życia spędzić na uszczęśliwianiu tej kobiety.

ROZDZIAŁ
piętnasty

Wiedziałam, że niedobrze byłoby wypełniać sobie Maxem każdy wieczór w tygodniu, gdyż wtedy nie byłabym w stanie myśleć o niczym innym. Na porannym biegu jeszcze raz przypomniałam sobie, co robiliśmy razem, i wróciłam do moich najdzikszych fantazji w życiu, w których wczołgiwałam się pod jego biurko i ssałam go, podczas gdy on rozmawiał przez telefon, lub brałam go w windzie w drodze do jego mieszkania.

Dobrze było wreszcie móc się pogrążyć w takich marzeniach na jawie; przestawało mi przeszkadzać, że Max tak bardzo burzy moje uporządkowane życie. A po tym, co zrobił dla mnie w klubie, zaczynałam zdawać sobie sprawę z faktu, że dla tego mężczyzny przeszłabym boso po rozżarzonych węglach.

Niewątpliwie początkowo się denerwowałam. Klub był pogrążony w dwuznacznym półmroku, przychodzili do niego klienci, którzy realizowali takie fantazje jeszcze przed moim urodzeniem. Bałam się, że powinnam przestrzegać jakichś niepisanych zasad. Nie mów za głośno. Nie zakładaj nogi na nogę, nie patrz nikomu w oczy. Nie pij za szybko.

Moi rodzice byli niewinni jak dzieci, jak nie z tego świata. Ich pojęcie szalonego wieczoru ograniczało się do obejrzenia *Monologów waginy* i kolacji w modnej azjatyckiej restauracji. Tata dotąd uważa sushi za zbyt odważne danie, żeby go spróbować.

A ja poszłam do ukrytego seksklubu i w pierwszy wieczór pozwoliłam się Maxowi wziąć tak, że każdy z obecnych mógł to widzieć.

Właściwie nie miałam pojęcia, czy ktoś faktycznie nas oglądał. Wyszliśmy tylnymi drzwiami, przy których czekał na nas Johnny i wypuścił bocznym wejściem. Max przyglądał mi się uważnie przez resztę wieczoru, jakby zastanawiał się, czy ucieknę, czy się załamię. Ale w rzeczywistości trzęsłam się mocno, gdyż wszystko wydawało się jak najbardziej w porządku. Max klęczał przede mną, między moimi nogami, i nie pozwolił, żebym zrewanżowała się tym samym. Całował mnie długo, pomógł mi się ubrać i obdarzył spojrzeniem tak pełnym znaczenia, że dreszcz przebiegł mi po skórze.

W porównaniu z wczorajszą wizytą w klubie zabawa w bibliotece wydawała się wręcz grzeczna. W drodze do domu, z ręką Maxa na moim kolanie, jego ustami na mojej szyi, uszach, ustach, wreszcie z nim na mnie i we mnie, uświadomiłam sobie, jak szalone stało się moje życie.

Szaleńczo dobre.

Szaleńczo zadziwiające.

Od dawna już nie byłam tak zauroczona... i zapomniałam, jaka to świetna zabawa.

— Jesteś w siódmym niebie — zauważył George w czwartkowy poranek, kiedy podchodziłam do jego biurka. Końcówkę długopisu włożył między zęby i mówił niewyraźnie. — Myślisz o Maxie.

Skąd wiedział, do licha? Czyżbym miała na twarzy głupi uśmiech?

— Co?

— Podoba ci się.

Poddałam się.

— Owszem — przyznałam.

— Widziałem, jak na ciebie patrzył, kiedy tu był w poniedziałek. Oddałby ci własne jaja, żebyś je nosiła w kieszeni.

Skrzywiłam się i otworzyłam drzwi mojego biura.

— Wolę, żeby zostały tam, gdzie są, ale dzięki za pomysł.

— Był tutaj rano — dodał George niedbale.

Zamarłam w drzwiach. Czekałam.

— Chyba się zmartwił, że cię nie zastał, ale pocieszyłem go, że przed siedemnastym kubkiem kawy bez kija lepiej nie podchodzić i że na ogół zjawiasz się koło ósmej.

— Dzięki — mruknęłam.

— Nie ma za co. — Mój asystent wyprostował się
i podał mi kopertę leżącą na biurku. — Zostawił to.

Wzięłam ją ze sobą do biura. Max pisał drobnymi gry-
zmołami. „Saro, w piątek rano wyjeżdżam na tydzień do
San Francisco na konferencję. Czy mógłbym cię zobaczyć
dzisiaj wieczorem? Max".

Uniosłam telefon, przesunęłam kciukiem po wyświetlaczu i wybrałam numer Maxa.

Odebrał po połowie dzwonka.

— Wciąż jeszcze mam nie podchodzić bez kija?

Roześmiałam się.

— Nie. To już szesnasty kubek.

— Niezły ten twój asystent, ucięliśmy sobie miłą pogawędkę o tobie. Z przyjemnością przekonałem się, że
raczej do ciebie nie uderzy, kiedy mnie nie będzie.

— Wydaje się raczej twoim fanem, jeśli mogę być
szczera. Gdybyś miał jakiekolwiek inklinacje w tym kierunku, nie dałbyś rady się go pozbyć.

— Słyszałem! — wrzasnął George zza swojego biurka.

— To nie podsłuchuj! — odkrzyknęłam i uśmiechnęłam się do telefonu. — I owszem, dzisiaj wieczorem
jestem wolna.

— Gdzie?

Zawahałam się sekundę, zanim zaproponowałam:

— U mnie?

Zapadła cisza.

Kiedy Max wreszcie się odezwał, usłyszałam uśmiech
w jego głosie.

— Do łóżka? — wymruczał.

— Tak. — Ręce mi drżały. Do licha, wczorajsza noc zmieniła wszystko. Pomysł pójścia z Maxem do łóżka wydawał się najbardziej szaloną przygodą. Prawie zaczęłam się zastanawiać, czy to przeżyjemy.

— Wpadnę o ósmej, dobrze? Muszę jeszcze pod wieczór zadzwonić na Zachodnie Wybrzeże.

— Doskonale.

~

Do ósmej zdążyłam się przebrać ze trzy razy — mam wyglądać swobodnie? Seksownie? Swobodnie? Seksownie? W końcu wróciłam do ubrania, które miałam na sobie w pracy. Poprawiłam łóżko, starłam kurz w całym mieszkaniu i dwa razy umyłam zęby. Nie miałam pojęcia, co robię, i z pewnością nie czułam się tak zdenerwowana nawet tej nocy, kiedy straciłam dziewictwo.

Wciąż drżałam, kiedy Max zapukał do drzwi. Nigdy u mnie nie był, lecz kiedy wszedł, nawet się nie rozejrzał. Dłońmi sięgnął do mojej twarzy, popchnął mnie na ścianę, przywarł ustami do moich ust, otworzył je, ssał moje wargi i język. W jego pocałunkach nie było śladu delikatności. Były gwałtowne i rozpaczliwe. Rękami chwycił mnie za ramiona i bezskutecznie szarpał ubranie, które wciąż przeszkadzało. Usta niemal mnie bolały od

realności całej sytuacji. Max przesunął do przodu torbę
przewieszoną na ukos przez ramię, z głuchym łomotem
uderzając nią o ścianę.

— Tracę rozum — powiedział w moje usta. — Tracę
mój pieprzony mózg, Saro. Gdzie masz sypialnię?

Poszłam tyłem krótkim korytarzem, pociągając za
sobą jego i dzikie pocałunki. W sypialni paliła się tylko
lampka nocna, rzucająca wokół mały stożek ciepłego żół-
tego światła. Mikroskopijny pokój miał białe ściany, duże
łóżko i ogromne okna.

Mój kochanek roześmiał się, rozejrzał wokół i zdjął
dłonie z mojej twarzy.

— Maleńkie to twoje mieszkanko.

— Zgadza się.

Zdjął torbę przez głowę i rzucił na łóżko.

— Dlaczego? Stać cię na większe.

Wzruszyłam ramionami, jak zaczarowana wpatrując
się w miejsce na szyi, w którym pulsowała mu tętnica.
Dlaczego rozmawiamy o wielkości mojego mieszkania?
Chcę się dowiedzieć, co ma w torbie. Zwykle nosi jedynie
portfel, telefon i klucze do domu.

— Na razie nie potrzebuję większego.

Spojrzał mi w oczy i kiwnął głową. Usta skrzywiły mu
się w półuśmiechu.

— Skomplikowana z ciebie kobieta, Saro Dillon.

Czasami po długim biegu byłam tak nakręcona, że
mogłam jedynie wrócić i jeszcze trochę pobiegać. Czułam
w sobie tyle energii, że nie potrafiłam usiedzieć spokojnie.
Teraz też się tak czułam.

— Max, ja… — uniosłam dłoń i pokazałam, jak bardzo drży. — Nie wiem, co teraz zrobić.

— Rozbierz się dla mnie — sięgnął do torby i wyjął duży drogi aparat. — Dzisiaj chcę robić zdjęcia przez cały czas — powiedział, spoglądając na mnie przez obiektyw. Trzask migawki przyprawił mnie o palpitacje. Poczułam zawrót głowy.

— Twarze też — powiedziałam cicho.

— Tak — odparł ochryple. — Właśnie tak.

Spojrzałam na moje ubranie: jedwabna koszula w kolorze kości słoniowej z perłowymi guzikami i prosta czarna spódnica.

„Rozbierz się dla mnie".

Dobrze mieć zadanie do wykonania. Poprzednia noc wciąż ciążyła mi na sercu, a widok jego w mojej sypialni niemal mnie złamał.

Uniosłam ręce do górnego guzika bluzki.

Palce wciąż mi się trzęsły.

To coś innego, u mnie w domu, bez świadków, tylko z aparatem. Co mu dzisiaj pokażę? Moje ciało? Czy może wszystko to, co kryje się głębiej: moje serce, moje obawy i szaleńczą tęsknotę za nim?

Usłyszałam trzask migawki, a po nim głęboki głos Maxa.

— Wydajesz się zdenerwowana. Chyba nie wiesz, że się w tobie zakochałem.

Zamarłam w połowie ruchu i spojrzałam na niego szeroko otwartymi oczami.

Trzask.

— Kocham cię, kwiatuszku. Od jakiegoś czasu to wiem, lecz wczoraj wszystko się dla mnie zmieniło.

Kiwnęłam głową, czując zamęt.

— Dobrze.

Zagryzł wargę, po czym uśmiechnął się szatańsko.

— Dobrze?

— Tak. — Wróciłam do guzików, rozpinając je pojedynczo i starając się ukryć najszerszy uśmiech świata.

Trzask.

— Nie powiesz nic oprócz „dobrze"? — zapytał, unosząc wzrok znad aparatu. — Wyznaję ci miłość, a ty nie powiesz nawet „dzięki" albo „jak miło"?

Upuściłam bluzkę na podłogę i odwróciłam się tyłem do niego, sięgnęłam za plecy do zapięcia stanika — trzask — i zsunęłam bieliznę.

Trzask. Trzask.

Rozpięłam spódnicę i dorzuciłam ją do reszty ubrań na podłodze. Odwróciłam się twarzą do Maxa.

— Też cię kocham. — Trzask. — Ale jestem przerażona.

Mężczyzna opuścił aparat i spojrzał na mnie.

— Nie chciałam się w tobie zakochiwać — dodałam.

Podszedł krok bliżej.

— Jeśli ci to pomoże, to walczysz jak lwica, żeby się nie poddać.

Nie odkładając sprzętu, podszedł, by mnie pocałować. Po prostu opuścił jedną rękę, a drugą ujął moją twarz i przycisnął usta do moich.

— Też się boję, Saro. Boję się, że tylko się mną pocieszasz. Boję się, że to zepsujemy. Boję się, że się mną znudzisz. Ale najważniejsze — dodał, uśmiechając się — nie chcę żadnej innej. Przez ciebie inne kobiety nie będą miały ze mnie pożytku.

Zrobił mi kilkaset zdjęć, podczas gdy ja skończyłam się rozbierać, weszłam do łóżka i przyglądałam się, jak kręci się wokół mnie i opowiada, co czuje: jak jest rozproszony, nienasycony, mógłby podziękować Andy'emu, potem go zabić, jak szczerze się martwił, że nigdy się mną nie zaspokoi. Zauważał i w nieskończoność obracał w umyśle każdą moją reakcję.

Unosząc się nade mną, kierował obiektyw na mój tułów tam, gdzie stykał się z moim ciałem. Zamknęłam oczy, zagubiona w jego dotyku i cichym trzasku migawki. Kiedy znów je otworzyłam, nasze spojrzenia się spotkały.

Wyciągnęłam rękę i skierowałam aparat na moją szyję. Max zrobił zdjęcie, oddając mi prowadzenie, kiedy ustawiałam obiektyw coraz wyżej i wyżej.

Maxowi drżały ręce, kiedy nastawiał ostrość, pstrykając kolejne zdjęcia mojej twarzy, swoich palców przesuwających się po mojej szczęce, obejmujących mój policzek, i kiedy odsuwał aparat dalej, by ująć nas oboje, kiedy się całujemy.

A potem czas skurczył się do chwili, kiedy jego usta spoczęły na moich wargach, do muśnięć jego włosów na moich dłoniach, jego języka na moim ciele, jego ust wyciskających całe tomy na mojej skórze. Czułam każdy jego oddech i cichy dźwięk, jaki z siebie wydawał. Czułam, jak jego usta coraz bardziej żarłocznie i pospiesznie przesuwają się w dół po moim ciele. Powoli wsunął we mnie dwa palce i zaczął żarliwie całować moją łechtaczkę, posuwając mnie do końca. Nie odzywałam się. Nie chciałam słyszeć w uszach własnego głosu, chciałam jedynie go czuć.

— Jesteś piękna — wyszeptał, kiedy poddałam się i krzyknęłam, a potem wreszcie zamarłam. Położył się na mnie i pocałował głęboko. — Niewiarygodne, jak to na mnie działa.

Sięgnęłam po niego i przesunęłam paznokciami po jego piersi, nakłaniając, by tym razem wykorzystał moje ciało do spełnienia swoich potrzeb, by poczuł wszystko, co możliwe. Moje dłonie poruszały się same, błądząc i drapiąc go, przyciągając bliżej i odpychając, tak że widziałam go, kiedy sięgnął ręką między nas, by ułożyć się na mnie. Połaskotałam go po brzuchu, czując, jak mięśnie mu się kurczą pod moimi palcami.

— Proszę — wyszeptałam.

Jęknął i wypuścił powietrze, po czym opadł na mnie i wszedł we mnie całkowicie. To było oszałamiające — wszystko naraz: jego klatka piersiowa na mojej, jego twarz na mojej szyi, moje ramiona oplecione wokół jego karku i ręce wplecione w jego włosy, jego dłonie zaplatające sobie moje nogi wokół talii, jego biodra obracające się w rytm poruszeń we mnie.

„Proszę, niech to się nigdy nie skończy. Niech ta chwila trwa".

Słowa się nam skończyły. Pot nas zalewał. „I to właśnie — pomyślałam — to znaczy kochać się".

Max przeturlał mnie na siebie; przyglądał mi się, aż odczucie zrobiło się za mocne, zbyt intensywne, więc zamknęłam oczy, dochodząc do końca. Usłyszałam trzask migawki i ciężki odgłos aparatu padającego na materac. Max znów był na mnie, jeszcze bardziej oszalały, mocno trzymając w górze moje uda, marszcząc brwi w skupieniu.

Po siatkówce przemknęły mi światła i cienie, lecz tym razem nie zamknęłam oczu.

Kochanek opadł na mnie ciężko, ustami szukając moich ust; rozchyliliśmy wargi, oddychając, oboje na krawędzi. Otwartymi ustami przesunął po moich, położył się na mnie i zaczęliśmy bezgłośnie rozmawiać.

— Dochodzę — powiedzieliśmy równo bez dźwięku, błagalnie. — Dochodzę.

∼

Żadne z nas nie jadło kolacji, więc w zachwycie przyglądałam się, jak Max szaleje w kuchni.

Miał na sobie tylko bokserki; uświadomiłam sobie, że nigdy dotąd nie gapiłam się na jego ciało. Był smukły i jak rzeźbiony, lecz czuł się swobodnie w swojej skórze. Podobało mi się, jak drapiąc się po brzuchu, analizuje zawartość mojej lodówki. Zagubiłam się w poruszeniach jego warg, kiedy katalogował warzywa w szufladzie.

— Kobiety są zadziwiające — wymamrotał, przeglądając kolekcję serów. — Ja mam w lodówce musztardę i może kilka starych ziemniaków.

— Byłam na zakupach — włożyłam jego T-shirt, który teraz uniosłam do nosa, wdychając zapach mojego mężczyzny. Koszulkę czuć było mydłem i dezodorantem oraz jedynym w swoim rodzaju zapachem skóry Maxa.

— Ja chyba ostatnio byłem w maju.

— Czego szukasz?

Wzruszył ramionami i wyjął miskę winogron.

— Przekąsek — chwycił sześciopak piwa i uniósł go z szerokim uśmiechem. — Stella. Dobry wybór.

— Moje ulubione.

Ułożył winogrona, orzechy i kilka plastrów sera na talerzu i kiwnął głową w kierunku sypialni.

— Przekąski w łóżku.

Kiedy znów się położyliśmy, wsunął mi grono w usta i sam się poczęstował.

— Więc mam taki pomysł — wymamrotał z pełnymi ustami.

— Mów.

— Za dwa tygodnie organizuję w domu imprezę dobroczynną. Może wtedy pokażemy się razem po raz pierwszy? Max i Sara: szczęśliwie zakochani. — Wziął kilka orzeszków i przyjrzał mi się, po czym dodał: — Nie będę wpuszczał prasy.

— Nie musisz tego robić.

— Nie muszę, ale chcę.

Przez chwilę zastanawiałam się, co chcę powiedzieć, a kiedy rozmyślałam, Max cierpliwie pogryzał ser. To też był uderzający kontrast z Andym, który zawsze chciał odpowiedzi natychmiast po zadaniu pytania. A mój umysł nigdy nie pracował w ten sposób. Politycy przerzucają się pytaniami i odpowiedziami jak w ping-pongu, ja zawsze potrzebowałam czasu, by zastanowić się nad odpowiedzią. W przypadku Maxa zaś uporządkowanie uczuć zajęło mi dwa miesiące.

— Nie rwałam się do zdjęć, bo przy Andym wciąż ktoś nam je robił. One zostaną w sieci i łatwo będzie je znaleźć przy pierwszej okazji. Zawsze będę się czuła upokorzona na widok mojego uśmiechu błogiej niewiedzy i jego fałszywych min.

Max przeżuł kęs i dopiero się odezwał.

— Wiem.

— I chyba masz rację. Może tym razem lepiej bez prasy. Może po prostu zajmiemy się twoimi gośćmi i zobaczymy, jak pójdzie.

Mężczyzna pochylił się i pocałował mnie w ramię.

— Dla mnie w porządku.

Włożył mi w usta kolejne grono, po czym przełożył talerz na stolik nocny, podciągnął swój T-shirt na mnie i zdjął mi go przez głowę.

Tym razem kochaliśmy się bez pośpiechu, kiedy noc była najczarniejsza, a wiatr śpiewał tuż za otwartymi oknami. Z moimi nogami zaplecionymi wokół jego talii i jego twarzą w mojej szyi kołysaliśmy się razem, z nim pode mną, skupiając się na odczuwaniu i patrzeniu.

Nigdy dotąd tak nie było.

Nigdy.

~

Kiedy słońce ledwie zaróżowiło niebo, Max leżał skulony za moimi plecami. Wyglądał zabójczo z rozczochranymi włosami; ciepło bijące od jego rąk i nóg otulało mnie całą. Był twardy i przyciskał się do mnie, głodny i otwarty w swoim głodzie, szukając kontaktu, zanim jeszcze jego umysł się obudził.

Nie odezwał się ani słowem, kiedy uświadomił sobie, że mu się przyglądam. Potarł sobie twarz dłońmi, spojrzał na moje usta i sięgnął po butelkę wody stojącą na stoliku nocnym. Podał mi ją, potem sam się napił i odstawił, a następnie przeciągnął dłońmi po moich piersiach.

Natychmiast zatraciłam się w nim, kiedy przetoczył się na mnie i zakołysał w przód, zatrzymując się i całując w usta na dzień dobry. Byłam zaspana, on też, lecz przesuwał się w dół mojego tułowia, ssąc skórę na żebrach i biodrach. Otoczyłam go ramionami i nogami, by poddać się naciskowi jak największej powierzchni jego gładkiej skóry. Chciałam, żeby położył się na mnie nagi, ukrył twarz między moimi nogami, chciałam czuć jego palce na całym ciele.

Przesuwał dłonie spokojnie i z rozmysłem, drażniąc się ze mną. Pod skórą narastał mi pożar. Max całował mnie po całym ciele, dostarczając rozkoszy dłońmi, ustami i słowami, pytając, co lubię, jakbyśmy nie ćwiczyli już tego wielokrotnie. Lecz rozumiałam, o co chodzi: u mnie w łóżku to coś nowego. Zeszłej nocy coś pękło i na razie nie wiedziałam nic oprócz tego, że wreszcie otworzyłam przed nim serce.

ROZDZIAŁ
SZESNASTY

Spojrzałem na nią w świetle późnego poranka; jeszcze ciepła od snu, leżała z policzkiem przyciśniętym do poduszki, z włosami rozrzuconymi w nieładzie. Przesunąłem wzrokiem po jej ciele, po boku, nagich piersiach, zakrzywieniu kręgosłupa, aż do bioder, okrytych kołdrą.

Po pierwszej wspólnej nocy dowiadujemy się sporo rzeczy o drugiej osobie, na przykład tego, czy kradnie kołdrę, chrapie, lubi spać przytulona.

Sara była jak bluszcz: bezwładnie rozrzucała ręce i nogi, całym ciałem oplatała mnie jak rozgwiazda.

Kiedy niebo pojaśniało, a na horyzoncie pojawiły się smugi różu i błękitu, znów się kochaliśmy. Później ona padła na mnie bez sił, uśmiechnięta, i natychmiast znów zasnęła.

Było wpół do jedenastej. Przesunąłem palcem po ramieniu Sary, lecz nie chciałem jej obudzić i zdecydowanie nie miałem ochoty wychodzić. Aparat wciąż stał na stoliku nocnym; sięgnąłem po niego i ostrożnie usiadłem, po czym zacząłem przeglądać zdjęcia. Zeszłej nocy zrobiłem ich setki, niektóre wtedy, kiedy Sara się rozbierała, lecz najwięcej ukazywało ją desperacko wygiętą pode mną. Odgłosy naszych ciał poruszających się w jednym rytmie i jej ciche okrzyki przerywane trzaskiem migawki na zawsze zapadły mi w pamięć.

Powróciłem do zdjęć z początku nocy i zapatrzyłem się na wyraz twarzy Sary po moim wyznaniu miłości. Pozwoliła mi zrobić tyle fotografii swojej twarzy; z lubością wracałem do wspomnienia chwili, kiedy się na to zdecydowała. Złamaliśmy ostatnią z naszych zasad. Jej pozwolenie znaczyło znacznie więcej niż jakiekolwiek słowa. Przesuwając kolejne zdjęcia, widziałem, jak początkowa desperacja Sary przechodzi w ulgę, a potem szybko w figlarny nastrój. Fotki z kolejnych godzin w łóżku zachowały cały intymny i zmysłowy nastrój poprzedniej nocy, tak jak ją zapamiętałem.

Wstałem po cichu, przeszedłem przez pokój i wyjąłem laptopa. Włączyłem go i wyjąwszy kartę pamięci z aparatu, przełożyłem do komputera. Zalogowałem się na moją ulubioną stronę firmy fotograficznej — małej i dyskretnej, specjalizującej się w drukowaniu zdjęć profesjonalnych. Przesłałem te fotografie, które chciałem wydrukować, usunąłem pliki z dysku twardego, po czym wyjąłem kartę i bezpiecznie schowałem ją do torby. Spakowałem wszystko oprócz aparatu.

Pochyliłem się nad Sarą i prosto w jej ucho wyszeptałem:

— Muszę iść. Mam samolot.

Zobaczyłem gęsią skórkę; Sara się poruszyła. Wymamrotała coś, wyprostowała się; przyglądałem się, jak powoli otwiera oczy.

— Nie chcę, żebyś szedł — powiedziała, przetaczając się, by na mnie spojrzeć. Głos miała zaspany i ochrypły; natychmiast pomyślałem o wszystkich tych niezliczonych rzeczach, które chciałbym od niej usłyszeć.

Była tak cholernie pociągająca, z oczami wciąż zaspanymi i zmarszczkami od poduszki odciśniętymi na twarzy, lecz całą uwagę skierowałem na jej nagie piersi. Położyłem dłonie po obu stronach jej głowy i nachyliłem się nad Sarą.

— Rano wyglądasz fenomenalnie. Wiesz o tym? — zapytałem.

Przesunąłem kciukiem po jej piersi; musiałem wstrzymać oddech, byłem tak przytłoczony niezwykłą i niemal dławiącą bliskością Sary, która wydawała się wypełniać całą przestrzeń w mojej klatce piersiowej.

— Tak? — uśmiechnęła się, unosząc brwi i przesuwając kciukiem po mojej dolnej wardze. Miałem ochotę ssać jej palec i ugryźć. Wtem dziewczyna spoważniała i poszukała mojego spojrzenia.

— Czy zeszła noc naprawdę się zdarzyła?

— Masz na myśli to, czy posuwałem cię do utraty zmysłów i wyznałem, że właściwie jestem twoim niewolnikiem? Tak.

— Co właściwie znaczy „kocham cię"? Dziwne, jak różnie mogą brzmieć te dwa słowa. Chodzi mi o to, że już to kiedyś mówiłam, ale nigdy dotąd nie wydawały się tak... wielkie, wiesz? Nie jestem pewna, czy wtedy oznaczały dla mnie to samo. Chyba byłam zbyt młoda, żeby to rozumieć. Czy to wariactwo? Pomyślisz, że oszalałam. Ale nie jestem szalona, tylko... to wszystko jest dla mnie nowe. Naprawdę, chyba to po prostu zupełnie nowe.

— Wiem, że mówisz o bardzo głębokich kwestiach, ale trudno mi się skupić, kiedy masz cycki na wierzchu.

Sara przewróciła oczami i spróbowała mnie odepchnąć, ale się nie dałem. Zamiast tego pochyliłem się i pocałowałem ją, tłumiąc jej protesty i przelewając w ten pocałunek wszystkie szalone, nieokiełznane uczucia wobec niej.

W okna zabębniła letnia ulewa, w oddali rozległ się grzmot. Przez głowę przemknęła mi myśl o mokrych drogach i tłumach szukających taksówki — dojazd na lotnisko zajmie teraz znacznie więcej czasu. Jednak kiedy Sara założyła mi nogę na udo i pociągnęła na siebie, wszelkie rozmowy o pogodzie uleciały mi z głowy.

Jej usta przesunęły się z moich ust na ucho i nagle zapomniałem, dlaczego właściwie muszę wyjść.

— Boli mnie, ale to cudowny ból — odezwała się, kołysząc biodrami pode mną. — Chcę jeszcze.

Resztki krwi w moim mózgu ewakuowały się pospiesznie i spłynęły do fiuta.

— To chyba najlepszy komplement, jaki w życiu słyszałem.

Sara popchnęła mnie w pierś, a ja aż jęknąłem, kiedy przetoczyła się na mnie. Kołdra spadła, złapałem dziewczynę za boki, kciukami przesuwając pod jej piersiami. Ona zaś sięgnęła po mój aparat i uniósłszy go, spojrzała na mnie przez wizjer.

— Chcę zrobić zdjęcie twojej przystojnej twarzy między moimi nogami.

— Boże, Saro. — Głowa opadła mi na poduszkę, zamknąłem oczy. — I pomyśleć, że uznałem cię za niewiniątko, a siebie za uwodziciela.

Zaczęła chichotać, a ja wpatrzyłem się w nią.

— Kocham cię — powiedziałem, wsuwając dłoń pod jej szyję, unosząc ją i całując. Dłonią przesunąłem po jej boku, nagim, gładkim, pokrytym gęsią skórką.

— Naprawdę to robimy, prawda? — zapytała, odsuwając się tylko na tyle, by na mnie spojrzeć.

— Naprawdę to robimy.

— Oficjalnie.

— Na sto procent. Kolacje, randki, przedstawianie cię jako moją dziewczynę. Wszystko.

— Chyba mi się to podoba — powiedziała z zaróżowionymi policzkami. Przesunęła paznokciami po mojej głowie, a ja stopniałem, poddając się jej dotykowi. Nie chciałem nigdzie wychodzić.

Ale…

Spojrzałem na zegarek obok łóżka.

— Cholera. Naprawdę muszę już iść — powiedziałem, zamykając oczy.

— Dobrze. — Poczułem ciepło jej ust na moich; nie poruszały się, nie robiły nic szczególnego, po prostu dotykały mnie w niewinnym pocałunku, znacznie bardziej zmysłowym po wszystkich tych dalekich od niewinności rzeczach, które robiliśmy w nocy.

Jęknąłem, wyszarpałem krawat z kołnierzyka i odrzuciłem na ramię. Podnosząc się na kolanach, spojrzałem na nią i zacząłem rozpinać koszulę.

— A twój samolot? — zapytała, już sięgając do mojego paska. Na jej twarz wypłynął powoli szatański uśmieszek.

— Polecę następnym.

∼

Po szaleńczym biegu przez lotnisko JFK — ale warto było — oraz kolejnych pięciu godzinach w powietrzu wreszcie wylądowałem w San Francisco. Zeszłej nocy udało mi się pospać godzinę czy dwie, w samolocie zapadałem w krótkie drzemki, a teraz dopadło mnie zmęczenie.

Ziewnąłem, wyjąłem torbę z szafki w kabinie, wysiadłem z samolotu i poszedłem do budynku lotniska, prosto do najbliższego miejsca z kawą.

Zachowałem się beztrosko, przepuszczając mój pierwszy lot, żeby zyskać dodatkową godzinę z Sarą; wiedziałem to już, patrząc na nią, kiedy poruszałem się w niej. Nigdy jednak nie czułem nawet w przybliżeniu czegoś podobnego, nawet teraz trudno mi było pojąć wszystko to, o czym rozmawialiśmy.

Kiedy czekałem na moją porcję kofeiny, w telefonie zapikał SMS od Willa.

„Jakieś nowe seksowne fotki, trendsetterze?"

„Odwal się. Tobie nigdy nie starczyło jaj, żeby wyciągnąć aparat" — odpisałem, po czym wrzuciłem telefon do torby. Później zadzwonię do Willa, pogadam o spotkaniu i przekażę najświeższe informacje o moim związku z Sarą.

Z uśmiechem na twarzy i kawą w dłoni odszedłem od lady i zdjąłem pokrywkę z kubka, żeby dolać śmietanki, gdy ktoś dotknął mojego ramienia; odwróciłem się.

— Chyba panu wypadło. — Za moimi plecami stał niski mężczyzna o rzednących jasnych włosach. W wyciągniętej dłoni trzymał czarny skórzany portfel.

Pokręciłem głową.

— Nie mój, proszę pana. Przykro mi — głową wskazałem ochroniarza przy ruchomych schodach do odbioru bagażu. — Może lepiej zapytać ich — odwróciłem się, ale mężczyzna złapał mnie za ramię.

— Na pewno?

— Jasne — odparłem, wzruszając ramionami, wyjmując mój portfel i pokazując mu. — Powodzenia w szukaniu właściciela. Miło z pana strony.

Mężczyzna już się cofał; obserwowałem go, jak szybko zmierza w stronę taśm z bagażami. Zmarnowałem już

dzisiaj sporo czasu, więc szybko nakryłem kubek i sięgnąłem po torbę u moich stóp.

Serce mi zamarło.

Torba znikła.

~

— Czy może pan jeszcze raz opisać tę torbę? — Znu-
dzona pracownica lotniska spojrzała na mnie znad lady.
Według identyfikatora przypiętego do batystowej bluzki
nazywała się Elana June. Czekając na moją odpowiedź,
zrobiła balona z gumy do żucia.

Rzuciłem okiem na monitor zawieszony na ścianie za
jej plecami, na moje własne plecy na migającym obrazie,
pewny, że to jakiś program typu ukryta kamera.

— Proszę pana? — odezwała się kobieta jeszcze bardziej znudzonym głosem.

Przesunąłem dłonią po włosach, przypominając sobie, że uduszenie pracownicy lotniska w niczym mi nie
pomoże.

— Torba na ramię marki Hermès. Szaro-brązowa.

— Co wartościowego miał pan w torbie?

Przełknąłem żółć.

— Pliki. Laptopa. Telefon. Cholera. Wszystko.

Zastanowiłem się nad tym, jakie hasła i informacje
w sklepach będę musiał teraz pozmieniać. Ile czasu to

wszystko zajmie i ile problemów stworzy. Nie miałem
nawet jak zadzwonić do Willa.

Elana June przesunęła w moją stronę formularz i długopis na łańcuszku.

— Chyba musi się pan zastanowić. Proszę to wypełnić
i zaznaczyć odpowiednie pola.

Wziąłem długopis, wpisałem moje nazwisko i adres,
zaznaczyłem kwadraty przy opcjach „laptop", „telefon komórkowy", „przedmioty osobiste". Spojrzałem na zegarek
i przez chwilę zastanawiałem się, czy nie ma pola „zdrowy
rozsądek", bo jego też chyba zgubiłem. Na samym końcu
przeczytałem pozycję, przy której poczułem nagły skurcz
żołądka i omal nie zwymiotowałem.

„Aparat fotograficzny". Nie miałem go co prawda ze
sobą, ale przywiozłem kartę pamięci, zamierzając skasować wszystkie pliki przy pierwszej sposobności.

Na świecie nie istnieje tyle przekleństw, ile w tej chwili
przemknęło mi przez głowę.

Spojrzałem na obskurną ladę, na okleinę łuszczącą się
przy metalowej krawędzi. Powierzchnia była pęknięta, co
w tej chwili wydawało się najbardziej ironiczną metaforą
świata.

— Moja karta pamięci — powiedziałem w powietrze.

— Do aparatu? — zapytała kobieta.

Przełknąłem. Dwa razy.

— Tak. Karta ze wszystkimi zdjęciami.

Zakląłem i odsunąłem się od lady na wspomnienie
tego, co Sara pozwoliła mi robić zeszłej nocy, jak mi zaufała.

Cholera, cholera, cholera.

Do stoiska podeszła starsza kobieta z ciemnymi włosami zwiniętymi w kok.

— Pan Stella? — zapytała.

Dopiero po chwili zdołałem otrząsnąć się z oszołomienia i pokiwałem głową.

— Przejrzeliśmy nagrania z kamer — wyjaśniła mi. — Najwyraźniej było ich dwóch. Jeden odciągał pana uwagę, a jego wspólnik ukradł torbę. Zanim pan się zorientował, że zginęła, złodziej skoczył na schody i prawie już wyszedł z budynku.

Zastanawiałem się, czy ziemia nie mogłaby się nagle zapaść pode mną. Miałem nadzieję, że tak się stanie.

∽

Załatwiwszy na lotnisku wszystko, co było możliwe, samochodem pojechałem do hotelu. Nie miałem już czasu, by przed spotkaniem kupić nowy telefon, więc zadzwoniłem do informacji i poprosiłem o połączenie z moim biurem. Willa nie było, lecz jego asystentka obiecała zmienić hasła do moich kont i wyjaśnić wszystko mojemu wspólnikowi możliwie jak najszybciej. Obiecałem jej tuzin róż i podwyżkę od szefa, po czym odłożyłem słuchawkę i usiadłem na łóżku, gapiąc się na telefon i próbując ułożyć w głowie, co mam powiedzieć Sarze.

W końcu uznałem, że nie ma łatwej metody, więc wykręciłem numer do informacji i poprosiłem o połączenie z biurem Sary.

Odebrał George. Zamknąłem oczy. Lubię gościa, ale nie miałem akurat nastroju na jego żarciki.

— Biuro Sary Dillon — powiedział.

— Poproszę z panną Dillon.

Przytrzymał mnie przez chwilę na tyle długą, żebym poczuł się niezręcznie, po czym odparł:

— Również dzień dobry, panie Stella. Już łączę.

Usłyszałem piknięcie, przełączono mnie, po czym czekałem, aż Sara odbierze.

Odebrała po trzech sygnałach.

— Sara Dillon — powiedziała, a ja poczułem falę ciepła w piersi.

— Cześć.

— Max? Nie rozpoznałam numeru.

— No tak, dzwonię z hotelu. Wszystko w porządku? Wydajesz się nieco zdenerwowana.

— Być może, bo mam przed sobą olbrzymią stertę badań cen. Powinnam była przyjść do pracy wcześniej, ale nie mogę powiedzieć, że żałuję leniwego poranka.

Przerwała, a ja zamknąłem oczy, przypominając sobie jej twarz, kiedy ostatni raz doszła.

— Jak ci minął lot?

— Dobrze. Długo — odparłem, wstając i odchodząc od aparatu na długość kabla. Wyjrzałem przez okno na chodniki, którymi spieszyli ludzie, wszyscy całkowicie zagubieni w swoich małych światach. — Tęsknię za tobą.

Usłyszałem, jak Sara wstaje i zamyka drzwi, po czym znów siada.

— Ja też.

— Pospałaś jeszcze po moim wyjściu?

— Trochę — zaśmiała się. — Ktoś mnie nieźle wymęczył.

— Co za szczęściarz.

Zamruczała; próbowałem sobie wyobrazić, co robi i co ma na sobie. Uznałem, że włożyła spódnicę, nic pod nią nie ma, a na nogach ma czarne kozaki do kolan.

„Kiepskie posunięcie, Max. Jesteś na drugim krańcu kraju i gotów wracać".

— Nie będzie cię przez tydzień? — zapytała.

— Tak. Wracam w piątek po południu. Spędzisz ze mną noc?

— Na pewno.

Odetchnąłem głęboko, powtarzając sobie, że nie mam powodu do zmartwienia. Najprawdopodobniej złodziej wyczyści mój telefon i laptopa, po czym je sprzeda.

— Słuchaj, na lotnisku skradziono mi torbę.

— Co takiego? — zachłysnęła się. — Okropne. Kto?

— Jacyś palanci.

— Którą torbę? Z ubraniami?

— Nie, podręczną — zaczerpnąłem powietrza. — Z laptopem i telefonu. Zmieniłem już hasła związane z pracą, ale Saro... miałem w torbie kartę, której używałem wczoraj wieczorem, jeszcze nie wszystko z niej skasowałem. No i w telefonie...

— W porządku — powiedziała, oddychając głęboko.

— W porządku. — Usłyszałem skrzypienie skóry, wy-obraziłem sobie, jak znów wstaje z krzesła i chodzi po pokoju. — Złodzieja nie złapano?

— Nie... ale podejrzewam, że to była dwójka smar-kaczy.

W słuchawce zapanowała cisza; przypomniałem so-bie, dlaczego jestem taki beznadziejny w rozmowach te-lefonicznych. Chciałem widzieć Sarę, widzieć wyraz jej twarzy, i móc ocenić, czy jest zmartwiona, czy czuje ulgę.

— Mamy duże szanse na to, że liczyli na szybką kasę, prawda? — odezwała się w końcu. — Pewnie opchną lap-topa i telefon, a kartę wyrzucą do śmieci. Zapewne już wyczyścili dysk, a karta leży w jakimś śmietniku.

Przycisnąłem czoło do szyby i oddychałem głęboko. Na szkle osadzała się para z mojego oddechu.

— Boże, kocham cię. Denerwowałem się do szaleń-stwa tym, jak to przyjmiesz.

— Wróć, a zrobimy nowe zdjęcia, dobrze?

Uśmiechnąłem się do telefonu.

— Na pewno.

~

Wernisaż w sobotę wieczorem i niedzielna konferencja były kompletnym szaleństwem. Poznałem osobiście kilka osób, z którymi od miesięcy rozmawiałem przez telefon, umówiłem sporo spotkań w Nowym Jorku, by dopracować kilka inwestycji. Natłok wrażeń w weekend pomógł mi zapomnieć o tym, że nie miałem na pocieszenie zdjęć nagiej Sary.

W poniedziałek po obudzeniu zobaczyłem zamglone niebo i śniadanie złożone z rogalika i kawy. Dziwnie to przyznać, ale nawet podobała mi się perspektywa przymusowej izolacji wynikającej z utraty torby. Przed południem kupię nowy telefon, przez resztę tygodnia dam sobie radę bez laptopa; pomijając brak zdjęć, raczej miło będzie odpocząć od ciągłych telefonów z pracy.

W tej chwili zauważyłem czerwoną lampkę migającą na telefonie. Czyżbym nie odebrał połączenia?

Sprawdziłem aparat — był wyciszony. Uniosłem słuchawkę i wcisnąłem guzik poczty głosowej.

Zabrzmiał poważny głos Willa.

— Max, przejrzyj dzisiejszy numer „Post" i jak najszybciej zadzwoń do mnie. Mamy poważny problem.

ROZDZIAŁ
siedemnasty

Poniedziałek rozpoczął się kolejną letnią burzą i pod zielonkawoniebieskim niebem czułam się tak, jakby zamiast powietrza otaczał mnie ocean. Otworzyłam parasolkę, pobiegłam do stacji metra i ledwo zdążyłam na mój pociąg o siódmej trzydzieści dwie.

Tym razem znalazłam wolne miejsce. Opadłam na nie, złożyłam parasolkę i zamykając oczy, przebiegłam w myślach wszystko, co czekało mnie w pracy. Jakieś badania cenowe, masa spotkań przed lunchem, a później kolejne spotkanie z moim zespołem.

Gdy jednak uniosłam wzrok i rzuciłam okiem na gazetę, którą czytała kobieta obok mnie, wszystkie te plany uleciały mi z głowy.

Ze środka strony szóstej — plotkarskiej — patrzył na mnie ze zdjęcia Max, a obok widniał nagłówek: „Wiele kochanek Mad Maxa".

— Co? — wymknęło mi się. Pochyliłam się do przodu, nawet nie przejmując się tym, czy nie przestraszę kobiety czytającej gazetę.

— Mogę na to zerknąć? — zapytałam gwałtownie, a kobieta, zapewne sądząc, że ma do czynienia z wariatką, podała mi gazetę. Szybko przebiegłam wzrokiem artykuł.

Max Stella kocha sztukę i piękne kobiety. Tajemnicą poliszynela jest jego zamiłowanie do łączenia hobby, czyli fotografowania siebie z aktualną kobietą tygodnia. Zaledwie tydzień temu przyłapano go w barze z atrakcyjną blondynką, a już wyciekły nowe zdjęcia Maxa zabierającego się za równie wspaniałą brunetkę. Podczas gdy większość zdjęć nie nadawała się do przedruku, jedno ujęcie twarzy, wykonane zaledwie kilka dni temu, najwyraźniej identyfikuje „partnerkę w interesach" naszego speca od inwestycji jako hiszpańską gwiazdkę Marię de la Cruz. Zdjęcie zrobiono zaledwie parę dni temu.

No dalej, Max. Może dołożysz swoje seksnagrania i będziemy mieli z głowy?

Gdy chyba po raz dziesiąty skończyłam odczytywać notatkę, pociąg zatrzymał się na stacji. Potykając się, wystrzeliłam z wagonu, podążając w oszołomieniu do wyjścia na ulicę.

Po przejściu kilku przecznic do naszego budynku weszłam do mojego biura i ujrzałam czekającą na mnie Chloe. Nie byłam zdziwiona.

Drżącymi rękami uniosłam gazetę.

— Musisz mi wyjaśnić, co tu widzę. To jakaś plotka? Kim jest ta kobieta?

Przyjaciółka podeszła bliżej, podając mi swój telefon. Miał przeglądarkę otwartą na portalu Celebritini, który najwyraźniej rozpętał tę historię. U góry strony zamieszczono zdjęcie sprzed paru tygodni, zrobione wtedy, kiedy byliśmy z Maxem na dachu. To była fotka mojego biodra, z jego palcami rozłożonymi na mojej skórze.

Obok zdjęcia mojego nagiego ciała wstawiono zdjęcie twarzy kobiety. Miała ciemne włosy, ale koloru w żaden sposób nie mogłam odgadnąć, gdyż głowę miała odrzuconą do tyłu, a oczy zamknięte. U dołu zdjęcia ciemniejsza smuga włosów pozwalała się domyślić, że to mężczyzna przyciskał twarz do jej szyi.

Było oczywiste, że właśnie przeżywała orgazm.

— To zdjęcie znajdowało się w jego telefonie — powiedziała cicho moja przyjaciółka.

Przejrzałam notkę na portalu, która dawała mniej więcej pojęcie, jaką liczbę zdjęć kobiet miał Max.

— Najwyraźniej mnóstwo ich fotografował — stwierdziłam.

Chloe sięgnęła po nożyczki na biurku.

— Wrócę później; zdaje się, że muszę coś komuś usunąć.

— Nie ma go w mieście.

Zatrzymała się, biorąc głęboki oddech.

— No cóż, przynajmniej uratuje mnie to przed więzieniem.

— Co powiedział Bennett?

Chloe opadła na kanapę.

— Powiedział, że musimy starać się postępować ostrożnie. Że nie wiemy wszystkiego. Że w prasie piszą masę bzdur. Przypomniał mi, jak przed tym, zanim się zeszliśmy, posądzałam go o sypianie ze wszystkimi kobietami z biura.

Wskazałam fotkę tej hiszpańskiej gwiazdki.

— Tutaj piszą, że to najnowsze z jego zdjęć, które wyciekły, jedno z wielu. Jedno z nich, to ze mną, zrobił niedawno. Więc potem był jeszcze z nią.

Przyjaciółka nie odpowiedziała. Wpatrywałam się w ścianę, zastanawiając się, czy nie przywalić w nią pięścią, a następnie prawie zaśmiałam się na wyobrażenie tego obrazu. Max mógłby przebić pięścią ścianę, ale ja nie zostawiłbym na niej nawet śladu i prawdopodobnie skończyłabym ze złamaną ręką.

— Dosyć mam poczucia, że jestem idiotką.

— No to nie bądź. Kopnij go w dupę.

— To dlatego nie chciałam się z nikim wiązać. Zawsze staram się dostrzec najlepsze w drugim człowieku i pomyłka kompletnie mnie rozwala.

Chloe nadal nic nie mówiła, tylko przyglądała mi się z drugiego końca pokoju. Max nie miał nawet telefonu ani laptopa. Nie mogłam się z nim skontaktować, by cokolwiek wyjaśnić.

Nie byłam pewna, czy tego chcę. Podniosłam telefon
i wyłączyłam go.

— Co mamy dzisiaj w planach? — uderzyłam w klawisz komputera, aby rozjaśnić ekran, i przejrzałam plan
spotkań. Spojrzałam na przyjaciółkę.

Podeszła i wyłączyła monitor.

— Nic pilnego. George! Odwołaj wszystko i zbieraj
swoje rzeczy. Robimy sobie dzień pijaństwa.

∼

Do południa zdołałam się nawalić, zachwycona faktem,
że zaniedbany bar w Queens ma szafę grającą, a jeszcze
bardziej tym, że właściciel wydawał się takim samym
jak ja miłośnikiem zespołów i fryzur z lat osiemdziesią-
tych. Moja mama uwielbiała tę muzykę, więc powtarzane
w kółko piosenki Twisted Sister sprawiły, że poczułam się
jak w domu.

— Był świetny w łóżku — wymamrotałam w swoją
szklankę. — Dobra — poprawiłam się, unosząc ciężką
rękę. — Jednej nocy faktycznie zrobiliśmy to w łóżku.
W moim. I był doskonały. Myślę, że tej nocy uprawialiśmy seks jakieś siedem tysięcy razy.

— Tylko raz zrobiliście to w łóżku? — zapytał George,
stojąc obok stołu i opierając się na kiju bilardowym.

Chloe westchnęła ciężko i zignorowała go, wrzucając
do ust kilka bardzo podejrzanych orzeszków.

— Okropne, kiedy czujesz, że musisz się z tego wy-
miksować. Nic nie utrzymuje związku lepiej od niesa-
mowitego seksu. Och, i uczciwość. Mam na myśli, że
również jest ważna — podrapała się w policzek i dodała: — Właśnie jak dobra wspólna zabawa. Mam na
myśli seks, uczciwość i zabawę. W tym tkwi tajemnica
powodzenia.

— Mieliśmy i seks, i zabawę.

Chloe wyglądała, jakby zaczynała zapadać w drzemkę.

— BB również jest cholernie dobry w łóżku — wymamrotała.

— Mój zupełny brak życia seksualnego jest również
fantastyczny — jęknął George. — Miło, że pytacie. Czy
kobiety naprawdę cały czas muszą gadać o seksie?

— Tak — odpowiedziała Chloe, a ja w tym samym
momencie zaprzeczyłam:

— Niezupełnie.

Po czym zmieniłam zdanie i dodałam:

— W pewnym sensie.

Chloe zaś w tej samej chwili rzekła:

— Nie sądzę.

Obie zaczęłyśmy chichotać, ale mój śmiech szybko
zamarł, gdyż w barze pojawił się wysoki cień. Wyprostowałam się, czując przyspieszone bicie serca. Cień miał
szerokie ramiona, takie same jasnobrązowe włosy...

Ale to nie był Max.

Czułam, jakby moja klatka piersiowa była zbyt mała,
by pomieścić wszystko, co powinna.

— Ojej — jęknęłam, pocierając się w okolicach serca.
— Poprzednim razem byłam zbyt wściekła, żeby się smu-
cić. A to po prostu boli.

Chloe otoczyła mnie ramieniem.

— Mężczyźni są do dupy.

Zadzwonił jej telefon i odebrała zaledwie po jednym
dzwonku.

— Jestem w barze — przerwała, słuchając, po czym
powiedziała: — Tak, mamy dzień ochlaju... Jest smutna,
a ja chcę odciąć mu jaja... Wiem. Będę... Obiecuję, że
nie zwymiotuję na nowy dywan, uspokój się. Do zobaczenia — skończyła rozmowę i pokazała telefonowi palec.
— Co za apodyktyczny dupek — a potem osunęła się na
mnie. — Zasługujesz na faceta takiego jak Bennett.

George pochylił się, patrząc na nas badawczo, i potrząsnął głową.

— Obie jesteście rozwalone. Jutro wieczorem urzą-
dzamy imprezkę pocieszenia dla Sary na sposób gejowski.

∽

We wtorkowy wieczór George zabrał nas do zapchanego
ludźmi baru z dudniącą muzyką. Właśnie do takiego lokalu chciałam z nim pójść w lepszych czasach, ale teraz
przypomniało mi to tylko o moim fatalnym nastroju.
Tak naprawdę wcale nie miałam ochoty na wyjście i ba-
lowanie. Nie chciałam cisnąć się w tłumie mężczyzn.

Najchętniej przeskoczyłabym w czasie do przodu, do punktu, w którym Max nie będzie miał już znaczenia.

Przeraziło mnie to, że o Andym zapomniałam prawie natychmiast, gdyż w ciągu tygodnia poznałam Maxa. Tym razem dojście do siebie zajmie mi znacznie więcej czasu.

W czwartek rano w końcu włączyłam telefon. Zobaczyłam siedemnaście nieodebranych połączeń od Maxa, a w poniedziałek i wtorek wysłał mi około dwudziestu SMS-ów. Odczytałam je po kolei.

„Zadzwoń do mnie. Saro, widziałem «The Post». Zadzwoń do mnie".

I to samo w różnych odmianach: zadzwoń, napisz, daj mi znać, że otrzymujesz wiadomości. I właśnie wtedy, kiedy zamierzałam oddzwonić, zobaczyłam ostatnią, przy której poczułam znajome ukłucie w sercu.

„Saro, wiem, że wygląda to naprawdę źle. To nie jest tak, jak myślisz".

Och, wspaniale. Ile razy już to słyszałam przy poprzedniej okazji? A szczerze mówiąc, jeśli ktoś broni się w ten sposób, to prawie na pewno chodzi o to, co myślę. Długo się tego uczyłam i nie miałam zamiaru zapomnieć lekcji.

Ponownie wyłączyłam telefon, postanawiając tym razem już go nie włączać.

Wiedziałam, że Max wrócił w piątek, ale nadal nie zadzwoniłam. Nie przyszedł do mnie do pracy, a gdy włączyłam telefon kilka dni później, przekonałam się, że przestał również dzwonić.

Co było gorsze: jego wyświechtane zapewnienia, że źle zrozumiałam, czy jego milczenie?

Czy byłam wobec niego sprawiedliwa? Nie cierpiałam tej przestrzeni, w której gniew spotyka się z niepewnością. W taki sposób przez lata żyłam z Andym, czując, jak za moimi plecami coś się dzieje, ale nigdy nie miałam pewności, w wyniszczającym konflikcie między poczuciem bycia jędzą a przekonaniem, że to on mnie krzywdzi.

Tym razem przechodziłam rozczarowanie znacznie gorzej, gdyż naprawdę myślałam, że Maxa warto poznawać. Przy okazji zdałam sobie sprawę z tego, że chyba nigdy nie myślałam tak o Andym. Może po prostu chciałam go takim widzieć.

Co to za historia z tą inną kobietą? Może wyrwał ją, zanim między nami zaczęło się robić poważnie? Czy naprawdę powinnam mieć do niego pretensje, chociaż uzgodniliśmy monogamię? Ale kiedy zrobił to zdjęcie? Naprawdę tylko kilka dni przed nocą u mnie?

— Saro, kotku. Niemal słyszę, co tam kręci się w twojej głowie — odezwał się George znad swojego biurka. — Ostra i narastająca histeria. Uspokój cycki. W szufladzie biurka masz butelkę. Jest różowa i błyszcząca, ale nie zakochaj się w niej; jest moja.

Otworzyłam szufladę.

— Co to?

— Szkocka.

Jęknęłam, zamykając szufladę.

— No nie. To codzienny napój Maxa Stelli.

— Wiem.

Spiorunowałam wzrokiem ścianę, mając nadzieję, że George poczuł po drugiej stronie na szyi moje palące spojrzenie.

— Jesteś dupkiem.

— Nie zadzwoniłaś do niego, prawda?

— Nie. A powinnam? — przycisnęłam rękę do twarzy.

— Nie mów, że tak. On właśnie przeżywa tydzień smaków hiszpańskich. Oczywiście, że nie powinnam dzwonić.

Wstałam i z trzaskiem zamknęłam drzwi, ale kiedy tylko usiadłam z powrotem, z drugiej strony rozległy się trzy delikatne puknięcia.

— Możesz wejść, George — warknęłam, pokonana.

— Ale nie piję szkockiej.

Do środka wszedł Bennett, wypełniając przestrzeń, jak tylko on to potrafił. Wyprostowałam się, instynktownie spoglądając na biurko, by ocenić poziom bałaganu.

— Cześć, Bennett. To o szkockiej to był tylko żart. Nie piję w pracy.

Uśmiechnął się.

— Nie miałbym pretensji, gdybyś to zrobiła.

— OK… — powiedziałam, zastanawiając się, co on tu robi. Rzadko mieliśmy powód, by rozmawiać w pracy sam na sam. Szef, zanim zaczął mówić, zlustrował mnie wzrokiem.

— W Chicago, kiedy sięgnąłem dna, weszłaś do mojego biura i nakrzyczałaś na mnie.

— Och. — O cholera.

— Ukazałaś mi szerszą perspektywę i dałaś do zrozumienia, że moje uczucia do Chloe nie są dla nikogo niespodzianką. Uświadomiłaś, że wszyscy wiedzą, że jestem dla niej surowy, bo darzę ją szczególnie wielkimi względami.

Uśmiechnęłam się, gdy zdałam sobie sprawę z tego, że nie zamierza zmywać mi głowy.

— Pamiętam. Oboje byliście żałośni.

— Przyszedłem, by odwzajemnić przysługę. Znam Maxa kawał czasu. — Ryan usiadł na krześle po drugiej stronie biurka. — Zawsze był trochę playboyem. Chyba nigdy się naprawdę nie zakochał. Dopóki nie poznał ciebie — dodał, unosząc brwi.

Wiedziałam, że niezależnie od tego, jak długo go znam, Bennettowe uniesienie brwi zawsze mnie będzie onieśmielało.

— Nie powiedział mi, co się dzieje, chociaż złamałem moje własne niepisane zasady i go zapytałem. Odpowiedział jedynie, że zerwałaś z nim kontakt. Słyszałem od Willa, że ze Stellą nie jest dobrze. Jeśli naprawdę zależy ci na nim, powinnaś dać mu szansę na wyjaśnienia.

Jęknęłam.

— Czasem tak myślę, po czym przypominam sobie, jakim jest palantem.

— Słuchaj, Saro. Andrew cię krzywdził. Wszyscy to widzieliśmy i żałuję, że nie porozmawiałem z tobą o tym. Jednak to ty decydujesz, co wyniesiesz z tamtej lekcji. Jeśli uznasz, że każdy facet jest taki jak on, nie zasługujesz na Maxa. Max to nie ten typ.

Przyglądał mi się przez chwilę, a ja nie miałam pojęcia, co odpowiedzieć. Ale sposób, w jaki boleśnie ścisnęło mi się serce na myśl, że nie zasłużyłam na Maxa, powiedział mi, że Bennett ma rację.

Muszę poszukać sukienki na tę imprezę dobroczynną.

≈

Chloe i Bennett przyjechali po mnie samochodem, a gdy wsiadłam, przez sekundę podziwiałam Bennetta w smokingu. Szczerze mówiąc, facet był tak przystojny, że aż niesprawiedliwe. Przy nim Chloe lśniła w perłowej sukni bez pleców. Przewróciła oczami, gdy narzeczony wyszeptał jej coś do ucha, i odpowiedziała:

— Świntuch z ciebie.

Zaśmiał się cicho, całując jej szyję.

— Dlatego mnie kochasz.

Uwielbiałam patrzeć na ich szczęście i jeszcze nie zgorzkniałam na tyle, by myśleć, że mnie to nie spotka. Gdy spojrzałam na swoją sukienkę, pomyślałam, że spędziłam więcej niż godzinę, przygotowując się do wyjścia. Naprawdę chciałam, by to Max był dla mnie tym jedynym.

Odwróciłam się i wyjrzałam przez okno, próbując nie wspominać ostatniej wizyty w budynku, w którym mieszka, i poczucia bezpieczeństwa, jakie poczułam w jego ramionach pod prysznicem. Ku mojemu przerażeniu i jednocześnie uldze strażnik przy wejściu rozpoznał mnie i się uśmiechnął.

— Dobry wieczór, panno Dillon — odprowadził nas do windy i po wciśnięciu guzika do apartamentu na ostatnim piętrze cofnął się, zostawiając nas samych. — Miłego wieczoru.

Podziękowałam mu, nim drzwi się zamknęły, i poczułam, jakbym miała się przewrócić.

— Mam powody przypuszczać, że zaraz dostanę udaru — wysyczałam. — Przypomnij mi, Bennett, po co tu przyszłam.

— Oddychaj — szepnęła do mnie Chloe.

Jej narzeczony pochylił się do przodu, patrząc na mnie.

— Przyszłaś tu, by mu pokazać, jak pięknie wyglądasz i że nie dasz się złamać. Jeśli nawet dzisiaj nie wydarzy się nic innego, to wystarczy.

Po tych słowach zaczęłam się trząść. Nie byłam też przygotowana na widok salonu Maxa. Gdy otworzyły się drzwi windy, poczułam, jakby ktoś mocno mnie uderzył deską w pierś. Aż cofnęłam się o krok.

W klubie Johnny'ego skopiowano zaledwie małą część pokoju, zaciszny zakątek wyraźnie przeznaczony do bardziej intymnych spotkań. Mnie jednak ten właśnie kąt od razu rzucił się w oczy. Nawet biorąc pod uwagę ogrom pomieszczenia, metry kwadratowe marmurowej podłogi dzielące mnie od miejsca, które wywołało wspomnienia, nie byłam w stanie oderwać od niego wzroku. Siedziało tam paru mężczyzn popijających drinki i wyglądających przez okno. Miałam poczucie, jakbym naruszała czyjąś prywatność, jakbym znalazła się po niewłaściwej stronie okna.

Chloe natychmiast wzięła mnie pod ramię i pociągnęła za sobą, podczas gdy wysoki starszy pan poprowadził
nas z holu do pomieszczenia głównego.

— Wszystko dobrze? — zapytała mnie przyjaciółka.

— Nie jestem pewna, czy to dobry pomysł.

Poczułam, jak Chloe nagle nabiera powietrza.

— Możesz mieć rację — powiedziała.

Uniosłam wzrok i podążyłam za jej spojrzeniem tam,
gdzie z drugiej strony pokoju wszedł Will, a zaraz za nim
Max.

Miał na sobie smoking podobny do tego, w którym
wystąpił na gali kilka tygodni temu. Jednak dzisiaj włożył
pod niego białą kamizelkę. Jego oczy były przygaszone.
Jego usta uśmiechały się, kiedy witał się z wszystkimi
w pokoju, jednak uśmiech nie docierał do źrenic.

Jakaś setka gości oglądała jego dzieła sztuki, wędro-
wała do kuchni, by wziąć kieliszek wina, lub stała w grup-
kach na środku pokoju, pogrążona w rozmowach. Ja zamarłam w pobliżu ściany.

Dlaczego włożyłam czerwoną sukienkę? W morzu
przytłumionych odcieni kremu i czerni poczułam się jak
latarnia. Co chciałam osiągnąć? Chciałam, żeby mnie zauważył?

Niezależnie od tego, o co mi chodziło, on mnie nie
widział. Przynajmniej nie dał tego po sobie poznać. Cho-
dził po pomieszczeniu, zagadując gości i dziękując im za
przyjście. Próbowałam udawać, że nie zwracam na niego
uwagi, ale nie udało mi się to.

Tęskniłam za nim.

Nie wiem, jak się czuje, co jest prawdą, a co kłamstwem. Nie wiem, co nas tak naprawdę łączyło.

— Saro.

Na dźwięk głębokiego głosu Willa odwróciłam się.

— Cześć, Will. — Nie podobała mi się jego poważna twarz. Rzadko widywałam jego albo Maxa bez uśmiechu. To wszystko nie pasowało.

Przez moment przyglądał mi się, po czym mruknął:

— Max wie, że tu jesteś?

Spojrzałam na przeciwległą stronę pokoju, gdzie Stella rozmawiał z dwiema starszymi kobietami.

— Nie wiem.

— Mam mu powiedzieć?

Pokręciłam głową. Will westchnął.

— Ostatnio do niczego się nie nadaje. Naprawdę się cieszę, że przyszłaś.

Roześmiałam się lekko i przyznałam:

— A ja wciąż nie jestem o tym przekonana.

— Naprawdę mi przykro — powiedział.

Spojrzałam mu w oczy.

— Nie musisz przepraszać za grzechy Maxa.

Zmarszczył brwi i pokręcił głową.

— Nic ci nie powiedział?

Serce mi zamarło, po czym pospiesznie ruszyło.

— O czym?

Will jednak odsunął się o krok, jakby zmienił zdanie.

— Naprawdę jeszcze z nim nie rozmawiałaś.

Pokręciłam głową. Spojrzał nad moim ramieniem tam, gdzie stał Max. Położył mi dłoń na ręce.

— Nie wychodź, zanim z nim nie porozmawiasz, dobrze?

Skinęłam głową i spojrzałam znów na mojego kochanka, który stał obok pięknej brunetki. Kobieta trzymała dłoń na jego rękawie i śmiała się z czegoś, co powiedziała. Śmiała się za głośno, za bardzo się starała.

Kiedy się odwróciłam, Willa już nie było.

Nagle poczułam, że brakuje mi powietrza, więc odwróciłam się i wyszłam na korytarz. Tutaj nie kręcili się kelnerzy z tacami pełnymi jedzenia, nie zaglądali goście. Był to po prostu szeroki korytarz z rzędem zamkniętych drzwi. Między nimi wisiały piękne zdjęcia drzew, śniegu, ust, rąk i pleców.

Dokąd idę? Czego jeszcze chcę się dowiedzieć o Maxie? Czy nagle znajdę pokój wypełniony kobiecymi przedmiotami? Czy dlatego tak chętnie się godził na to, by nie przychodzić do niego, gdyż dzięki temu mógł w domu zachować miejsce dla kogoś innego?

Po co ja tu w ogóle przyszłam?

Na odgłos kroków szybko wsunęłam się do pokoju na końcu korytarza.

Wewnątrz, z dala od ludzi, panowała taka cisza, że czułam krew pulsującą mi w uszach.

Rozejrzałam się.

Znalazłam się w ogromnej sypialni z wielkim łóżkiem na środku. Na stoliku nocnym stała zapalona lampa i moje zdjęcie w ramce.

Stałam na nim wpatrzona w obiektyw, z palcami na guziku koszuli i rozchylonymi ustami. Wydawałam się jednocześnie zaskoczona i pełna ulgi.

Pamiętałam tę chwilę. Właśnie wtedy wyznał mi miłość. Odwróciłam się gwałtownie i spojrzałam na ścianę za moimi plecami. Kolejne zdjęcia: moje plecy, kiedy sięgałam do tyłu, by zdjąć stanik. Moja twarz, kiedy spoglądałam w dół, by rozpiąć spódnicę. Moja twarz uniesiona ku niemu w świetle porannego słońca.

Potykając się, ruszyłam przed siebie, pragnąc uciec od nagłej świadomości, że wszystko zepsułam. Że jest jeszcze sporo spraw, które powinnam zrozumieć. Jednak za kolejnymi drzwiami znajdowała się duża garderoba, a w niej spotkało mnie jeszcze większe zaskoczenie.

Pomieszczenie miało wyjątkowo intymny charakter. Na gładkich kremowych ścianach wisiało chyba ze trzydzieści naszych zdjęć, wszystkie czarno-białe, zestawione ze smakiem w rzędach i jedno pod drugim.

Niektóre były skromne i pełne prostego piękna. Zdjęcie jego ust przyciśniętych do wierzchu mojej stopy. Jego kciuk przesuwający się po małym odsłoniętym fragmencie brzucha, kiedy podsunął mi koszulę do góry.

Inne były erotyczne, lecz powściągliwe, raczej wskazujące na to, jak się w sobie zatracamy, ale bez szczegółów. Moje zęby gryzące jego ucho, usta i szczęka widoczne przy jego skórze, lecz można było łatwo zgadnąć, jak jestem bliska spełnienia. Lub mój tułów pod nim. Moje paznokcie wbite w jego ramiona i uda podniesione wysoko na boki.

Kilka było wręcz sprośnych. Moja dłoń na jego wzwodzie. Nieostre ujęcie jego poruszającego się we mnie od tyłu, w magazynie.

Jedno sprawiło, że zamarłam w bezruchu — zrobiliśmy je z boku w moim mieszkaniu. Nawet nie wiedziałam, że Max nastawił samowyzwalacz w aparacie, lecz sprzęt musiał stać na stoliku nocnym, gdyż fotografię zrobiono pod bardzo ostrym kątem. Na tym ujęciu Max był nade mną, jego biodra wygięły się, kiedy wsuwał się do środka. Ja jedną nogę owinęłam wokół jego ud, całowaliśmy się, on opierał się na ramionach i pochylał do przodu. Oczy mieliśmy zamknięte, a na twarzach nie było ani śladu napięcia.

To my, kochamy się, złapani w jednym doskonałym ujęciu.

Obok zdjęcie jego ust otwartych na mojej piersi, z oczami spoglądającymi na mnie w wyrazie nieukrywanego uwielbienia.

— O mój Boże — wyszeptałam.

— Nikomu nie wolno tu wchodzić.

Na dźwięk jego głosu podskoczyłam, położyłam rękę na piersi.

— Nawet mnie? — zapytałam, zamykając oczy.

— Zwłaszcza tobie.

Obróciłam się, by na niego spojrzeć, ale to był błąd. Powinnam była najpierw odetchnąć i przygotować się na to, jak wygląda z bliska: świeży, opanowany, niewiarygodnie przystojny.

A jednak przy tym wszystkim był złamany. Pod poważnymi oczami miał cienie, usta blade i zaciśnięte.

— Ciężko mi tam było — przyznałam. — Ten pokój, kanapa…

Spojrzał na mnie twardo.

— Tak się czułem po powrocie z San Francisco. Miałem ochotę całkowicie wymienić meble.

Zapadła ciężka cisza, w końcu Max odwrócił wzrok. Nie wiedziałam, od czego zacząć. Musiałam sobie przypomnieć, że miał w telefonie zdjęcia innych kobiet, zrobione później niż moje. Ale jednak w tym pomieszczeniu to on wydawał się bardziej zraniony.

— Nie rozumiem, co się dzieje — przyznałam.

— Nie potrzebuję wytykania mi upokorzenia — odparł, wskazując zdjęcia na ścianie. — Uwierz mi, Saro, czuję się wystarczająco nędznie bez twojej nieproszonej wizyty — spojrzał na zdjęcie moich ust na jego biodrze. — Zawarłem ze sobą umowę. Miałem je zostawić tutaj jeszcze dwa tygodnie, a potem zdjąć.

— Max...

— Podobno mnie kochałaś. — Jego zewnętrzne opanowanie zaczynało pękać; jeszcze nie widziałam go rozgniewanego.

Nie miałam pojęcia, co powiedzieć. Użył czasu przeszłego, a jednak moje uczucia nigdy nie były równie silne, zwłaszcza w tym pokoju, gdzie otaczały nas dowody tego, co połączyło nas tamtej nocy.

— Miałeś zdjęcia innych ko...

— Ale gdybyś mnie kochała tak jak ja ciebie — przerwał mi — dałabyś mi szansę wyjaśnić tę sprawę z gazetą.

— Kiedy trzeba wyjaśnień, jest już zwykle za późno.

— Jasno mi to pokazałaś. Dlaczego jednak od razu założyłaś, że zrobiłem coś złego? Czy kiedykolwiek cię okłamałem, czy miałem przed tobą tajemnice? Ufałem ci. Zakładasz, że nikt mnie nigdy nie zranił i łatwo mi ufać. Zbyt jesteś zajęta strzeżeniem swojego serca, by uświadomić sobie, że może nie jestem takim dupkiem, za jakiego ludzie mnie mają.

Po tych słowach już zupełnie nie wiedziałam, co powiedzieć. Miał rację. Gdy opowiedział mi o Cecily i swoim życiu uczuciowym, założyłam, że wszystko przychodzi mu z łatwością i że nie poznał jeszcze okrutnej strony miłości.

— Mogłaś dać mi wyjaśnić — powtórzył.

— Jestem tutaj. Wyjaśnij.

— Ci, którzy ukradli torbę, sprzedali zdjęcia jako swoje. Goście z Celebritini znaleźli w mojej torbie sto dziewięćdziesiąt osiem zdjęć. Twoich. Na mojej karcie, w telefonie i na pendrivie. Gdyby udało im się złamać hasło do laptopa, mieliby kolejne kilkaset. Jednak opublikowali zdjęcie twojego biodra i kobiety, której w życiu nie widziałem.

Poczułam, jak brwi mi się unoszą w zaskoczeniu, a serce zaczyna mocno bić.

— Masz na myśli, że zmontowali to zdjęcie? Nie było twoje?

— Było w moim telefonie — odparł, patrząc na mnie. — Ale nie wiem, kto to jest. Tego ranka Will przesłał mi zdjęcie tuż przed kradzieżą torby. To kobieta, z którą kilka lat temu parę razy się spotkał.

Nie rozumiejąc, pokręciłam głową.

— Ale po co miałby ci przesyłać takie zdjęcie?

— Opowiedziałem mu, jak robię ci zdjęcia, jakie to dla mnie nowe. I jak to między nami bywa, zażartował, że on już oczywiście tego spróbował. Robił zdjęcia kochanek, takie artystyczne. To była zabawa na zasadzie przechwałek i licytowania się, jak to między nami. Kpił sobie ze mnie. Ale widział, że jestem szczery i kocham cię. — Max odsunął się i oparł o ścianę. — Jednak dzień przed moim wyjazdem żartowaliśmy sobie. Zapytał, czy telefon mam pełen pornosów z Sarą w roli głównej. Przesłał mi to zdjęcie, bo jest palantem i po prostu robił sobie jaja. Niestety wybrał najgorszy moment.

— Podobno miałeś zdjęcia wielu kobiet.

— To kłamstwo.

— Dlaczego mi nie powiedziałeś? Nie zostawiłeś wiadomości albo nie napisałeś?

— Ponieważ uznałem, że jako dorośli powinniśmy porozmawiać o tym osobiście. Saro, to, co wspólnie robiliśmy, wymagało wielkiego zaufania. Wydawało mi się, że zasługuję na szansę, by wyjaśnić. Jednakże — przesunął ręką po włosach i zaklął — oznacza to przyznanie, że powiedziałem Willowi o twojej zgodzie na te zdjęcia. Oznaczało to, że zdradziłem naszą tajemnicę. Ja z kolei ujawniłbym, że przesłał mi osobiste zdjęcie kobiety, która pewnie mu zaufała. Spytałem prawników o to, jak w razie czego poradzić sobie z publikacją tego wszystkiego, ale rozdmuchując to, wyszlibyśmy na idiotów.

— Nie tak bardzo jak przy oglądaniu tego w gazecie.

— Nie widzisz, że im właśnie o to chodzi? O skandal? O opowieść o mnie i moich niezliczonych podrywach?

Znaleźli setki zdjęć ze mną i tobą, a jednak opublikowali tylko jedno. Znaleźli zdjęcie innej kobiety i bum — idealnie wpasowało się w plotkę. Powiedziałem ci, że nie spotykam się z nikim innym, dlaczego ci to nie wystarczyło?

— Bo przywykłam do mężczyzn, którzy mówią jedno, a robią co innego.

— Ale po mnie oczekiwałaś czegoś więcej — odparł, szukając wzrokiem mojego spojrzenia. — Inaczej nie wyznałabyś mi miłości. I nie ofiarowała takiej nocy.

— Kiedy zobaczyłam te zdjęcia… chyba uznałam, że tamta noc nie znaczyła dla ciebie tyle, ile dla mnie.

— Bzdura! Przecież tam byłaś. Teraz patrzysz na te zdjęcia. Widzisz wyraźnie, ile dla mnie znaczysz.

Chciałam wyciągnąć do niego dłoń, ale się wstrzymałam. Max wyglądał na porządnie wkurzonego, a mnie z kolei zalała fala frustracji: na siebie, na niego i całą tę sytuację. Wciąż pamiętałam ukłucie w sercu na widok zdjęcia tej kobiety.

— A co miałam myśleć? Najprostszym wyjaśnieniem było to, że się mną zabawiłeś. Wszystko, co robiliśmy, przychodziło ci z taką łatwością.

— Owszem, to było łatwe. Cholernie łatwo mi przyszło zakochać się w tobie na zabój. A czy nie tak powinno to wyglądać? To, że przez ostatnie lata nikt nie złamał mi serca, nie oznacza, że nie można go złamać. Cholera, Saro. Od dwóch tygodni jestem wrakiem. Jestem załamany.

Przycisnęłam dłoń do żołądka, czując się tak, jakbym musiała fizycznie powstrzymać się od rozsypki.

— Ja też.

Westchnął i zapatrzył się w swoje buty. Już się nie odezwał. Serce ścisnęło mi się boleśnie.

— Chcę z tobą być — powiedziałam.

Kiwnął głową raz, lecz nie podniósł wzroku, nie odezwał się ani słowem.

Przysunęłam się, wyprostowałam, by pocałować go w policzek, lecz udało mi się sięgnąć tylko do jego szczęki, gdyż Max nie ułatwił tego i się nie pochylił.

— Max, tęsknię za tobą — wyznałam. — Wiem, wyciągnęłam pochopne wnioski. Ja tylko… myślałam… — przerwałam przestraszona jego brakiem reakcji.

Nie odwracając się, wyszłam z garderoby przez sypialnię i wróciłam do gości.

~

— Chcę do domu — powiedziałam do Chloe, kiedy udało mi się dyskretnie, czy raczej prawie dyskretnie, odciągnąć ją od Bennetta i Willa.

Mężczyźni obserwowali nas, jak to zwykle faceci, kiedy nie próbują tego ukryć. Wszyscy staliśmy w części salonu przypominającej pokój w klubie. Wspomnienia wywoływały ostre ukłucia w moim sercu. Chciałam już zdjąć sukienkę, zmyć makijaż z twarzy i zwinąć się w kłębek w wannie jak ciasto w brytfance.

— Dasz nam dwadzieścia minut? — zapytała przyjaciółka, lustrując mnie wzrokiem. — Czy musisz wyjść już teraz?

Jęknęłam, rozglądając się po salonie. Max wciąż nie wyszedł ze swojej sypialni i nie chciałam, by mnie tu zastał. A na pewno nie chciałam stać akurat w tym miejscu, pamiętając dokładnie, jaki był dla mnie czuły w klubie Johnny'ego i za każdym następnym razem. Byłam zażenowana i zdezorientowana, a przede wszystkim szaleńczo w nim zakochana. Wciąż miałam przed oczami piękno, które uchwycił na zdjęciach.

— Właśnie odbyłam z Maxem najbardziej kłopotliwą rozmowę świata. Czuję się jak wiedźma, a on się uparł i ma do tego wszelkie prawo, bo jestem idiotką, chcę już tylko sobie iść. Wezmę taksówkę.

Will położył rękę na moim ramieniu.

— Jeszcze chwilka.

Nie mogłam się powstrzymać, by nie spiorunować go wzrokiem.

— Świnia z ciebie, Will. Jak mogłeś zrobić coś takiego. Gdyby to Max wysłał ci moje zdjęcie, zabiłabym go.

Skarcony, skinął głową.

— Wiem.

W tej chwili moją uwagę przyciągnęło wejście prowadzące z holu do pokoju Maxa. Spojrzałam nad ramieniem Willa. Stella wyszedł, kiedy tego nie zauważyłam, i stał oparty o ścianę, sącząc whisky. Wpatrywał się we mnie. Jego twarz miała tak samo intensywny wyraz jak tamtej nocy, kiedy się poznaliśmy, a on patrzył, jak dla niego tańczę.

— Przepraszam — powiedziałam do niego bezgłośnie, ze łzami wzbierającymi pod powiekami. — Namieszałam. Will mówił coś, ale nie miałam pojęcia co. Zbyt skupiłam się na sposobie, w jaki Max oblizał swoje wargi. Wtedy w jego oczach pojawił się znajomy uśmiech i powiedział bezgłośnie:

— Pięknie wyglądasz.

Will zadał mi jakieś pytanie. Co on właściwie chciał? Skinęłam głową i wymamrotałam:

— Tak...

Ale on zaśmiał się, potrząsając głową.

— To nie było pytanie typu tak czy nie, śliczna Saro.

— Ja... — próbowałam się skupić. Jednak za plecami Willa Max odstawił drinka na stół i skierował się prosto do mnie. Szarpiąc za sukienkę, wyprostowałam się i próbowałam zachować beznamiętny wyraz twarzy. — Możesz powtórzyć pytanie?

— Max do nas idzie, prawda? — zapytał Will, patrząc na mnie z nieskrywanym rozbawieniem.

Ponownie skinęłam głową.

— Uhm.

Nie zdawałam sobie sprawy, że stałam tak blisko ściany, dopóki nie zostałam do niej przyparta, a po moich ustach nie przesunęły się ciepłe usta Maxa, powtarzające moje imię. Chciałam coś powiedzieć, może zakpić, że całuje mnie tak otwarcie na własnym przyjęciu, jednak czułam tak ogromną ulgę, że tylko zamknęłam oczy i otworzyłam usta, pozwalając jego językowi przesuwać się po moim.

Max zatopił zęby w mojej brodzie, ssał moją szyję. Przez jego ramię zobaczyłam, że wypełniający salon goście milkną i obserwują nas z wybałuszonymi oczami. Parę osób już zbiło się w grupki, omawiając to, co widzą.

— Max — szepnęłam, chwytając go za włosy, aby odciągnąć jego głowę od moich ust. Uśmiech nie chciał zniknąć z mojej twarzy, czułam się tak, jakby miała mi pęknąć na pół. On patrzył na moje usta, oczy skrył pod półprzymkniętymi powiekami, jakby upijał się mną.

— Mamy widownię.

— Czy to nie twoja specjalność? — pochylił się i pocałował mnie po raz kolejny.

— Wolę odrobinę więcej anonimowości.

— Szkoda. Myślałem, że uzgodniliśmy, że na tym przyjęciu coś ogłosimy.

Oderwałam się i spojrzałam mu w oczy, które stawały się coraz bardziej jasne i przejrzyste.

— Naprawdę przepraszam.

— Chyba widać, że również chcę być z tobą. Ja tylko… potrzebowałem chwili, żeby się pozbierać — powiedział cicho.

Skinęłam głową.

— Zupełnie zrozumiałe.

Max uśmiechnął się i pocałował mnie w nos.

— Przynajmniej mamy to z głowy. Ale zdobyłem prawo do sprawiedliwej rozprawy. Już nigdy więcej nieufnej Sary.

— Obiecuję.

Wyprostował się, wziął mnie pod ramię, odwrócił w stronę oszołomionych gości i oznajmił:

— Przepraszam wszystkich za przerwę. Od kilku tygodni nie widziałem mojej dziewczyny.

Zebrani kiwnęli głowami i uśmiechali się do nas, jakbyśmy byli najbardziej uroczą parą, jaką kiedykolwiek zobaczyli. To był ten rodzaj uwagi, którą mnie obdarzano przez wiele lat. Tym razem jednak było to prawdziwe. Przy Maxie mogłam stworzyć związek, który nie był oparty na badaniach opinii publicznej i odbiorze społecznym. Pierwszy raz w moim życiu to, co zdarzyło się za zamkniętymi drzwiami, było dziesięciokrotnie ważniejsze i lepsze niż to, co widzieli inni z zewnątrz.

I on był mój.

~

Max wciąż jeszcze żegnał ostatnich wychodzących gości, gdy wsunęłam się z powrotem do jego sypialni, by ponownie popatrzeć na zdjęcia. Tak otwarcie ujawniały nasze uczucia, że miałam wrażenie, jakbym była całkowicie naga.

Usłyszałam, jak mój ukochany wszedł za mną i cicho zamknął drzwi.

— Jak mogłeś to znosić?

— Znosić co? — Podszedł od tyłu i schylił się, całując mnie w kark.

— Codzienne patrzenie na te zdjęcia — wskazałam na ścianę. — Gdyby były u mnie na widoku przez ten czas, z bólu zwinęłabym się w kłębek i żyła wyłącznie chipsami i użalaniem się nad sobą.

Zaśmiał się i odwrócił mnie twarzą w swoją stronę.

— Nie byłem jeszcze gotowy z tobą skończyć. Byłem nieszczęśliwy, ale przyznanie, że to koniec, unieszczęśliwiłoby mnie bardziej.

To mi właśnie dał: przekonanie, że szklanka nie jest do połowy pełna, ale wręcz przepełniona.

— To będzie dla ciebie czasami wyczerpujące — powiedziałam. — Podtrzymywanie optymizmu za nas oboje.

— Ach, ale ostatecznie przeniosę cię na stronę światła — podszedł do mnie od tyłu, rozpinając mi sukienkę i zsuwając ją z ramion. Ubranie spadło na podłogę, a ja wyszłam z niego, z przyjemnością czując wzrok mężczyzny na mojej skórze.

Gdy spojrzałam na Maxa, poczułam skurcz w żołądku na widok jego poważnej twarzy.

— Co się stało?

— Mogłaś złamać mi serce. Po prostu pamiętaj o tym, dobrze?

Skinęłam głową, przełykając gulę w gardle.

— Wiem.

— Gdy mówię „kocham cię", nie znaczy, że kocham być z tobą dla mojej kariery albo kocham to, że często chcesz się rżnąć. Oznacza, że kocham ciebie samą. Uwielbiam cię śmiejącą się, uwielbiam patrzeć, jak reagujesz na różne rzeczy, i poznawać cię. Kocham to, kim jestem przy tobie, i ufam, że nie sprawisz mi bólu.

Może dlatego, że był taki wysoki i barczysty, ciągle uśmiechnięty i nigdy się nie obrażał, Max wydawał się tak silny, jakby nic nie mogło go złamać. Ale przecież jest tylko człowiekiem.

— Rozumiem — szepnęłam. Dziwne znaleźć się po drugiej stronie zamieszania i samej dostać kolejną szansę.

Pocałował mnie, a następnie cofnął się, zdejmując smoking i wieszając go na wieszaku w kącie. Zauważyłam jego aparat na półce w przeciwległym kącie pokoju i podeszłam po niego. Przyjrzałam mu się, odnalazłam przycisk włącznika, uniosłam sprzęt i nastawiłam obiektyw.

Wycelowałam w miejsce, w którym stał Max, obserwując mnie i szarpiąc muszkę.

— Też cię kocham — wyznałam, robiąc zbliżenie na jego twarz. Szybko pstryknęłam kilka zdjęć, kiedy wpatrywał się we mnie z głodem w oczach. — Rozbierz się.

Wyjął muszkę z kołnierzyka i rzucił na podłogę. Oczy mu pociemniały, gdy zaczął rozpinać koszulę.

Klik.

— Ostrzeżenie — zamruczałam zza aparatu, gdy rozsuwał poły. — Prawdopodobnie tej nocy będę musiała wylizać każdy centymetr twojej klatki piersiowej.

Rozchylił usta w uśmiechu. Klik.

— Dla mnie w porządku. Mogę poprosić, byś polizała również trochę niżej.

Zrobiłam zdjęcie jego rąk przy pasku, jego spodni na podłodze, jego stóp, gdy stanął przede mną.

— Co robisz? — zapytał, sięgając, by zabrać mi aparat.

— Zdjęcia do mojej sypialni.

Zaśmiał się i potrząsnął głową.

— Chodź do łóżka, kwiatuszku. Najwyraźniej potrzebujesz przypomnienia, jak to działa.

Położyłam się, czując chłodne prześcieradło, gdy materac uginał się pode mną. Max sięgnął w dół, ułożył moją nogę, studiował mnie.

Klik.

— Spójrz na mnie — zamruczał.

Światła Manhattanu prześlizgnęły się po moim ciele, rozświetlając pas skóry na żebrach. Palec Maxa sunął po wewnętrznej stronie mojego uda, gdy spojrzałam mu w twarz, częściowo ukrytą za aparatem.

Klik.

Wypuściłam powietrze, zamknęłam oczy i uśmiechnęłam się.

Nowe życie. Nowa miłość. Nowa Sara.

PODZIĘKOWANIA

Ani jedno słowo tej książki nie powstałoby bez wsparcia naszych mężów, panów Blondie i Dr. Mister Shoes. Wciąż zadziwia nas fakt, że obu nam zdarzyło się znaleźć dwóch najlepszych mężczyzn na tej planecie. Dziękujemy za wszystko, co zrobiliście dla poparcia tego szalonego pomysłu.

Nasza agentka, Holly Root, jest najprawdopodobniej utkana z czarów, okrągłych ciasteczek, gwiezdnego pyłu i łez jednorożca. Nie mamy, oczywiście, takiej pewności, ale wydaje się wręcz niepodobieństwem, żeby ktoś tak niesamowity mógł pochodzić z tej skromnej planety.

Dziękujemy Adamowi Wilsonowi, naszemu wesołemu redaktorowi, którego imię uwielbiamy na naszych marginesach. Lista naszych ulubionych adamizmów jest tak długa, że musiałyśmy założyć całą tabelę, żeby je pomieścić. Przyjmij podziękowania za godzenie się z naszymi absurdami i za zmotywowanie nas do tego, byśmy dały z siebie wszystko już za pierwszym razem.

Dziękujemy Mary McCue i Kristin Dwyer, naszym specjalistkom od reklamy w Simon & Schuster Gallery. Wasz entuzjazm i wsparcie były dla nas ogromną pociechą, teraz najchętniej usiadłybyśmy za waszym biurkiem i wpatrywałybyśmy się w was z uwielbieniem. Wszystkim z Gallery: Jennifer Bergstrom, Ellen Chan, Natalie Ebel, Julii Fincher, Liz Psaltis dziękujemy za waszą pracę przy redakcji, promocji i wsparciu *Pięknego drania* i *Pięknego nieznajomego*. Simon & Schuster musi być fantastycznym miejscem pracy, ponieważ wszyscy jesteście najprawdziwszymi klejnotami.

Naszym koleżankom po piórze i czytelniczkom: Erin, Marcie, Kellie, Anne, Myrze, Amy, Toni i Moi: wielkie dzięki za to, że książka spodobała się wam za pierwszym razem, gdyż raczej nie poprawiłybyśmy jej w ciągu tygodnia. HA! HA! ::drinki:: Dopiero kiedy poprawimy nasze książki według waszych uwag, zaczynamy je kochać.

Alison i Anya, dziękujemy wam bardzo za pomoc w sprawach dotyczących Nowego Jorku, chociaż może wami wstrząsnąć świadomość, co zrobiłyśmy z informacjami (a właściwie po co te żarty? Przecież dobrze o tym wiecie). Helen, dziękujemy za poświęcenie czasu i pomoc z brytyjskim akcentem angielskiego. Ianie: brawo za twoje picie z Lo wystarczająco często, by nauczyła się wszystkich bez wyjątku przekleństw w twoim akcencie! Spangly, twoja pomoc w sprawach dotyczących sztuki była nieoceniona, bez ciebie wspomniałybyśmy tylko *Monę Lisę*, w rzeźby opisałybyśmy jako powstałe z menzurek i lakieru do paznokci. Lauren Suero, dzięki na wieki za całą twoją pracę nad stroną promocyjną, jesteś skarbnicą wiedzy (i masz niesamowite buty).

Ogromne wyrazy wdzięczności dla naszych czytelniczek, zarówno dawnych, jak i nowych. Dziękujemy za nieustające wsparcie i dopingowanie. Bez was nie mogłybyśmy dokonać niczego. Jeśli wolicie nie dać sobie podrzeć majtek, mamy przynajmniej nadzieję, że przeżyjecie niezapomniane chwile w bibliotece.

I w końcu: Christina, jesteś oliwą spokoju laną na moje szaleństwa. Lo, jesteś chwilą szaleństwa w moim spokoju. Wspólnie najlepiej się pracuje. Chodźmy na ciacho.